Dieses Buch gehört:

Verlagsgruppe Random House FSC®-DEU-0100
Das für dieses Buch verwendete FSC®-zertifizierte Papier *Super Snowbright* liefert
Hellefoss AS, Hokksund, Norwegen.

ISBN: 978-3-8094-2823-7

© dieser Ausgabe 2012 by Bassermann Verlag, einem Unternehmen der
Verlagsgruppe Random House GmbH, 81673 München

© der französischen Originalausgaben 1976 und 1978 by Hachette Livre
Die neuen Abenteuer der von Enid Blyton erfundenen Figuren wurden von Claude
Voilier geschrieben und erschienen erstmals 1971 und 1972 bei Hachette Livre, Paris,
unter den Titeln »La Fortune sourit au Cinq«, »Du Neuf pour les Cinq« und »Les
Cinq dans la Cité Secrète«.

Die englischen Ausgaben erschienen unter den Titeln »The Famous Five and the
Cavalier's Treasure«, »The Famous Five and the Strange Legacy« und »The Famous
Five and the Secret of the Caves«.
Copyright © 2012 Chorion Rights Limited. Alle Rechte vorbehalten
Enid Blyton® Fünf Freunde® copyright © 2012 Chorion Rights Limited.
Alle Rechte vorbehalten

© der deutschsprachigen Originalausgaben 2002 by C. Bertelsmann Jugendbuch
Verlag GmbH in der Verlagsgruppe Random House GmbH, 81673 München

Übersetzungen: Carsten Jung, Hamburg; Jürgen Lassig, Eichstätt
Innenillustrationen und Umschlagbild: Silvia Christoph, Berlin
Rückenillustration: © Karel Kopic/artwork-Agentur Walter Holl
Umschlaggestaltung: contact@inaction.de
Projektkoordination dieser Ausgabe: Dr. Iris Hahner
Herstellungskoordination dieser Ausgabe: Sonja Storz
Druck und Bindung: GGP Media GmbH, Pößneck

Printed in Germany

817 2635 4453 62

Enid Blyton

Fünf Freunde

Abenteuerliche Schatzsuche

Illustriert von Silvia Christoph

Bassermann

Enid Blyton, 1897 in London geboren, begann im Alter von 14 Jahren, Gedichte zu schreiben. Bis zu ihrem Tod im Jahre 1968 verfasste sie über 700 Bücher und mehr als 10 000 Kurzgeschichten. Bis heute gehört Enid Blyton zu den meistgelesenen Kinderbuchautoren der Welt. Ihre Bücher wurden in über 40 Sprachen übersetzt.

Inhalt

Fünf Freunde und die geheimnisvolle Schatztruhe

Fünf Freunde und die seltsame Erbschaft

Fünf Freunde suchen den verschollenen Goldschatz

Fünf Freunde
und die geheimnisvolle Schatztruhe

Aus dem Englischen von Carsten Jung

Willkommen im Rosenhaus!

»Aufwachen, Georg! Schläfst du jetzt schon im Stehen oder was ist los mit dir?«

Georg, Julius, Richard und Anne waren gerade von ihren Rädern abgestiegen und standen nun am Straßenrand vor einem Gartentor. Georg hatte schon eine ganze Weile geradeaus gestarrt und geistesabwesend ihren Hund Tim gestreichelt. Jetzt drehte sie sich zu Richard um.

»Natürlich nicht! Was glaubst du denn!«, sagte sie beleidigt. »Ich denke nur mal nach, das ist alles.«

Georg und Richard waren beide elf Jahre alt. Sie hatten dunkles, kurz gelocktes Haar und sie sahen sich ziemlich ähnlich.

Richard konnte sich das Lachen nicht verkneifen. »Ach so, he, ihr beiden, habt ihr das mitgekriegt?«, fragte er Julius und Anne, seine Geschwister. »Georgs Kopf läuft heiß. Sie denkt! Mit welcher wunderbaren Idee wird uns das Superhirn diesmal überraschen?«

»He, nun führ dich doch nicht auf wie ein Idiot,

Richard«, erwiderte Julius. »Wenn ihr beide schon am Anfang der Sommerferien aufeinander rumhackt, wie soll das denn weitergehen?«

Julius war dreizehn Jahre alt und damit der Älteste. Für sein Alter war er sehr vernünftig. Seinem Bruder Richard sah er nicht besonders ähnlich – er war groß und hatte blondes Haar wie seine kleine Schwester Anne.

Anne, Richard und Julius waren die Kinder von Georgs Onkel. Meistens verbrachten sie die Ferien mit Georg und mit deren Hund Tim. Tim folgte Georg, die eigentlich Georgina hieß, auf Schritt und Tritt.

In diesen Sommerferien waren die Kinder wie gewöhnlich ins Felsenhaus gekommen. Es lag an der Küste, ganz in der Nähe der Ortschaft Felsenburg. Aber dann war leider etwas Unerwartetes geschehen und die Kinder hatten ihre Pläne ändern müssen.

Georg hatte schon den Mund aufgemacht, um Richard eine passende Antwort zu geben, aber Anne kam ihr zuvor.

»Und was hast du gedacht, Georg? Sag es doch bitte«, forderte ihre Kusine sie mit sanfter Stimme auf.

»Ach«, entgegnete Georg ziemlich schroff, »ich dachte nur gerade, dass es schade ist, dass wir nicht im Felsenhaus bleiben können.«

»Das macht doch nichts«, meinte Julius. »Wir müssen ja nur zwei, drei Wochen wegbleiben. Nur so lange, wie Onkel Quentin und Professor Hayling brauchen, um das Buch, an dem sie gerade arbeiten, in Ruhe fertig zu schreiben.«

»Stimmt«, sagte Richard. »Wir sind nicht so unendlich lange ins Rosenhaus verbannt.«

»Ja, und denkt mal an den armen Onkel Quentin! Er könnte nie im Leben diese wichtige Arbeit beenden, wenn wir ihm ständig zwischen den Beinen herumwuseln würden«, warf Anne ein.

Georg lächelte plötzlich und sah schon nicht mehr so aus, als wäre ihr eine Laus über die Leber gelaufen. »Also du störst ihn vermutlich am wenigsten. Und Julius auch nicht. Aber Richard und ich machen manchmal wohl ein bisschen mehr Krach. Und der gute Tim kann einen Höllenlärm veranstalten, wenn ihm gerade danach ist. Das hat man nun davon, wenn der Vater berühmt ist: Man kann in seinem eigenen Haus nur noch auf Zehenspitzen herumschleichen.«

»Aber Tante Fanny und Onkel Quentin haben uns

doch die Ferien nicht verderben wollen! Wir sind nur ins Rosenhaus geschickt worden, damit wir bei dir zu Hause nicht die ganze Zeit mucksmäuschenstill sein müssen«, stellte Julius klar. »Und das Problem ist doch prima gelöst worden – wir fahren zu Jenny, der Haushälterin von den Haylings. Sie hat gesagt, dass sie sich gern um uns kümmert.«

»Und das sieht hier doch wirklich nicht schlimm aus«, fügte Anne mit einem Blick auf das kleine Haus hinter der Gartenpforte hinzu.

Von Felsenburg bis zum Rosenhaus hatten sie nur ein paar Kilometer mit dem Rad fahren müssen. Jennys hübsches kleines Haus war weiß verputzt, es hatte grüne Fensterläden und im Garten standen viele Bäume, Blumen und blühende Büsche. Alles wuchs etwas wild durcheinander, aber der Garten sah trotzdem wunderbar aus. Nein, sie hatten es wirklich nicht schlecht getroffen!

»Du hast ja Recht, Anne«, gab Georg zu. »Es ist wirklich hübsch hier.«

»Und ich wette, es gibt immer was Gutes zu essen!«, rief Richard begeistert. »Ihr wisst ja alle, wie toll Jenny kocht. Und sie macht uns bestimmt die wunderbarsten

Kuchen und Nachspeisen – und außerdem können wir mit Brummer spielen. Hallo, da ist Brummer ja schon!«

Ein Junge im selben Alter wie Richard und Georg kam wie ein geölter Blitz aus dem Haus geschossen.

»Toll, da seid ihr ja! Willkommen im Rosenhaus.«

Brummer war der einzige Sohn von Professor Hayling. Sein Vater war ein ebenso berühmter Wissenschaftler wie Onkel Quentin. Die beiden Männer waren befreundet und arbeiteten oft zusammen. In diesem Sommer hatten sie ein wichtiges gemeinsames Projekt, und damit sie dabei nicht gestört wurden, hatte Tante Fanny die Kinder zu Jenny geschickt, der freundlichen Haushälterin von Professor Hayling. Sie kümmerte sich schon um Brummer, seit dessen Mutter gestorben war.

Brummer machte die Gartenpforte auf und ließ seine Freunde eintreten. »Bin ich froh, dass mein Vater unser Haus in Großgrottenmühl verlassen hat und ins Felsenhaus rübergezogen ist«, sagte er. »Und ich darf jetzt bei euch bleiben. Jennys Garten ist toll, man kann darin ganz klasse spielen.«

Jenny erschien auf der Türschwelle. Sie war eine rundliche Frau in mittlerem Alter.

»Hallo, Kinder«, sagte sie mit einem fröhlichen Lächeln. »Kommt doch rein! Ich habe einen kleinen Imbiss für euch vorbereitet. Nach der anstrengenden Radtour könnt ihr den sicher gut brauchen.« Natürlich war das ein Witz.

Georg und die anderen lachten. Aber bevor sie Jenny richtig begrüßen konnten, hörten sie einen Höllenlärm hinter dem Haus.

»Wuff! Wuff!«

»Iiik! Iiik!«

Georg und Brummer sahen einander an und prusteten los.

»Hört euch bloß mal an, wie Tim und Schelm sich Guten Tag sagen.«

»Wie gute Freunde! Und das sind sie schließlich auch.«

Tim stand regungslos auf allen vier Pfoten da, während ein kleiner Affe übermütig um ihn herumtobte. Schelm, Brummers ständiger Begleiter, hüpfte auf Tims Rücken, dann wieder auf den Boden, er küsste Tim auf die Nase und wiederholte diese Vorstellung unter lautem Gekecker gleich ein paarmal. Immer wenn der kleine Affe in die Nähe von Tims Zunge kam, schleckte der Hund ihn freundschaftlich ab.

Die beiden Tiere waren wirklich froh, einander wiederzusehen. Sie blieben draußen im Garten und spielten, während die Kinder sich im Haus an den gedeckten Tisch setzten. Es gab so viele gute Sachen: Eiersandwiches, Jennys leckere selbst gebackene Brötchen mit Erdbeermarmelade und einen großen Obstkuchen. Nach einer Weile kam Tim herein, weil er hoffte, dass zumindest ein Zuckerstück für ihn abfallen würde, und Schelm sprang Brummer auf die Schulter und bettelte um einen Keks.

Jenny schenkte Tee, Limo oder Milch ein. Jeder bekam sein Lieblingsgetränk.

»Ich weiß nicht, ob Professor Hayling euch erzählt hat«, sagte sie, »dass dies mein Häuschen ist. Ich habe es von meinen Eltern geerbt, und ich fand es besser, euch hierher einzuladen, weil ich hier weniger Hausarbeit habe als in dem großen Haus des Professors. Das Rosenhaus ist ziemlich klein, aber trotzdem gibt es für uns alle Platz genug. Brummer schläft mit den Jungen oben in dem großen Schlafzimmer, und unter dem Dach ist ein Zimmer, das sich Anne und Georg teilen können.«

»Wir wollen dir bestimmt keine großen Umstände machen, Jenny, wir helfen dir natürlich auch bei der Hausarbeit«, versprach Anne. »Wir machen unsere Betten selbst und ich wische überall Staub.«

»Ja, und ich mach die schwereren Arbeiten«, sagte Julius. »Und ich bin sicher, dass Richard und Georg gern den Abwasch übernehmen.«

Georg und Richard sahen zwar alles andere als begeistert aus, aber sie waren eigentlich ziemlich hilfsbereit, und es leuchtete ihnen auch ein, dass es nur fair war, Jenny im Haushalt zu helfen. Schließlich machte es eine Menge Arbeit, so viele Kinder zu versorgen. Und deshalb riefen die beiden im Chor: »Alles klar, wir waschen ab!«

Nach dem Imbiss – und dem Abwasch – gingen die Fünf Freunde auf ihre Zimmer und packten ihre mitgebrachten Sachen aus. Als sie alles verstaut hatten, verbrachten sie den Rest des Nachmittags mit Brummer und Schelm. Gemeinsam erforschten sie den Garten. Eine tolle Wildnis! Und die Landschaft rund um das kleine Haus war herrlich.

»Die Felseninsel ist ja auch nicht weit weg«, sagte Georg. »Wenn wir auf meiner Insel spielen wollen, können wir schnell nach Felsenburg rüberfahren und mein Ruderboot holen. Es liegt immer noch an seinem alten Platz.«

Georg war ein richtiger Glückspilz, sie hatte ihre eigene Insel. Die lag nicht weit vom Festland in einer Bucht, aber man konnte mit Fug und Recht behaupten, dass es eine einsame Insel war. Niemand wohnte dort, nur die Fünf Freunde kamen manchmal zum Zelten hin. Onkel Quentin und Tante Fanny hatten Georg die Insel zum Geburtstag geschenkt, mitsamt der Schlossruine, die noch darauf stand.

»Eine gute Idee«, sagte Richard. »Weißt du, eigentlich finde ich, wir haben hier mehr Freiheit als im Felsenhaus, Georg. Ich hab Onkel Quentin ja sehr gern, aber manchmal ist er ganz schön streng.«

»Ja, ich muss zugeben, Jenny ist viel geduldiger als mein Vater«, erwiderte Georg grinsend.

Später an diesem Abend stellten die Kinder noch eine Liste zusammen, auf die sie all das schrieben, was sie in den nächsten Tagen unternehmen wollten. Als das erledigt war, gingen sie schlafen.

Die Fünf Freunde und Brummer lebten sich schnell im Rosenhaus ein. Wenn sie Jenny nicht helfen konnten, durften sie machen, was sie wollten. Das Wetter war herrlich, und es sah ganz so aus, als ob das so bleiben würde. Sie gingen an den Strand zum Baden, sie machten Wanderungen querfeldein, spielten im Garten und hatten immer etwas Interessantes vor.

Doch eines schönen Tages – das heißt, es war überhaupt kein schöner Tag – schlug das Wetter um und es fing an zu regnen. Zunächst nieselte es, aber dann öffnete der Himmel seine Schleusen und es wollte überhaupt nicht wieder aufhören zu regnen. So ein Wetter!

Und das in den Sommerferien. Es war wirklich ein Skandal.

Die Kinder wollten sich nicht unterkriegen lassen und machten sich immer wieder zu Spaziergängen auf, aber jedes Mal kamen sie nach einer Weile alle ganz pitschnass wieder nach Hause. Schließlich beschlossen die Kinder, sich drinnen die Zeit zu vertreiben. Aber das wurde natürlich schnell langweilig, und Jenny hatte alle Hände voll zu tun, ihre Gäste bei Laune zu halten. Sie war so nett und lieb, und es gefiel ihr gar nicht, wenn die Kinder sich zankten. Viele Erwachsene hätten geschimpft und den Kindern Strafen angedroht, wenn sie sich nicht ordentlich benehmen wollten. Aber Jenny hatte das nicht nötig. Sie kannte eine bessere Methode. Sie fing nämlich an, den Kindern Geschichten zu erzählen: viele ganz verschiedene, aber immer waren sie spannend oder lustig. Die Kinder liebten es, ihr zuzuhören, denn Jenny war eine wunderbare Geschichtenerzählerin. Und was sie alles wusste! Sie kannte eine Menge alter Erzählungen und Legenden aus der Gegend, von denen die Kinder fasziniert waren. Aber sie erzählte ihnen auch, was sie als kleines Mädchen mit ihren Geschwistern so alles angestellt hatte.

Indessen regnete und regnete es immer weiter.

»So ein Elend«, seufzte Georg. »Wenn wir doch irgendein Abenteuer erleben könnten – oder wenn es doch irgendeinen netten kleinen Fall zu lösen gäbe, dann hätten wir wenigstens was, worüber wir nachdenken könnten. Wenn das so weiterregnet, rosten unsere Spürnasen noch ein.«

»Und die Fünf Freunde sind für immer zum Däumchendrehen verdammt«, sagte Richard grinsend. »Das wär doch mal was Neues.«

Jenny, die mit ihrem Strickzeug am Fenster saß, schaute hinaus.

»Wie es im Moment mit Abenteuern und geheimnisvollen Fällen aussieht, kann ich nicht sagen«, meinte sie, »aber ihr könntet einen kleinen Ausflug machen. Guckt mal raus, die Wolken verziehen sich und es hat endlich aufgehört zu regnen. Ihr wollt euch doch nicht hier drinnen auf die Füße treten. Und ich weiß auch schon, wohin ihr eure Expedition machen könnt.«

Die Ruine

Georg sprang begeistert auf.

»Mensch, Jenny, du hast ja Recht. Ich hab gar nicht gemerkt, dass es nicht mehr regnet. Ich muss unbedingt raus. Sofort! Kommt, wir holen unsere Räder.«

»Zu Fuß kommt ihr aber besser zu dem Ort, an den ich gedacht habe«, entgegnete Jenny. »Ich dachte mir nämlich, dass ihr euch bestimmt gern mal die Ruine des Herrenhauses Manders anschauen möchtet. Das liegt an einem wunderbaren Rundwanderweg und ist nicht besonders weit entfernt. Du könntest dort ein paar tolle Fotos machen, Richard.«

»Wo fängt denn der Wanderweg an?«, fragte Julius.

»Wenn ihr aus der Gartenpforte tretet, geht ihr nach links die Straße runter«, erklärte Jenny. »Geht immer weiter, bis ihr zu der Ruine auf dem Hügel kommt …«

»Ach, sind das die Überreste von dem alten Herrenhaus?«, rief Anne. »Die sind uns schon aufgefallen, als wir herkamen.«

»Ja, früher einmal war das der Familiensitz der Manders. Jahrhundertelang haben sie dort gelebt, aber im Bürgerkrieg ist Sir Rupert Manders gefallen. Er hat auf der Seite von König Karl gekämpft und deshalb mussten seine Frau und sein Sohn Harry außer Landes flüchten. Seitdem verfällt das Haus.«

»Lebt denn keiner mehr von der Familie?«, wollte Brummer wissen.

»Doch, doch. Es gibt einen Herrn Marc Manders, der ist ein Nachkomme von Harry, aber nicht in direkter Linie. Er und seine Frau Sylvia sind ganz reizende Leute. Sie haben keine eigenen Kinder, nur einen Neffen namens Benjamin. Und der wird eines Tages das Anwesen erben. Ich kenne ihn nicht, er kommt nicht oft her. Die Manders verbringen die meiste Zeit in der Stadt, aber sie reisen auch viel. Herr Manders ist Architekt.«

»Wohnen die etwa in den Ruinen, wenn sie herkommen?«, fragte Anne.

Das fand Richard zum Brüllen komisch. »Anne, du albernes Huhn! Da gibt's doch nicht mal mehr so viele ganze Dachziegel, dass eine Maus trockene Füße behalten könnte.«

Die anderen lachten auch alle und Anne lachte mit. Jenny schüttelte den Kopf.

»Nein, aber die Familie hat noch in dem Haus gewohnt, als König Karl der Zweite auf den Thron kam. Ihnen hat jedoch das Geld gefehlt, um die nötigen Reparaturen machen zu lassen. Ihr könnt euch ja gar nicht vorstellen, wie viel es kostet, so ein Haus instand zu halten. Und nach dem großen Brand vor hundert Jahren hat die Familie das Haus aufgegeben und es verfallen lassen. Sogar die Keller sind verschüttet. Als Herr Marc Manders das Anwesen geerbt hat, ließ er im schönsten Teil des alten Parks ein modernes Wohnhaus bauen. Er hat es selbst entworfen. Blauregen-Villa heißt es.«

»O, ich glaub, das Haus haben wir auch gesehen«, sagte Anne. »Wir sind auf dem Rad dran vorbeigekommen.«

»Das Manders-Anwesen ist sehr groß«, fuhr Jenny fort. »Die Blauregen-Villa und ihr Garten machen nur einen winzigen Teil davon aus. Den Manders gehört das ganze Land um die Ruine herum und eine Menge von dem Land auf der anderen Seite der Hauptstraße und der Wald und sogar noch ein Stück von dem Land, auf dem dieses Haus hier steht.«

»Was?«, sagte Julius überrascht. »Willst du damit sa-

25

gen, dass das Rosenhaus auf dem Manders-Besitz liegt?«

»Ja, ein Teil davon. Ich glaube, im Bürgerkrieg hat hier an dieser Stelle eine Jagdhütte gestanden, und es ist heute noch so, dass mir zwar das Haus und der Vorgarten gehören, der Garten hinter dem Haus aber eigentlich Eigentum der Manders ist. Aber sie lassen mich damit machen, was ich will. Ich hab's ja schon gesagt, Herr und Frau Manders sind sehr nette Leute.«

»Was gibt es dort denn sonst noch zu sehen?«, fragte Georg. »Außer der Ruine, meine ich.«

»Also, wenn ihr auf den Hügel klettert, habt ihr die herrlichste Aussicht aufs Meer. Und dann ist da noch eine uralte Begräbnisstätte. Ihr braucht nicht auf demselben Weg zurückzukommen, ihr könnt eine Abkürzung durch den Wald nehmen. Da ist ein hübscher kleiner Bach, an dem viele sehr schöne Pflanzen blühen.«

Aber als sich die Kinder auf den Weg machen wollten, wurden sie aufgehalten. Schelm hatte es sich in den Kopf gesetzt, sich Tims Halsband auszuleihen. Er nahm es dem Hund ab und legte es sich selber um. Der gutmütige alte Tim hatte nichts dagegen. Aber als der kleine Affe das Halsband trug, fing er an, sich aufzuspielen.

26

Er tobte eine Weile kreischend über die Möbel und sprang schließlich auf den höchsten Schrank. Es sah ganz so aus, als ob er sich dort häuslich niederlassen wollte.

Brummer hielt das für keine so gute Idee. Er beschloss, den Affen einzufangen. Dazu stellte er einen Stuhl auf den Tisch und einen Hocker auf den Stuhl, und dann kletterte er auf diesen Turm, streckte seine Hand aus – und fiel mit großem Getöse runter.

Zum Glück hatte er sich nicht verletzt, aber Schelm hatte Angst gekriegt. Mit einem Satz sprang er vom Schrank und klammerte sich mit einer Pfote an dem Kabel über der Deckenlampe fest, die mehrere Arme hatte, auf denen die Glühbirnen steckten. Und an der schaukelte er mit aufsässiger Miene hin und her. Er würde sich von niemandem Vorschriften machen lassen, so viel war klar. Die Kinder lachten sich halb tot, nur Brummer fand die Vorstellung nicht witzig – und Tim bellte.

Brummer war ziemlich böse auf Schelm; er holte sich einen Besen, um den frechen Affen von der Lampe zu scheuchen. Natürlich hatte er gar nicht die Absicht, ihm wehzutun, aber der Affe wich dem Besenstiel aus, seine Hand rutschte vom Kabel ab, er fiel und blieb mit dem Halsband an einem Arm der Deckenlampe hängen.

»Um Himmels willen, er erhängt sich!«, rief Anne entsetzt.

Brummer flitzte panisch hin und her. Georg und ihre Vettern stürzten zur Besenkammer. Sie wussten, dass dort eine Trittleiter stand. Und die schleppten sie ins Wohnzimmer unter die Lampe. Julius kletterte schnell hinauf und befreite den armen Schelm. Und Georg legte Tim sein Halsband wieder an.

Nach der ganzen Aufregung schauten die Kinder aus dem Fenster. Sie waren gar nicht froh über das, was sie da sahen, denn es zogen schon wieder dunkle Wolken auf.

»Ach, was soll's«, sagte Georg. »Wir schnappen jetzt trotzdem mal frische Luft. Wenn wir nur bis zur Ruine gehen, dann können wir immer noch schnell wieder nach Hause laufen, falls es wirklich anfängt zu regnen.«

Jenny holte ihnen die Regenmäntel und die Kinder machten sich auf den Weg. Tim begleitete sie natürlich, und Schelm, der sich schnell von seinem Schock erholt hatte, war auch mit von der Partie. Er hatte sich auf

Brummers Schulter gesetzt und sich an dessen Hals gekuschelt.

Die Kinder wanderten in flottem Tempo und schon bald tauchte die Ruine vor ihnen auf. Obwohl dieser Ort wirklich nicht weit von Felsenburg entfernt war, waren sie noch nie hier gewesen. Es sah höchst interessant aus. In aller Ruhe streiften sie zwischen den Mauerresten umher. Geschwärzte Steine zeugten immer noch von dem Feuer, das hier gewütet hatte, und das war schon hundert Jahre her. Bestimmt war das Haus danach ziemlich schnell verfallen.

»Ganz schön unheimlich hier«, murmelte Brummer. »Jenny hat ja gesagt, dass die Keller verschüttet sind. Schade, ich kundschafte zu gern Keller aus.«

Die Ruine war sehenswert, aber sonst gab es hier nicht viel anzuschauen. Unkraut und Ranken hatten alles überwuchert, was noch von dem alten Herrenhaus übrig geblieben war, und Georg und ihre Freunde hatten bald genug gesehen.

»Ist doch nicht so aufregend hier, was?«, sagte Richard schließlich.

Julius schaute zum Himmel. »Nein, aber ich glaub, jetzt wird's gleich aufregend. Wenn wir uns nicht

29

schleunigst auf den Weg machen, kriegen wir nämlich eine kalte Dusche ab.«

»Du sagst es«, bestätigte Georg. »Wir können den Rundweg ein anderes Mal gehen.«

»Ach du meine Güte, es geht schon los!«, rief Anne. »Wir müssen rennen.«

Und wie sie rannten! Die Kinder und Tim flitzten hinab zur Straße, aber der Regen war schneller. Es schüttete schon eine Weile, als sie wieder beim Rosenhaus ankamen. Und nachdem sie sich und Tim und Schelm gründlich abgetrocknet hatten, spielten sie den Rest des Nachmittags Scrabble im Wohnzimmer.

Am nächsten Tag lachte die Sonne wieder, obwohl es eher Aprilwetter als Sommerwetter war. Der Sonnenschein wurde immer wieder von plötzlichen Schauern unterbrochen und die Kinder wünschten sich nichts sehnlicher als einen wolkenlosen Himmel – und das so schnell wie möglich.

Am Nachmittag kam die Sonne hinter den Wolken hervor und Jenny sagte: »Jetzt bleibt es wohl für eine Weile trocken, ihr solltet das Beste daraus machen. Spielt doch in der Plantage hinter dem Haus. Später könnt ihr ja einen richtigen Ausflug machen. So ein Schauerwetter beruhigt sich meistens gegen Abend.«

Plantage war eine etwas zu großartige Bezeichnung für das kleine Stück Grasland, auf dem ein paar Apfelbäume und eine alte Eiche wuchsen, aber zum Herumtoben war dieser Ort bestens geeignet. Die Kinder spielten Versteck und Tim und Schelm machten begeistert mit. Die Aufregung der Kinder übertrug sich auf die Tiere: Tim sprang hechelnd und kläffend herum und Schelm flitzte von hier nach dort und kreischte wie ein Irrer. Die beiden machten einen Höllenlärm, und es war nur gut, dass Jenny keine Nachbarn hatte, die sich über den Krach aufregen konnten.

Schelm war das Gras auf der Wiese zu nass, er sprang auf einen der unteren Äste der großen Eiche und fing an hinaufzuklettern. Als er den Baum bis zur Hälfte erklommen hatte, war er nicht mehr zum Runterkommen zu bewegen.

»Schelm, nun komm doch. Komm jetzt runter!«, rief Brummer, aber es nützte nichts. Brummer fürchtete schon, dass sich die Deckenlampen-Vorstellung des Affen wiederholen würde. »Mach schon. Wenn ich dich holen muss, kannst du was erleben, das sag ich dir.«

»Iiik!«, kreischte der Affe.

»Wuff!«, bellte Tim mit tiefer Stimme. Auch er befahl Schelm runterzukommen.

Aber nichts, was sein Herrchen oder sein Freund auch sagten, nichts konnte den kleinen Affen von dem Baum locken. Die Zeit verging, und Jenny war schon zweimal draußen gewesen, um die Freunde zum Tee zu rufen.

»Nun komm endlich, Schelm!«, rief Brummer ärgerlich.

»Warum gehen wir nicht einfach alle rein«, schlug Georg vor, »dann wird er uns schon folgen.«

»Das glaubst auch nur du. Du ahnst ja nicht, was für ein Dickkopf er sein kann«, sagte Brummer.

»So ein dünnes Äffchen und so ein dicker Kopf«, spottete Richard und wollte sich totlachen. »Also, wenn wir den Dickkopf je von seinem Ast runterkriegen, dann finde ich …«

Was Richard fand, sollten sie nie erfahren, denn er wurde mitten im Satz unterbrochen. Nach einem gewaltigen Donnerschlag prasselte der Regen auf die Plantage nieder.

»Und jetzt noch ein Gewitter!«, rief Julius. »Rein ins

Haus, alle Mann. Und beeilt euch. Wenn es blitzt, sind wir unter den Bäumen nicht sicher.«

Schelm hatte einen ordentlichen Schrecken gekriegt und preschte den Baumstamm hinunter, so schnell er konnte. Brummer hielt die Arme auf, damit er hineinspringen konnte, aber der kleine Affe landete auf der Wiese. Er hatte nichts anderes im Sinn, als irgendwo Schutz zu suchen, aber statt auf das Haus zuzulaufen, rannte er auf die äußerste Ecke der Plantage zu.

»Helft mir, ihn einzufangen!«, rief Brummer seinen Freunden zu. »Du böser Affe, ich bin schon klatschnass.«

Gemeinsam scheuchten sie Schelm durch den strömenden Regen. Tim hielt das für ein großartiges neues Spiel und kam angaloppiert, um mitzumachen. Er war als Erster bei Schelm – und dann staunten die Freunde nicht schlecht: Schelm sprang seinem Freund einfach auf den Rücken und Tim trabte mit ihm aus der Plantage hinaus. Ganz so, als ob er von seinem Reiter das Kommando dazu bekommen hätte. Sie verschwanden im hohen Unkraut.

»Ach, Mist«, sagte Georg sauer.

Sie wollte Tim gerade rufen, als Anne sagte: »Guck

doch mal, ich glaub, sie wollen sich in dem Schuppen da hinten unterstellen.«

Hinter der Plantage lag ein alter Werkzeugschuppen, der kaum noch benutzt wurde. Aber die Kinder hatten ihn für sich entdeckt und schon öfter dort gespielt.

»Anne hat Recht«, sagte Julius. »Tim und Schelm wussten instinktiv, dass der Schuppen näher liegt als das Haus. Gute Idee! Kommt, wir stellen uns auch da unter.«

Aber als die Kinder den Schuppen erreicht hatten, waren sie schon völlig durchnässt. Der Regen trommelte auf das Schuppendach und Tim und der Affe waren ganz verängstigt. Sie freuten sich, Georg und Brummer wiederzusehen. Schelm sprang seinem Herrchen auf den Arm und Tim drückte sich eng an Georg. Ein Blitz zuckte über den Himmel und ein gewaltiger Donnerknall folgte auf den anderen. Es war ein mächtiges Gewitter.

»Junge, Junge«, meinte Richard, »das ist vielleicht ein Unwetter!«

»Dieser Blitz eben hat ganz in der Nähe eingeschlagen«, sagte Anne ängstlich.

»Das Gewitter kommt immer näher«, bemerkte

Georg, die aufmerksam verfolgte, wie lang die Abstände zwischen Blitz und Donner waren. »Mich würde mal interessieren …«

Weiter kam sie nicht, denn ein riesiger Blitz fuhr hernieder und blendete die Kinder, die sich an der Schuppentür aneinander klammerten. Ein ohrenbetäubender Donner folgte und die Erde schien unter ihren Füßen zu erzittern.

Tim bellte und Schelm quiekte panisch. Georg und die Jungen schnappten entsetzt nach Luft und Anne schrie vor Angst.

»Das Haus, das Haus ist vom Blitz getroffen worden! O, die arme Jenny«, keuchte sie.

»Still, Anne, beruhige dich doch«, sagte Julius beschwichtigend. »Ist ja alles in Ordnung. Guck mal, der Blitz hat das Haus nicht getroffen, aber er ist in die alte Eiche mitten auf der Plantage eingeschlagen. Habt ihr das gesehen?«

Ja, tatsächlich, die Kinder konnten es alle sehen, als sie durch den strömenden Regen hinausspähten: Die majestätische alte Eiche war verschwunden. Es war nur ein schwarzer Stumpf von ihr übrig geblieben. Verkohlt und qualmend stand er da.

»Junge, Junge«, sagte Brummer, der ganz blass geworden war. »Denkt bloß mal, vor ein paar Minuten hat Schelm noch auf einem Ast dieser Eiche gesessen.«

»Und wir alle haben darunter gestanden«, ergänzte Georg.

Ein Schatz!

Das Donnergrollen verebbte und bald zuckten nicht mehr ganz so viele Blitze über den Himmel. Das Gewitter zog weiter.

Die Kinder hörten Jenny verängstigt nach ihnen rufen: »Brummer! Anne! Georg!«

»Ihr bleibt hier«, sagte Julius. »Ich lauf zum Haus rüber und sag Jenny, dass wir in Sicherheit sind. Und dann bring ich euch die Windjacken mit.«

Keine zehn Minuten später kam er wieder durch den Regen gerannt. Wie versprochen hatte er die Jacken mitgebracht und trockene Pullover, einen großen Korb mit Sandwiches, einen Schokoladenkuchen und eine Thermoskanne mit heißem Kakao hatte er auch dabei.

»Jenny hat sogar dran gedacht, das Picknickgeschirr einzupacken, wir können es uns also gemütlich machen, bis das Gewitter vorüber ist«, sagte Julius.

So kamen sie ganz unerwartet zu einem fröhlichen Picknick. Tim und Schelm hatten auch Appetit gekriegt und bald waren all die guten Sachen aus dem Korb verputzt. Nicht ein Krümel war mehr übrig.

»Uff, jetzt geht's mir schon besser«, sagte Richard. »Das war aufregend, findet ihr nicht auch? Ich glaube, es hat aufgehört zu regnen. Lasst uns mal gucken, wie groß der Schaden ist, den der Blitz angerichtet hat.«

Als sie aus dem Schuppen traten, war die Sonne schon wieder hervorgekommen, und der Wind trieb die Wolken davon. Das Wetter änderte sich wirklich andauernd.

»Ach du meine Güte, von der riesigen Eiche ist nicht viel übrig geblieben«, sagte Georg bedauernd. »Wie schade, das war so ein toller Baum.«

»Ja. Als Jenny eben den Picknickkorb gepackt hat, hat sie mir erzählt, dass es einer der wenigen Bäume ist, die noch aus der Zeit stammen, als Sir Rupert und Lady Manders im Herrenhaus lebten – damals im Bürgerkrieg«, sagte Julius.

Die Kinder schauten sich den Platz, an dem der Baum gestanden hatte, mit noch größerem Interesse an. Dort, wo der Blitz eingeschlagen hatte, befand sich nun ein tiefer Krater um den verkohlten Baumstumpf herum.

»Guckt mal, wie tief das ist«, sagte Brummer. »Wenn

man so ein Loch selber graben wollte, würde das ewig dauern. Und man hätte, ruck, zuck!, jede Menge Blasen an den Händen.«

Schelm war wieder bester Laune und sprang in das Loch. Er schien irgendwas Interessantes gefunden zu haben, denn er fing an, mit seinen kleinen Pfoten zu graben. Tim kam ihm zu Hilfe und kratzte auch in der Erde.

»Guckt mal, sie spielen Schatzsuche oder so was«, kicherte Brummer.

Aber Georg runzelte nachdenklich die Stirn. Sie beugte sich vor, damit sie besser in das Loch hineinsehen konnte. Sie hatte gehört, dass Tims Krallen auf etwas Hartem herumscharrten, das in der Erde vergraben war. Und da! Sie hörte das Geräusch noch mal. Was konnte das sein? Georg wollte es sofort herausfinden. »Such, Tim. Guter Hund, mach weiter, such!«, feuerte sie ihren Hund an.

Und Tim buddelte eifriger als zuvor. Dann schrien die Kinder plötzlich erstaunt auf. Der Hund hatte einen Gegenstand freigekratzt, etwas Dunkles, Rostiges, aber es gab keinen Zweifel, was das war: Es war der Deckel eines eisernen Kästchens.

»Na, hallo! Was haben wir denn da gefunden?«, rief Richard.

»Vielleicht ist es ein vergrabener Schatz«, sagte Anne nur so zum Spaß.

»Eher der Deckel einer alten Mülltonne«, meinte Brummer.

Richard und Georg waren schon zu Tim in das Loch gesprungen und versuchten, den Kasten aus der Erde zu ziehen, aber er steckte zu tief im Erdreich, und sie bekamen ihn nicht zu fassen.

»Wartet mal!«, sagte Julius. »Ich hole ein paar Geräte.«

Er rannte zum Schuppen und kam mit einem Spaten und einer Hacke wieder. Kurz darauf schafften er und Richard es, die kleine Truhe auszugraben und aus dem Loch zu heben. Georg machte den Deckel auf. Das war ganz leicht, weil der Rost das Schloss und die Scharniere völlig zerfressen hatte.

Und dann bekamen sie vor Staunen die Münder nicht wieder zu.

»Das ist ja unglaublich. Es ist wirklich ein vergrabener Schatz!«

»Gold! Gold und Juwelen!«

»Mensch, da ist ja ein Vermögen drin!«

»Kneif mich mal, Richard. Damit ich sicher bin, dass ich nicht träume.«

Den Gefallen tat Richard seiner Kusine nur zu gern – kein Zweifel, das war kein Traum. Georg starrte den wunderbaren Schatz an, so was gab es eigentlich nur im Märchen.

Die Fünf Freunde hatten schon öfter wertvolle Sachen wieder gefunden, die verloren gegangen oder gestohlen worden waren, aber sie hatten immer hart dafür arbeiten müssen. Noch nie waren sie rein zufällig auf solche Reichtümer gestoßen – ohne einen Finger dafür krumm machen zu müssen. Sie konnten es einfach nicht fassen!

»Ich sag euch mal was«, sagte Georg. »Irgendetwas stimmt hier nicht. Das kann doch nicht wahr sein, dass man so völlig zufällig auf einen Schatz stößt.«

»Wie ein Blitz aus heiterem Himmel«, sagte Richard und lachte.

Anne brachte vor Verblüffung kein Wort heraus.

Julius riss sich zusammen.

»Kommt schon, wir nehmen diese Truhe mit ins Haus und zeigen sie Jenny«, sagte er. »Wer diesen Schatz wohl in der Plantage vergraben hat? Vielleicht weiß sie es ja.«

Jenny sah erleichtert aus, als die Kinder wieder ins Haus kamen. »Da seid ihr ja endlich«, sagte sie. »Ich hab schon angefangen, mir Sorgen zu machen. Seid ihr sehr nass geworden?«

»Ist nicht so wichtig«, unterbrach Brummer sie ungeduldig. »Sieh dir mal an, was wir gefunden haben.«

Julius und Richard stellten die Truhe auf den Küchentisch und hoben den Deckel – und Jenny blieb der Mund offen stehen, so sehr staunte sie.

»Du lieber Himmel, Kinder«, sagte sie schließlich. »Das ist doch nicht möglich, also, ich trau meinen eigenen Augen nicht! Dann gibt es ihn also wirklich. Ach du meine Güte, da wird sich Herr Manders aber freuen. Und was für ein Jammer, dass der arme Harry Manders nichts davon gehabt hat.«

Die Kinder waren verblüfft. »Was redest du da, Jenny?«, fragte Georg.

»Na, das ist natürlich der Manders-Schatz. Der verlorene Schatz. Hab ich euch die Geschichte denn nicht erzählt? Es ist alles schon so furchtbar lange her, wisst ihr …«

»Dann erzähl sie uns jetzt, Jenny, und mach schnell!«, rief Brummer.

»Also, ihr erinnert euch doch noch, dass ich euch neulich von Lady Manders und ihrem Sohn Harry erzählt habe, der zur Zeit des Bürgerkriegs noch ein kleiner Junge war, oder? Meine eigene Familie lebt ja auch seit Jahrhunderten in dieser Gegend, müsst ihr wissen, und einer von meinen entfernten Verwandten, ein Mann namens André Forster, war damals ein Diener von Lady Manders. Deshalb kenne ich die Familiengeschichte der Manders auch so gut. Lady Manders war noch eine sehr junge und schöne Frau, als sie Witwe wurde. Es war furchtbar für sie, dass Sir Rupert im Kampf für den König gefallen war, und als die Rebellen in dieser Gegend an Einfluss gewannen, fühlte sie sich hier nicht mehr sicher.«

»Nicht mal in ihrem eigenen Haus?«, fragte Richard.

»Nein, denn ihr Mann war immer aufseiten des Königs gewesen und das wussten all die aufständischen Leute. Deshalb waren sie wütend auf die Lady.«

Anne erschauderte unwillkürlich. »O, die arme Lady Manders«, sagte sie.

»Immer mehr Leute liefen zu jener Zeit zu Cromwell

über, denn er würde ihrer Meinung nach den Krieg gewinnen«, fuhr Jenny fort. »Bald war die ganze Gegend
in Aufruhr. André Forster hielt immer noch die Verbindung zwischen dem Dorf und dem Herrenhaus, und er
war es, der Lady Manders sagte, dass sie in Gefahr war.
Er war ein ergebener Diener der Familie und riet der
Lady, sofort zu fliehen und ihren kleinen Jungen mitzunehmen. Lady Manders wusste, dass er Recht hatte. Sie
beschloss, nach Frankreich zu fliehen, wie viele Aristo-
kraten zu jener Zeit und wie der König selbst. In Frankreich wären sie und ihr Sohn wenigstens in Sicherheit.
Aber sie hoffte dennoch, dass sie schon bald zurückkehren könnte.«

»Und was hat nun der Schatz mit dieser Geschichte
zu tun, Jenny?« Brummer wollte Jenny das richtige
Stichwort geben, damit sie schneller zum Kern der Geschichte kam.

»Also, bevor Lady Manders den alten Familiensitz
verließ, versteckte sie ihr Gold und ihre Juwelen. André
half ihr dabei«, sagte Jenny. »Sie wagte nicht, die kostbaren Stücke mitzunehmen, weil sie Angst hatte, sie
könnten gestohlen werden. Und im Haus konnte sie
auch nichts lassen, denn wahrscheinlich würde der Be-

sitz geplündert werden. Sie nahm also nur mit, was sie unbedingt brauchte. Das Übrige legte sie in eine Truhe, die André an einem sicheren Ort versteckte. Lady Manders und der kleine Harry haben ihm zugesehen, als er die Truhe vergrub, und dann flüchteten sie alle nach Frankreich. Den treuen alten André wollten sie nicht zurücklassen. Aber die arme Lady Manders starb in Frankreich und André Forster auch. Harry wurde von Freunden in Frankreich erzogen und erst viele Jahre später kehrte er allein nach England zurück. Er fand das Herrenhaus leer und zerstört vor, und er konnte sich nicht daran erinnern, wo der Schatz vergraben lag. Er suchte und suchte, aber er hat ihn nie gefunden.«

»Warum denn nicht?«, wollte Georg wissen. »Willst du damit sagen, er wusste nicht mehr, wo er nachschauen sollte?«

»Nein, das wusste er tatsächlich nicht. Harry war ja noch sehr klein gewesen, als André Forster den Schatz vergraben hatte. Er erinnerte sich nur noch daran, dass der alte Mann irgendwo auf dem Land der Manders ein Loch gegraben hatte. Und dass seine Mutter und er ihm dabei zugeschaut hatten.«

»Aber haben Lady Manders und der alte André ihm

denn nicht vor ihrem Tod gesagt, wo er suchen soll?«, fragte Richard.

»Lady Manders starb sehr plötzlich, musst du wissen. Man sagt, sie hinterließ ihrem Sohn einige Schriftstücke, und ich nehme an, sie hat ihm darin auch Hinweise darauf gegeben, wo er den Schatz finden würde, aber die Papiere gingen verloren. Für die Leute in Frankreich hatten Schriftstücke in englischer Sprache wohl keine Bedeutung, die meisten Menschen konnten damals ja nicht lesen. Aber, ach du meine Güte, denkt bloß mal, die ganze Zeit über hat der Schatz der Manders unter der alten Eiche gelegen. Und wenn ihr und dieses Gewitter nicht gewesen wärt, dann würde er immer noch da liegen.«

»Aber wie können wir herausfinden, ob es wirklich das Vermögen der Manders ist, was wir gefunden haben?«, fragte Georg.

Jenny schaute in die Schatztruhe und nahm etwas heraus.

»Da gibt es keinen Zweifel«, sagte sie. »Schaut mal, das ist eine Miniatur, auf Elfenbein gemalt, das Porträt eines kleinen Jungen, sein Name steht darunter. Harry Manders! Ich muss es euch gestehen, Kinder, ich habe

nie so recht geglaubt, dass es diesen Schatz wirklich gibt. Die Leute haben immer davon geredet, aber nie hat ihn jemand gefunden. Und nun stolpert ihr Kinder einfach darüber. Georg, wir müssen deinem Vater die ganze Geschichte erzählen. Er wird sicher dafür sorgen, dass Herr Marc Manders das Vermögen seiner Ahnen zurückbekommt. Ach ja, ich glaube, Herr und Frau Manders kommen heute wieder nach Hause, welch ein Glück!«

Georg sagte gar nichts. Sie wollte die Sache nicht ihrem Vater überlassen. Sie wollte selber mit den Manders reden und ihre Gesichter sehen, wenn sie ihnen den wertvollen Schatz übergab, den Tim auf deren Grund und Boden ausgebuddelt hatte.

»Kommt, wir machen eine Liste von all den Sachen in der Truhe«, schlug Brummer vor. »Man nennt das Inventur, nicht wahr? Das macht doch Spaß.«

Ja, es machte Spaß und aufregend war es auch. Die Kinder zählten über sechshundert Goldmünzen aus der Zeit von König Karl; es gab noch Smaragdschmuck, ein Armband mit Diamanten und Saphiren, einen großen, ungefassten Rubin, einen Diamantanhänger und viele Ringe und Ohrringe, die mit kostbaren Steinen besetzt waren. Sie fanden eine riesige, birnenförmige Perle, drei goldene Armbänder mit Gravur, drei Goldketten, zwei goldene Uhren und Ketten, vier Medaillons und mehrere auf Elfenbein gemalte Miniaturen, unter ihnen das Bildnis des kleinen Harry und eines, das seine Mutter zeigte, und schließlich einen Siegelring mit dem Wappen der Manders. Das bewies eindeutig, wem dieser Schatz gehörte.

»Meinst du, dass die Manders jetzt hier in ihrem Haus sind?«, fragte Richard Jenny.

»Ja, jedenfalls hab ich das heute früh beim Kaufmann gehört. Die Manders sollten so gegen zehn Uhr zu Hause eintreffen.«

Georg warf einen Blick aus dem Fenster. »Das Gewitter hat sich verzogen. Sollten wir nicht jetzt gleich rübergehen und ihnen die gute Nachricht überbringen?«, schlug sie vor.

»Ja, das ist eine gute Idee«, sagte Julius. »Wir müssen die Truhe natürlich hier in Jennys Obhut lassen. Es wäre leichtsinnig, so wertvolle Sachen auf dem Gepäckträger durch die Gegend zu fahren. Und wenn die Manders nicht gleich selbst mitkommen wollen, um den Schatz abzuholen, dann bin ich sicher, dass Onkel Quentin und Professor Hayling ihnen die Truhe mit dem Auto vorbeibringen. Wir müssen sie nur darum bitten.«

»Stimmt. Und außerdem kommt Tante Fanny uns morgen besuchen«, sagte Anne. »Vielleicht will sie die Truhe abliefern. O ja, Georg, wir wollen sofort zu den Manders fahren und ihnen von unserem tollen Fund erzählen.«

Die gute Nachricht beflügelte die Kinder und sie radelten mit voller Kraft und begeistert davon. Die Sonne schien heiß vom blauen Himmel und Dunst stieg aus

50

den nassen Wiesen auf. Weit und breit war kein Wölk-chen mehr zu sehen. Georg und Richard übernahmen die Führung und Tim rannte neben ihnen her. Julius, Brummer und Anne folgten, sie hatten es nicht ganz so eilig, aber alle brannten darauf, zum Haus der Manders zu kommen und Herrn Marc und seiner Frau Sylvia von der freudigen Überraschung zu erzählen. Die Kinder konnten sich ausmalen, wie erstaunt und beglückt die beiden sein würden.

Aber leider kam alles anders, als die Kinder es sich vorgestellt hatten.

Der unangenehme Hausmeister

Die Kinder radelten an der Ruine des Herrenhauses vorbei und bald darauf sahen sie das neue Haus der Manders vor sich liegen. Es war ein hübsches Haus, an dem sich Blauregen und andere Pflanzen üppig hochrankten. Die Blumenbeete wirkten sehr gepflegt und der Rasen war frisch gemäht. Die Kinder blieben am Gartentor stehen und schauten durch das Gitter. Ein Mann ging den Gartenweg entlang. Julius zog an dem Glockenstrang vorm Tor und aus der Ferne hörte man das Klingeln.

Der Mann blieb stehen, drehte sich um und kam auf das Tor zu. Der Kies auf dem Gartenweg knirschte unter seinen Schuhen.

»Gut, da kommt schon jemand«, sagte Richard. Er war so aufgeregt, dass er kaum still stehen konnte, und Georg ging es genauso.

Als der Mann schließlich am Tor stand, sahen sie, dass er im mittleren Alter war; sein Haar war schütter und grau und er sah ziemlich finster drein. Er lächelte nicht, als er die Kinder anschaute. Georg fiel auf, dass er Kordhosen und einen Kittel trug.

Er musterte die Kinder und schien nicht die Absicht zu haben, ihnen das Tor zu öffnen.

»Was wollt ihr?«, fragte er barsch.

»Wir möchten zu Herrn und Frau Manders«, sagte Georg. »Sind sie zu Hause?«

Der Mann antwortete nicht sofort. Er sah die Kinder scharf an und schien sich seine Antwort gut zu überlegen. »Mein Arbeitgeber redet nicht mit fremden Kindern. Er hat Wichtigeres zu tun«, sagte er.

Georg hatte schon den Mund aufgemacht und wollte protestieren, aber er ließ sich davon nicht beirren. »Ich bin hier der Hausmeister, und ich hab dafür zu sorgen, dass keine ungebetenen Gäste hereinkommen.« Sein Ton war ziemlich unangenehm.

Georg wurde rot vor Wut. Geduld gehörte nicht zu ihren Stärken und so ein Verhalten ließ sie sich schon gar nicht gefallen.

»Ich finde, dass Herr Manders selber entscheiden sollte, ob er mit uns reden will«, sagte sie und tat ihr Bestes, um nicht völlig die Fassung zu verlieren. »Würden Sie ihm also bitte ausrichten, dass wir ihn sprechen möchten? Wir müssen ihm etwas sehr Wichtiges sagen.«

Der Hausmeister fing an zu lachen. »Na so was!«, sagte er spöttisch. »Da hör sich einer diesen Bengel an. Ganz schön scharfe Zunge, was? Und rotzfrech obendrein. Na, was glaubst du denn, wer du bist, hä?«

Georg merkte, dass sie anfing, innerlich zu kochen. Natürlich war sie es gewohnt, dass die Leute sie für einen Jungen hielten. Schließlich sah sie so aus. Meistens störte sie das auch nicht, es gefiel ihr sogar ganz gut. Aber sie konnte sich nicht gefallen lassen, von diesem Typen wie ein ungezogenes Gör behandelt zu werden.

Julius war klar, dass Georg gleich explodieren würde, und deshalb griff er schnell ein.

»Sie machen einen Fehler«, sagte er eiskalt zu dem Hausmeister. »Meine Kusine, Georgina Kirrin, hat wirklich eine wichtige Nachricht für Herrn Manders. Und bitte seien Sie so freundlich, ihn wissen zu lassen, dass wir hier sind.«

Der Hausmeister musterte die Kinder noch einmal misstrauisch. Man merkte ihm an, dass er nicht so genau wusste, was er tun sollte. Aber es sah nicht so aus, als ob er Julius den Gefallen tun wollte, deshalb schaltete Richard sich ein. »Das stimmt«, sagte er. »Und es ist eine sehr gute Nachricht, die wir für Herrn Manders haben.«

»O ja«, sagte Anne nun mit ihrem süßesten Lächeln. »Bitte, Sie müssen meinen Brüdern glauben. Es ist wirklich eine sehr gute Nachricht. Es geht um den verlorenen Schatz. Wir haben ihn ...«

Georg warf ihr einen vernichtenden Blick zu und sie verstummte. »Halt den Mund, Anne, du Plaudertasche«, sagte sie bissig.

Als Anne klar wurde, wie unüberlegt sie dahergeplappert hatte, biss sie sich auf die Lippen und wurde ganz rot.

Aber Georgs Warnung kam zu spät. Der Hausmeister hatte begriffen, was Anne gesagt hatte, und er wollte mehr wissen. Seine Manieren besserten sich mit einem Schlag und seine Stimme wurde sanfter.

»Ein Schatz? Was für ein Schatz?«, fragte er. »Ihr redet doch nicht etwa vom Schatz der Manders, der von dem alten André Forster im Bürgerkrieg vergraben worden sein soll, oder?«

Keines der Kinder hatte Lust, ihm noch irgendwas zu erzählen. Anne ließ den Kopf hängen. Sie hätte wer weiß was darum gegeben, ihre unbedachten Worte zurücknehmen zu können. Da die Kinder einmütig schwiegen, fuhr der Mann fort: »Aha, ich glaub, ihr meint den Schatz von Lady Manders. Hab ich Recht?«

Georg musterte ihn von Kopf bis Fuß. »Mit Ihnen wollen wir nicht reden, nur mit Herrn Manders«, sagte sie mit fester Stimme. »Lassen Sie uns jetzt rein oder nicht? Entscheiden Sie sich endlich.«

In den Augen des Hausmeisters blitzte es auf. »Also, das ist so, Kinder«, sagte er in einem viel freundlicheren Ton. »Herr und Frau Manders sind nicht zu Hause. Sie kommen erst heute Nacht oder morgen früh wieder. Vielleicht bleiben sie aber auch noch einen Tag länger weg. Es ist also das Beste, wenn ihr mir die ganze Geschichte erzählt, weil die Manders ja nicht da sind. Na, was ist denn nun los?«

Er wirkte jetzt nicht mehr feindselig, aber Julius gefiel sein Verhalten auch nicht besser als das zuvor. Tim beschnüffelte die Schuhe des Mannes durch die Gitterstäbe und er knurrte leise. Er mochte diesen Hausmeister auch nicht.

»Tut mir Leid, aber das ist unsere Angelegenheit – und die von Herrn Manders«, sagte Julius bestimmt.

»Dann müssen wir eben morgen wieder herkommen oder übermorgen. Nichts zu machen.«

»Ach, die Mühe könnt ihr euch wirklich sparen«, wandte der Hausmeister ein. »Ihr macht den Weg vielleicht vergeblich. Warum sagt ihr mir nicht einfach, wo ihr wohnt? Dann kann ich euch Bescheid geben, wenn Herr und Frau Manders wieder da sind.«

Diesmal war es Brummer, der einen Fehler machte. Er hatte nicht so schnell begriffen, dass seine Freunde dem Mann nicht mehr verraten wollten, als er nun schon wusste. Und ohne nachzudenken, sprudelte er los: »Ich bin der Sohn von Professor Hayling. Meine Freunde und ich verbringen die Ferien im Rosenhaus. Sie wissen bestimmt, wo das ist, nicht wahr?«

»Aber ja, das weiß ich. Ich komm immer dran vorbei, wenn ich ins Dorf muss. Also, überlasst das nur mir. Ich werf einen Zettel in euren Briefkasten, wenn Herr Manders zurück ist.«

Jetzt lächelte der Hausmeister. Als er noch so unverschämt war, gefiel er mir besser, dachte Georg, die sein scheinheiliges Lächeln überhaupt nicht vertragen konnte.

»Der Mann war wirklich furchtbar. Den konnte ich

überhaupt nicht leiden«, sagte sie zu ihren Freunden, als sie auf dem Rückweg zum Rosenhaus waren.

»Wir dürfen uns nicht von Äußerlichkeiten abschrecken lassen«, meinte Julius, der immer für Gerechtigkeit war. »Vielleicht ist er im Grunde seines Herzens ein guter Kerl, obwohl er eine ziemlich raue Schale hat.«

Georg konnte er damit nicht überzeugen. »Also, Tim ist ganz meiner Meinung«, sagte sie. »Ich hab sofort gemerkt, dass er den Typ auch nicht ausstehen konnte. Und in solchen Dingen liegt Tim selten falsch. Auf seinen Instinkt kann man sich verlassen.«

Richard konnte ihr da nur zustimmen. »Er hat im Garten gearbeitet, woher sollen wir wissen, ob er tatsächlich der Hausmeister ist und nicht irgendein Gärtner, der sich als rechte Hand von Herrn Manders ausgibt, damit wir ihm vertrauen. Mir gefiel der nicht.«

»Mir auch nicht. Er ist erst freundlicher geworden, als Anne den Schatz erwähnt hat«, sagte Brummer. »Ehrlich, Anne, wie konntest du nur so blöd sein!«

»Auch nicht blöder als du«, meinte Julius. »Warum in aller Welt musstest du ihm denn unbedingt unsere Adresse geben?«

Brummer guckte Julius ratlos an. »Was spielt das denn für eine Rolle?«

Richard musste es ihm erklären. »Also, Brummer, wir wollen doch nicht, dass der Mann weiß, wo er uns findet. Uns und den Schatz.«

»O Mist, ja«, murmelte Brummer reumütig.

»Na, darüber wollen wir jetzt nicht streiten. Es ist nun mal passiert«, sagte Georg. »Das Wichtigste ist nun, dass wir die Schatztruhe sicher aufbewahren, bis meine Mutter morgen kommt und uns weiterhilft.«

»Georg hat Recht«, meinte Anne. »Tante Fanny wird Onkel Quentin davon erzählen und dann kommt er und holt den Schatz ab. Dann kann nichts mehr passieren.«

Als sie ins Rosenhaus zurückgekehrt waren, berichteten sie Jenny von ihrer enttäuschenden Expedition.

»Ach, ich weiß schon, welchen Mann ihr meint«, sagte Jenny. »Ja, der ist Hausmeister und Gärtner bei Herrn Manders. Er heißt Johnson und lebt noch nicht lange in dieser Gegend. Ich glaube, niemand kann ihn recht leiden. Er hat so etwas Gerissenes und Gemeines an sich. Ich weiß eigentlich gar nicht, warum die Manders ausgerechnet ihn angestellt haben. Aber sie sind ja nicht so oft hier, und vielleicht wissen sie deshalb nicht, wie er ist. Die beiden Manders sind einfach zu gut für diese Welt. Viel zu gut, wenn ihr mich fragt.«

Am nächsten Morgen wartete schon eine weitere Enttäuschung auf die Kinder. Tante Fanny rief an und sagte, sie habe sich erkältet. Deshalb wollte sie ihren Besuch bei den Kindern lieber verschieben. »Ich bleib besser zu Haus, Georg«, sagte sie, »dann geht es mir auch bald wieder besser.«

»Können wir dich nicht besuchen?«, fragte Georg.

»Das wäre doch wirklich nicht vernünftig. Solange ihr im Rosenhaus seid, kann ich euch wenigstens nicht anstecken. Wir sehen uns in ein paar Tagen, mein Schatz.« Tante Fanny nieste und legte auf, bevor Georg noch etwas erwidern konnte.

»Du hast kein Wort von dem Schatz gesagt«, stellte Julius fest, der das Gespräch mit angehört hatte.

»Nein, dazu war keine Zeit. Aber ich habe nachgedacht. Warum bringen wir den Schatz nicht selber zu den Manders? Wir können ja zu Fuß gehen, statt mit dem Rad zu fahren, und wir geben ihn niemandem außer Herrn oder Frau Manders persönlich.«

Julius war nicht begeistert von dieser Idee. Aber bevor er oder einer von den anderen noch etwas sagen konnten, flitzte Schelm auch schon zur Gartenpforte. Er hatte entdeckt, dass etwas Weißes aus dem Briefkasten, der an der Pforte festgeschraubt war, lugte. Mit einem Briefumschlag in der Faust kam er triumphierend zu den Kindern zurück. Er gab ihn Brummer. Der Brief war an Fräulein Kirrin und Herrn Hayling gerichtet, und die Karte, die in dem Umschlag steckte, trug Herrn Manders' Namen auf dem Briefkopf. Die Nachricht war sehr kurz.

»Herr Manders bedauert, dass er keine Zeit hat, zu Ihnen zu kommen oder Sie zu empfangen. Sein Neffe Benjamin Latter wird Sie allerdings heute um die Mittagszeit aufsuchen und Ihnen im Namen von Herrn Manders danken. Übergeben Sie Ihren Fund bitte Herrn Latter.«

Die Karte war mit Marc Manders unterzeichnet.

»Na so was!«, sagte Georg entrüstet. »Das ist ja wohl unverschämt. Kurz und ungehobelt. Nicht genug damit, dass Herr Manders keine Zeit für uns hat, er bedankt sich nicht mal richtig bei uns.«

Richard schüttelte den Kopf. »Ich finde, das hört sich

ganz so an, als ob er nicht an den Schatz glaubt«, sagte er. »Wer weiß, was ihm dieser Hausmeister über uns erzählt hat. Er hat vielleicht gesagt, dass wir nur ein paar Kinder sind, die sich einen Jux machen wollen oder so. Und deshalb traut Herr Manders uns nicht und glaubt nicht, dass wir irgendetwas haben, das ihn interessieren könnte.«

»Da hat Richard wohl Recht«, meinte Julius. »Herr Manders wollte nicht riskieren, als Dummkopf dazustehen, wenn er einem Schatz hinterherrennt, den es gar nicht gibt.«

»Aber es gibt ihn nun mal. Und wie!«, sagte Anne mit einem Blick auf den schäbigen, kleinen Koffer, der auf dem Fußboden lag. Jenny meinte, es sei eine gute Idee, die Truhe darin zu verstecken.

Georg seufzte. »Na gut, dann warten wir eben auf Herrn Manders' Neffen. Aber es ist nicht zu fassen, dass er jemanden herschickt, um so einen Schatz abzuholen. Es sieht beinahe so aus, als ob ihm der Schatz ganz egal wäre, findet ihr nicht auch?«

Die Fünf Freunde, Brummer und Schelm verbrachten den Morgen im Garten. Dort konnten sie die Pforte im Auge behalten. Sie erwarteten Benjamin Latter voll Ungeduld und freuten sich schon darauf, sein Gesicht zu sehen, wenn sie ihm all die Kostbarkeiten zeigten und er merkte, dass der Schatz wirklich existierte, egal was sein Onkel dachte. Dieser Schatz war ungeheuer wertvoll, das würde er sicher gleich erkennen.

Kurz vor Mittag hörten sie ein Motorrad die Straße entlangkommen. Das musste Benjamin sein, da waren sie sich alle sicher.

Das ist doch Benjamin, oder?

Das Motorrad hielt vor dem Rosenhaus und ein großer, dünner junger Mann mit dunklen Haaren stieg ab. Er läutete.

Die Kinder liefen zur Gartenpforte und ließen ihn ein. »Ihr seid diese Kinder, nicht wahr?«, sagte der junge Mann. »Ich bin Benjamin Latter.«

Georg runzelte die Stirn. Der herablassende Ton dieses Fremden gefiel ihr ganz und gar nicht, und dass er sie »diese Kinder« nannte, als wären sie es nicht wert, dass er ihnen seine Aufmerksamkeit schenkte, gefiel ihr erst recht nicht.

Brummer ging auf den Mann zu. »Ja«, sagte er. »Wir sind diejenigen, die den verlorenen Schatz Ihrer Familie entdeckt haben.«

»Na, das ist ja wunderbar! Mein Onkel wird entzückt sein. Dann zeigt den Kram mal her.«

Dabei streckte er seine Hand aus.

Jetzt war es an Julius, die Stirn zu runzeln. Dieser Benjamin war ihm unsympathisch. Er benahm sich wie

ein hochnäsiger Rüpel, fand er. Trotzdem stellte er dem Fremden die anderen höflich vor – Tim überging er dabei nicht, denn der hatte schließlich gemeinsam mit Schelm die Truhe mit dem Gold und den Juwelen erschnüffelt und ausgebuddelt.

Benjamin ließ das mit offensichtlicher Ungeduld über sich ergehen. Er wirkte äußerst angespannt und nervös. Die Kinder konnten sich nicht erklären, warum. Aber als Julius den Schatz erwähnte, blitzte es in seinen Augen auf. Er sah jedoch immer noch nicht freundlicher aus, und Anne fiel auf, dass er seine Fäuste ballte, als er sagte: »Okay, nun zeigt mir die Sachen mal. Ich hab nicht viel Zeit und mein Onkel wartet.«

Die Kinder gingen mit Benjamin zur Haustür und Jenny begrüßte ihn freundlich – so war sie nun einmal. Aber Tim knurrte leise, als er die Schuhe des Fremden beschnüffelte.

Oho, dachte Georg vergnügt, Tim kann diesen Benjamin auch kein bisschen besser leiden als wir.

Jenny holte den Koffer und stellte ihn auf den Tisch im Wohnzimmer. Julius öffnete ihn, Richard nahm die rostige, alte Truhe heraus, und Georg packte all die wunderbaren Dinge aus, die darin lagen. Und die machten solchen Eindruck auf Benjamin, dass er erstaunt durch die Zähne pfiff. Die Kinder hatten nichts anderes erwartet. »Da schlag doch einer lang hin!«, rief Benjamin aus. »Wenn das nicht 'ne anständige Goldgrube ist!«

Besonders gewählt drückte er sich nicht aus, fand Julius. Es war klar, dass er keine besonders gute Kinderstube hatte. Das gute Benehmen seines Onkels, von dem Jenny immer schwärmte, schien auf ihn nicht abgefärbt zu haben. Benjamin hatte sein erstes Erstaunen schnell überwunden und schob die Goldmünzen und den Schmuck zu einem Haufen auf dem Tisch zusammen und verstaute alles wieder in der Truhe, die er in Jennys Koffer zurückstellte.

»So, dann will ich mal los. Ich bring das hier gleich meinem Onkel«, sagte er und wollte mit dem Koffer zur Tür hinaus.

Jenny zögerte. Sie hatte das unbestimmte Gefühl, dass hier irgendwas nicht stimmte, und sie wünschte, Tante Fanny wäre hier.

Julius, Richard und Anne wechselten unsichere Blicke, sie hatten keine Ahnung, was sie jetzt machen sollten. In Jennys Wohnzimmer war es totenstill geworden.

Da trat Georg einen Schritt vor und verstellte Benjamin den Weg zur Tür. »Moment mal«, sagte sie. »Herr Manders hat uns zwar geschrieben, dass sein Neffe Benjamin Latter uns besuchen würde, aber er hat uns nicht darum gebeten, ihm den Schatz zu übergeben. Ich hoffe, Sie haben Verständnis dafür, dass wir Sie bitten müssen, uns zu beweisen, dass Sie wirklich Benjamin Latter sind. Wir kennen Sie ja schließlich nicht.«

»Meine Kusine hat völlig Recht«, sagte Julius. »Haben Sie irgendwelche Papiere dabei, um sich auszuweisen? Einen Führerschein oder so was?«

Der junge Mann wurde blass und warf den beiden einen wütenden Blick zu. »Ihr wagt es, so mit mir zu sprechen? Ich bin Marc Manders' Neffe!«, brüllte er sie an.

»Alles klar, dann beweisen Sie es«, erwiderte Richard und lehnte sich mit dem Rücken an die Tür. »Und wenn Sie keine Papiere dabeihaben, können Sie die ja holen. Vorher geben wir Ihnen den Schatz jedenfalls nicht.«

»Na schön. Dann mach ich mich gleich auf den Weg.«

»Also, erst mal stellen Sie den Koffer hin«, sagte Brummer.

Aber statt das zu tun, stürzte der junge Mann auf die

Tür zu. Julius, Richard und Georg stellten sich ihm in den Weg. Mit einem Wutschrei wirbelte der Fremde herum, stieß Jenny zur Seite und schüttelte Anne und Brummer, die ihn festhalten wollten, ab. Er versuchte, durch das Fenster zu flüchten.

Doch da hatte er die Rechnung ohne Tim gemacht. Der gute Hund, der den Fremden die ganze Zeit argwöhnisch knurrend beschnüffelt hatte, sprang ihn an, packte ihn an der Lederjacke und ließ nicht mehr von ihm ab. Mit all seiner Kraft zerrte er an ihm.

Der falsche Benjamin – denn dass er ein Schwindler war, war ihnen allen inzwischen klar – ließ den Koffer fallen und versuchte, den Hund loszuwerden. Aber er hatte keine Chance. Tim ließ zwar einen Moment von der Lederjacke ab, aber nur, um sich in den Hosenboden des Mannes zu verbeißen. Mit einem siegreichen Knurren riss er ein großes Stück Stoff aus den Jeans, und vielleicht war sogar ein bisschen Haut dabei, denn der Mann heulte plötzlich auf.

Ohne Koffer schwankte er auf die Tür zu, die Georg ihm übertrieben höflich aufhielt. Beide Hände auf den Hosenboden gepresst, lief er nach draußen. Die Kinder bogen sich vor Lachen, und Schelm fand, dass er nun endlich an der Reihe war. Er sprang dem Flüchtenden auf den Kopf und riss ihn an den Haaren. Der junge Mann heulte noch lauter auf als zuvor und rannte, so schnell er konnte. Er verschwand hinter den Büschen im Vorgarten, und kurz darauf hörten sie, dass er das Motorrad startete. Schelm kam putzmunter und ganz zufrieden mit sich und der Welt zurück. Er keckerte und kreischte in den schrillsten Tönen und prahlte zweifellos mit seinen Heldentaten.

Als die Kinder schließlich wieder zu Atem gekommen waren, sagte Richard: »Das war knapp. Ohne Georg wäre der Manders-Schatz in völlig falsche Hände geraten.«

»Wenn Tim nicht gewesen wäre, meinst du wohl«, sagte Georg und tätschelte ihrem Hund liebevoll den Kopf.

Julius hatte auch aufgehört zu lachen. Er runzelte die Stirn, als er sich die ganze Sache noch mal durch den Kopf gehen ließ.

»Wie konnte dieser Mann eigentlich wissen, dass Herrn Manders' Neffe uns heute Morgen besuchen wollte?«, sagte er. »Das war doch riskant, der echte Benjamin Latter hätte ja vor ihm hier sein können.«

Georg schüttelte den Kopf. »Also, wenn du mich fragst, der echte Benjamin kommt überhaupt nicht«, sagte sie. »Diese Karte, die wir da gekriegt haben, war wahrscheinlich gefälscht.«

»Wie meinst du das?«, wollten Anne und Brummer wissen.

»Ich will damit sagen, dass es bestimmt nicht Herr Manders war, der uns diese kurze, unfreundliche Nachricht geschickt hat. Jenny sagt, er ist ein so höflicher und freundlicher Mann. Wir hätten gleich Verdacht schöpfen sollen.«

»Aber wer hat uns denn diese Karte geschrieben?«, fragte Brummer.

»Da fällt mir nur einer ein, der dafür infrage kommt«, sagte Georg, »und das ist Johnson, der Hausmeister von den Manders. Der ist doch der Einzige, der weiß, dass wir den Schatz von Lady Manders gefunden haben.«

»Aber er hat sich nicht selber bei uns blicken lassen«, wandte Brummer ein.

»Nein, er hat sich denken können, dass wir ihm den Schatz nicht geben, und deshalb hat er einen Komplizen geschickt. Ich glaube nicht, dass der echte Benjamin heute noch bei uns auftaucht.«

Bis zum Mittag warteten sie trotzdem. Aber niemand kam, und alles sprach dafür, dass Georg Recht hatte.

»Ach du liebe Zeit, dieser Johnson ist ein übler Bursche«, sagte Jenny. »Ich wünschte, er hätte nie erfahren, dass ihr den Schatz habt, Kinder.«

»Also, wir müssen was unternehmen«, sagte Georg energisch. »Vielleicht hat Johnson uns angelogen und Herr Manders ist doch zu Hause. Und wenn er da ist, dann versuchen wir einfach noch mal, mit ihm zu sprechen. Auch wenn dieser Johnson was dagegen hat.«

Gleich nach dem Essen nahmen die Kinder ihre Fahrräder und machten sich auf den Weg zu Herrn Manders' Haus. Tim begleitete sie, wie immer. Am Gartentor stiegen sie ab und stellten enttäuscht fest, dass alle Fenster des Hauses geschlossen waren – es sah nicht so aus, als ob jemand da war.

Julius läutete an der Glocke am Tor, aber niemand kam, nicht einmal Johnson.

Den Kindern war der Wind aus den Segeln genommen, sie sahen einander Rat suchend an und beschlossen dann, noch eine Weile zu warten. Vielleicht würde ja jemand nach Hause kommen; allerdings sah es nicht so aus, als ob Herr Manders überhaupt schon von seiner Reise zurückgekehrt war. Es war zum Aus-der-Haut-Fahren!

Schließlich kam ein Mädchen mit einem Eierkorb die Straße entlang.

»Sucht ihr jemanden?«, fragte sie. »Wenn ihr zu den Manders wollt, müsst ihr noch den ganzen Tag da stehen. Sie sind noch in der Stadt, aber morgen früh kommen sie. Unser Hof liegt ganz in der Nähe, und sie haben meinem Vater geschrieben, dass sie ab morgen wieder jeden Tag Milch brauchen.«

Das hörte sich gut an. Georg und die anderen bedankten sich bei dem Mädchen, und als es um die nächste Ecke verschwunden war, rief Richard: »Da hast du ja Recht gehabt, Georg. Wenn Herr Manders nicht hier ist, kann er uns diese Karte gar nicht geschrieben haben, also muss es Johnson gewesen sein.«

Ein paar Minuten blieben die Kinder noch vor dem Gartentor stehen und ließen sich die ganze Geschichte noch mal durch den Kopf gehen.

»Wer dieser falsche Benjamin in Wirklichkeit ist, würde mich sehr interessieren«, sagte Brummer. »Ich hoffe nur, dass Herr Manders seinem Hausmeister ein paar

Fragen stellt, wenn er alles erfährt. Und dass er auch die richtigen Antworten kriegt.«

»Aber was machen wir bloß, bis er zurückkommt?«, fragte Anne besorgt.

»Nichts«, sagte Georg. »Wir müssen warten. Morgen früh kommen wir wieder her und dann werden wir wohl mit Herrn Manders reden können.«

»Aber inzwischen müssen wir dafür sorgen, dass der Schatz in Sicherheit ist. Vielleicht sollten wir ihn zur Polizei bringen«, schlug Julius vor. Er war der Umsichtigste und Vernünftigste von allen.

»Ach nein, Ju, bitte nicht«, bettelte Georg. Sie wollte den Manders deren Schatz so gerne selbst übergeben. »Ich finde, das ist doch albern, es ist ja nur für eine so kurze Zeit – und stell dir mal vor, wie sich Herr Manders freuen wird, wenn er das Familienerbe ganz ohne Formulare und all solchen Kram wiederkriegt.«

»Aber das bedeutet, dass wir den Schatz noch vierundzwanzig Stunden aufbewahren müssen. Wir tragen die Verantwortung, wenn irgendwas passiert«, gab Julius zu bedenken.

Er war richtig besorgt.

»Das ist doch nicht lange«, meinte Richard, der meistens auf Georgs Seite war. »Wer soll denn damit abhauen?«

»Du hast wohl vergessen, dass Johnson und dieser Typ, der sich als Benjamin ausgegeben hat, es schon mal versucht haben, was?«, sagte Julius.

»Nein, natürlich nicht. Aber die haben doch nicht den Nerv, es noch mal zu versuchen. Wir können den Schatz an einem sicheren Ort verstecken, bis wir ihn dem rechtmäßigen Besitzer überreichen können.«

»Prima Idee«, fand Brummer, der schon wieder auf sein Fahrrad stieg. »Kommt, wir fahren schnell heim und suchen ein sicheres Versteck.«

Ein sicheres Versteck

Schnell radelten die Kinder davon. Sie wollten den Schatz so rasch wie möglich in Sicherheit bringen. Hoffentlich war noch nichts passiert, während sie unterwegs gewesen waren.

Zum Glück war alles in bester Ordnung, als sie zum Rosenhaus zurückkamen. Aber Jenny gestand ihnen, dass sie sich Sorgen machte. »Ich bin so unruhig, Kinder, wenn all diese Goldmünzen und wertvollen Steine hier herumliegen. So ein Vermögen soll man wirklich nicht im Haus aufbewahren!«

»Morgen sind wir den Schatz los, Jenny«, beschwichtigte Brummer sie. »Und inzwischen verstecken wir ihn so gut, dass ihn kein Gauner finden kann.«

Zuerst schleppten die Kinder den Koffer mit der Schatztruhe auf den Dachboden. Richard hatte vorgeschlagen, ihn unter die Dachbalken zu klemmen, aber sie stellten fest, dass das viel zu auffällig war. Man musste schon blind sein, um ihn nicht zu bemerken. Diese Idee taugte also nichts.

Dann meinte Anne, sie sollten die Truhe in einer von den alten Kleiderkisten verstauen, aber Brummer erklärte ihr, dass jeder Einbrecher als Allererstes die Kisten durchsuchen würde. Julius und Georg waren dafür, es im Keller zu versuchen, deshalb gingen sie alle wieder nach unten.

»Ich weiß was! Wir verstecken den Schatz im Ofen«, sagte Julius. »Der wird zurzeit nicht benutzt, weil ja Sommer ist, und einen besseren Safe kann man sich einfach nicht vorstellen.«

Doch obwohl der Koffer nicht besonders groß war, passte er nicht durch die Ofenklappe. Also hatte sich auch dieses Versteck erledigt. Georg meinte, sie sollten den Koffer einfach unter die alten Säcke stopfen, die an der Kellerwand aufgestapelt waren, und ein eisernes Bettgestell davor stellen. Damit waren alle einverstanden und Georg übernahm das Kommando.

»Julius und Richard, ihr nehmt das Kopf- und das Fußende von diesem Bett da drüben«, sagte sie. »Aber seht euch vor und stellt es da hinten hin. Egal, wie ihr das macht, aber zieht es nicht über den Boden.«

Brummer guckte verdutzt. »Was sollen denn all diese Vorsichtsmaßnahmen?«, fragte er.

»Wenn wir dieses Bettgestell über den staubigen Fuß-boden schleifen, dann hinterlässt es Spuren im Staub«, erklärte Georg ihm. »Dann kann jeder sofort sehen, dass hier Sachen hin und her gerückt worden sind, und dann ist doch klar, dass man sich an diesem Ort nur mal genauer umschauen muss, wenn man was finden will.«

»Du denkst aber auch an alles, Georg«, sagte Anne bewundernd.

Brummer half den Jungen, das Bettgestell auf die andere Seite des Raumes zu schaffen. Georg achtete peinlich genau darauf, dass keine Spuren zu sehen waren, und nahm ein paar staubige Säcke hoch, hinter denen sie den Koffer versteckte.

»Das wär's«, sagte sie und streckte sich. »Jetzt ist der Schatz sicher versteckt und wir müssen nur noch dieses Bett davor stellen.«

Gesagt, getan. Nun waren sie alle beruhigt, und sie gingen in die Küche, wo Jenny schon mit einem großen Teller Schokoladenkekse auf sie wartete. Die hatten sie verdient, fand Jenny. Sofort waren alle wieder bei bester Laune und der Rest des Tages verging vergnügt und ohne besondere Vorkommnisse.

Beim Frühstück am nächsten Morgen besprachen die Kinder, wie sie am besten mit den Manders Kontakt aufnehmen könnten.

»Ich an eurer Stelle würde erst mal anrufen, bevor ich vor deren Tür auftauche«, sagte Jenny. »Wenn ihr zu früh kommt, macht euch vielleicht niemand auf, oder ihr geratet wieder an diesen Johnson, und der lässt euch wahrscheinlich nicht rein.«

»Ja, lasst uns telefonieren!«, rief Brummer.

»Okay, daran hätten wir auch früher denken können.«

»Welche Nummer haben die Manders?«, fragte Georg.

»Weiß ich nicht, aber sie steht bestimmt im Telefonbuch«, antwortete Jenny. »Vor zehn solltest du aber nicht anrufen.«

Die Kinder hielten sich an Jennys Rat und um zehn nahm Georg den Hörer ab und wählte die Nummer der Blauregen-Villa.

Eine tiefe, freundliche Stimme meldete sich.

»Guten Morgen, hier ist Georgina Kirrin«, sagte Georg laut und deutlich. »Ich würde gern mit Herrn Marc Manders sprechen. Es geht um etwas Persönliches.«

»Am Apparat«, sagte die Stimme, und man merkte, dass der Mann sich amüsierte. »Schieß los, ich bin ganz Ohr.«

In wenigen Sätzen fasste Georg all die aufregenden Abenteuer der letzten Tage zusammen und berichtete von dem fantastischen Schatz, den sie gefunden hatten.

Für eine Weile verstummte Herr Manders. Dann sagte er: »Wenn das ein Witz ist …«

»Nein, ehrlich nicht, ganz bestimmt nicht«, versicherte Georg ihm. »Es ist die reine Wahrheit. Wenn wir zu Ihnen kommen dürfen, werden wir Ihnen alles erklären, und dann können Sie mit uns zurück ins Rosenhaus kommen, und wir geben Ihnen den Schatz.«

Am anderen Ende der Leitung wurde es wieder ganz still, schließlich sagte Herr Manders: »Also gut, ich erwarte euch gegen drei Uhr in meinem Haus. Aber ich muss schon sagen, eure Geschichte hört sich reichlich seltsam an.«

Mit einem Seufzer der Erleichterung legte Georg den Hörer auf. »Puh, das wäre geschafft«, sagte sie. »Herr Manders erwartet uns heute Nachmittag.«

Die Kinder waren furchtbar aufgeregt. Sie blieben den ganzen Morgen im Garten des Rosenhauses und freuten sich auf das Treffen mit den Manders am Nachmittag. Anne malte sich immer wieder aus, wie entzückt Sylvia Manders sein würde, wenn sie die Juwelen sah.

»Sie wird sich ja so freuen und so glücklich sein. Ich seh es schon vor mir, wie sie das Diamantendiadem aufsetzt – wie eine Königin wird sie damit aussehen.«

»Und dann geht sie damit einkaufen«, ergänzte Brummer lachend.

Die Kinder waren noch im Garten, als es gegen elf Uhr klingelte. Ein großer Mann, der sehr vornehm aussah, stand vor der Pforte.

»Ich möchte bitte zu Fräulein Georgina Kirrin«, sagte er höflich. »Ich nehme an, sie hält sich zur Zeit hier auf, nicht wahr?«

Georg trat vor. »Ich bin Georgina Kirrin. O, und ich wette, Sie sind Herr Manders.«

Der Besucher lächelte. »Ja, der bin ich. Entschuldigt bitte, dass ich einfach so hereinschneie, aber als ich über das nachgedacht hatte, was du mir erzählt hast, fehlte mir die Geduld, bis zu eurem Besuch heute Nachmittag zu warten.«

Georg lächelte, aber so ganz glaubte sie ihm nicht. Sie

nahm an, dass er gekommen war, weil er sich davon überzeugen wollte, dass ihm niemand einen Streich spielte. Und zunächst einmal wollte er wissen, ob die Kinder tatsächlich im Rosenhaus wohnten, wie Georg gesagt hatte, und nicht irgendwelche anonymen Witzbolde waren. Aber Georg war zu gut erzogen, um so etwas laut zu sagen.

Zuerst stellte sie ihre Kusine, ihre Vettern und Brummer vor, Tim und Schelm überging sie natürlich auch nicht.

»Meinem Hund Tim haben wir es zu verdanken, dass wir überhaupt auf den Schatz gestoßen sind, Herr Manders«, sagte sie. »Wenn er nicht gewesen wäre, wären wir nie darauf gekommen, dass da was vergraben war.«

Die Kinder merkten, dass Herr Manders immer noch nicht wusste, ob er ihnen glauben sollte oder nicht, und deshalb baten sie ihn, mit ins Haus zu kommen. Und da bestätigte Jenny die unglaubliche Geschichte der Kinder.

»Ja, so ist es. Alles, was Georgina ihnen erzählt hat, ist wahr«, sagte die gute Jenny. »Als die Kinder nach dem Gewitter diese rostige, alte Truhe hereinschleppten, hab ich meinen Augen nicht getraut. All diese Goldmünzen! Und die Juwelen erst, kostbare Steine, die in allen Farben funkelten. Wie im Märchen!«

Herr Manders war verblüfft. »Das ist ja höchst erstaunlich«, sagte er. »Dass der Schatz meiner Ahnen so zufällig gefunden wird und dann noch nach so langer Zeit, ist nicht zu glauben! Entschuldigt bitte, dass ich so aufgeregt bin, aber ich kann es kaum fassen.«

Julius nickte verständnisvoll. »Wir verstehen das schon. Sie brauchen sich nicht dafür zu entschuldigen.«

»Aber Sie werden noch mehr staunen, wenn Sie den Schatz erst einmal selbst gesehen haben«, sagte Georg.

»Wir haben ihn im Keller versteckt, weil wir Angst vor Juwelendieben haben«, erklärte Brummer.

»Juwelendiebe?«, sagte Herr Manders mit einem Schmunzeln. »Ich kann mir nicht vorstellen, dass sich in dieser ruhigen Gegend viele davon rumtreiben. Und ich vermute mal, ihr habt niemandem erzählt, dass ihr diesen fabelhaften Schatz gefunden habt – oder?«

Anne guckte schuldbewusst drein und warf Georg Hilfe suchend einen Blick zu. Georg runzelte die Stirn. Sie hatte Herrn Manders zwar von der Schatztruhe erzählt und wie sie die gefunden hatten, aber bisher hatte sie den jungen Mann, der sich als Benjamin Latter ausgegeben hatte, mit keinem Wort erwähnt. Nun war es höchste Zeit, die Sache richtig zu stellen. Herr Manders stand da wie vom Blitz getroffen, ganz wie die Eiche.

»Das hätte ich nie von Johnson gedacht!«, rief er aus. »Und dem haben wir vertraut. Und mein Neffe Benjamin, der echte Benjamin, der ist blond, nicht dunkelhaarig. Mit dem jungen Mann, der bei euch war, scheint er nicht die geringste Ähnlichkeit zu haben. Außerdem macht er gerade Urlaub im Ausland.«

»Schnell, wir gehen in den Keller!«, rief Richard. »Kommst du mit, Georg?«

»Wir gehen alle zusammen«, sagte Julius.

»Ich komme mit, wenn ich darf«, sagte Herr Manders.

Jenny ging wieder in die Küche, während die anderen im Gänsemarsch die Kellertreppe hinunterstiegen. Georg ging voran. Sie warf einen Blick in den Kellerraum und schrie auf. Das alte Bettgestell war beiseite gerückt worden, die Säcke lagen auf dem Boden verstreut herum – und sonst war da gar nichts mehr zu sehen!

Julius, Richard, Anne und Brummer schrien auch vor Schreck auf.

»Der Schatz ist weg!«

»Wuff«, bestätigte Tim. Er fing an, an den Säcken zu schnüffeln, und dabei knurrte er. Dann bellte er wieder: »Wuff, wuff, WUFF!«

Herr Manders war ganz blass geworden. »Seid ihr ganz sicher, dass ihr den Schatz hier versteckt hattet?«, fragte er.

»Absolut todsicher«, sagte Julius. »Georg hat sich noch solche Mühe gegeben, alle Spuren zu verwischen. Man konnte überhaupt nicht sehen, dass wir hier gewesen sind.«

»Und jetzt«, sagte Richard düster, »kann jeder sehen, dass jemand das Bettgestell über den Fußboden gezogen und die Säcke einfach so in der Gegend verstreut hat.«

Georg stand ganz still da und dachte nach.

»Wie sind denn diese Diebe hier reingekommen?«, murmelte sie. »Dieser Keller ist sehr alt. Jenny hat gesagt, er hat schon zu der Jagdhütte gehört, die hier mal gestanden hat. Das Rosenhaus ist auf ihn gebaut worden. Die Kellertür oben ist immer abgeschlossen und

Jenny verwahrt den Schlüssel an einem sicheren Ort. Sie musste ihn holen, als wir den Schatz hier unten versteckt haben. Und sonst gibt es hier nur noch dieses kleine Fenster, da oben in der Mauer, von da fällt ein bisschen Licht in den Keller …«

Julius sah sich das Fenster genauer an. »Es ist fest geschlossen, und es sieht aus, als sei es seit Jahrhunderten nicht mehr geöffnet worden.«

»Das Geheimnis des verschlossenen Raumes«, sagte Anne, die mal eine sehr spannende Detektivgeschichte mit diesem Titel gelesen hatte. »Also, wenn niemand rein- oder rauskommen konnte, wie ist dann der Schatz gestohlen worden?«

Auch Herr Manders prüfte das Fenster und die Tür noch einmal.

»Ich kann nichts sehen, das auf einen Einbruch schließen lässt«, sagte er streng. »Ist das vielleicht doch ein Scherz, den ihr euch mit mir erlaubt?«

In diesem Augenblick schlüpfte Schelm unter die staubigen Säcke. Wieder aufgetaucht hielt er etwas Glänzendes in seiner kleinen Pfote und streckte es Brummer hin.

»O, Herr Manders!«, rief Brummer. »Hier haben Sie

den Beweis dafür, dass wir nicht lügen. Schauen Sie bloß. Dieser Edelstein muss aus der Schatztruhe herausgefallen sein. Wir haben ihn schon mal gesehen – ein großer, ungefasster Rubin. Er gehört Ihnen, bitte schön.«

Herr Manders nahm den Stein und legte ihn auf seine Handfläche, um ihn in Ruhe anzuschauen. Der Stein war durchscheinend und dunkelrot und er glänzte wunderbar.

»Ja, ein Rubin«, murmelte er hingerissen. »Einer der

schönsten Rubine, die ich je gesehen habe. Meine lieben jungen Freunde, es tut mir Leid, dass ich euch nicht gleich geglaubt habe. Dies hier ist der Beweis dafür, dass der Schatz wirklich existiert. Die Diebe waren wohl so geblendet vom Inhalt der Truhe, dass es ihnen nicht aufgefallen ist, dass sie dieses einzigartige Stück verloren haben.«

Inzwischen war Georg zu Tim gegangen, der immer noch knurrend die Säcke beschnüffelte. Ein paar Dinge fielen ihr auf, aber sie hielt es für klüger, fürs Erste den Mund zu halten.

Herr Manders stieg schon wieder die Kellertreppe hinauf. Er ging zu Jenny und erzählte ihr, was geschehen war. Die arme Jenny jammerte entsetzt los: »Ach du liebe Zeit, o Herr Manders, was sollen wir nur machen?«

»Wir müssen sofort die Polizei verständigen«, sagte Herr Manders. »Kommt, Kinder. Wir machen eine Aussage. Ihr müsst der Polizei die ganze Geschichte erzählen, auch die Sache mit der gefälschten Karte und dem jungen Mann, der sich als mein Neffe ausgegeben hat. Johnson wird ins Schwitzen geraten, wenn er seine Unschuld beweisen will.«

Wieder im Keller

Die Polizei verdächtigte natürlich sofort Johnson. Herr Manders und die Kinder hatten nichts anderes erwartet. Johnson wurde auf die Polizeiwache bestellt, aber er beteuerte, dass er unschuldig sei. Er habe die Karte nicht geschrieben und den falschen Benjamin kenne er auch nicht. Und er behauptete, nichts von einem Einbruch im Rosenhaus zu wissen.

Als die Fünf Freunde und Herr Manders ihn zur Rede stellen wollten, blieb er felsenfest bei seiner Geschichte.

»Ich kenne diesen dunkelhaarigen Burschen mit dem Motorrad überhaupt nicht, da können Sie sich auf den Kopf stellen, ich hab nichts mit ihm zu tun. Nie gesehen, in meinem ganzen Leben nicht!«, sagte er entrüstet. »Und was die Entdeckung von diesem Schatz angeht, davon könnte alle Welt erfahren haben, denn dieses kleine Mädchen hier«, und er zeigte mit dem Finger wütend auf Anne, »dieses kleine Mädchen hat ja laut genug geplappert. Jeder, der mitgehört hat, könnte versucht haben, an den Schatz zu kommen. Ich habe ihr natürlich kein Wort geglaubt.«

Es stellte sich leider heraus, dass die Kinder überhaupt nicht nachweisen konnten, dass Johnson ihnen die Karte geschrieben hatte. Die Kinder konnten sie nicht einmal mehr vorzeigen. Der freche kleine Affe Schelm hatte sie nämlich zerfetzt. Da die Polizei keine handfesten Beweise in der Hand hatte, die ihren Verdacht bestätigten, konnte Johnson wieder nach Hause gehen.

Georg und die anderen Kinder waren sehr enttäuscht. Sie waren sich ganz sicher, dass dieser Mann der Schuldige war.

Beim Mittagessen im Rosenhaus bliesen sie Trübsal. Und gleich nach dem Essen hielten sie Kriegsrat.

»Ich sag euch mal was: Das Beste ist, wir stellen selber Nachforschungen an, falls die Polizei mit ihren Ermittlungen nicht weiterkommt«, schlug Georg vor. »Aber zuerst muss ich euch noch ein, zwei Sachen zeigen. Kommt mit in den Keller!«

Die anderen folgten ihr, sie hatten keine Ahnung, was Georg vorhatte. Vor ein paar Stunden waren die Polizisten im Keller gewesen, um sich den Tatort kurz anzusehen. Aber sie hatten nichts gefunden, was die Ermittlungen vorantreiben konnte.

Nachdem sie alle die Treppe hinuntergegangen waren, zeigte Georg mit der Hand auf den Kellerraum.

»Da wären wir«, sagte sie. »Und jetzt wollen wir mal sehen, wer von euch eine gute Beobachtungsgabe besitzt. Fällt euch irgendwas an diesem Einbruch auf?«

»Ja«, sagte Julius sofort. »In keinem von den anderen Räumen des Hauses ist etwas angerührt worden. Die Diebe sind geradewegs in den Keller gegangen und haben den Schatz geholt, als ob sie gewusst hätten, wo er ist.«

»Ausgezeichnet, Julius, du hast scharf nachgedacht!«

Jeder andere, weniger gutmütige Mensch wäre ziemlich sauer über den gönnerhaften Ton gewesen, den seine kleine Kusine Georg anschlug. Aber Julius grinste nur und tat so, als wollte er Georg eine runterhauen.

»Aber außer uns und Jenny hat niemand gewusst, wo das Versteck war«, wandte Richard ein.

»Absolut korrekt«, stimmte Georg ihm zu. »Und was folgerst du daraus?«

»Ja, also, die Einbrecher müssen mit ihrer Suche im

Keller angefangen haben und das Glück war auf ihrer Seite. Sie haben den Schatz sofort gefunden.«

»Genau das hätte ich auch vermutet, wenn ich mich nicht genauer umgesehen hätte«, sagte Georg mit einem Kopfschütteln. »Schaut euch mal die Spuren auf dem Fußboden an. Und dann sagt mir, was euch daran auffällt.«

Julius, Richard, Brummer und Anne guckten die Spuren an, die das eiserne Bettgestell und die Säcke im Staub hinterlassen hatten. Ganz unverhofft war Anne die Erste, die etwas sagte. Sie war zwar nicht dumm, aber meistens war sie ziemlich schüchtern.

»Dieses Bettgestell ist nicht einfach so zur Seite gezerrt worden«, stellte sie fest. »Es ist umgekippt worden und die Säcke liegen hier so komisch rum. Sieht so aus, als ob sie von der Wand weggezerrt und im Halbkreis verstreut worden sind.«

»Weggezerrt? Nein, das stimmt so nicht ganz«, korrigierte Georg ihre Kusine. »Der Haufen ist weggeschoben worden!«

»Weggeschoben?« Richard sah Georg verständnislos an. »Was willst du damit sagen?«

»Ich glaube, die Einbrecher standen nicht mit dem

Gesicht zu dieser Mauer, als sie in den Keller kamen, sondern mit dem Rücken. Diese Mauer war hinter ihnen.«

»Aber das kann doch nicht angehen«, krähte Brummer. »Der einzige Weg hier herein ist das kleine Fenster da oben und das ist winzig und ganz fest geschlossen. Die Einbrecher können nie im Leben da reingekommen sein.«

»Nein, durchs Fenster sind sie nicht gekommen«, bestätigte Georg. »Und auch nicht durch die Tür.«

Julius sah seine Kusine neugierig an. »Worauf willst du hinaus, Georg? Na los, rück schon raus mit der Sprache.«

»Also, ihr seht doch, dass die Säcke im Halbkreis daliegen und das Bettgestell umgekippt worden ist. Deshalb kam mir die Idee, dass die Diebe durch einen geheimen Eingang in dieser Mauer gekommen sind. Und als sie die Tür aufgestoßen haben, haben sie alles umgekippt und weggeschoben, was davor aufgestapelt war. Und da standen sie nun, und der Schatz lag direkt vor ihren Füßen, weil wir so nett waren, ihn da für sie bereitzulegen. Sie mussten ihn nur noch aufheben und abhauen.«

»Das wäre wirklich ein seltsamer Zufall«, sagte Julius.

»Julius, mein hochverehrter Vetter, das Leben ist voller seltsamer Zufälle«, sagte Georg übertrieben salbungsvoll. »Aber wir können ja mal überprüfen, ob meine Theorie richtig ist.«

Die fünf Kinder kletterten über das Bettgestell und fingen an, die Mauer dahinter mit den Händen abzuklopfen. Sie war so ungewöhnlich dick wie die Mauer eines alten Schlosses. Ja, es war schon möglich, dass sich dahinter ein Geheimgang verbarg.

»Vergesst nicht, dieser Keller gehörte zu der alten Jagdhütte«, sagte Georg. »O, ich glaube, dieser Stein hier bewegt sich! Wenn wir alle zusammen schieben …«

Brummer schob mit all seiner Kraft, und als sich die große Steinplatte drehte und ein großes, schwarzes Loch freigab, fiel er beinahe kopfüber in die Dunkelheit.

»Ich hatte also Recht«, sagte Georg erfreut. »Ich kenn mich ja gut aus in dieser Gegend, und ich weiß, dass die meisten alten Herrenhäuser geheime unterirdische Gänge haben. Ich wette, dieser hier kommt bei der Ruine der Manders heraus. Der Gang muss ziemlich dicht an der Blauregen-Villa vorbeiführen. Ich bin sicher, Johnson weiß davon. Aber lasst uns mal scharf nachdenken. Keiner außer Johnson hat gewusst, dass sich der Schatz im Rosenhaus befand. Also muss er durch den Geheimgang geschlichen sein, um ins Haus zu kommen. Da wollte er den Schatz suchen. Und er hat Glück gehabt und ihn sofort gefunden. So ein Mist, ich könnte mich ohrfeigen! Warum hab ich bloß gedacht, dass der Koffer mit der Truhe hier unten in Sicherheit ist?«

»Du konntest ja nicht ahnen, was passieren würde«, erwiderte Julius düster. »Aber ich glaub, du hast Recht, Georg. Wenn Johnson für die Manders arbeitet, kennt er das Anwesen sicher wie seine Westentasche. Und wir haben ja schon herausgefunden, dass nur er der Täter sein kann. Außer ihm hat keiner von der Sache gewusst.«

»Klasse«, sagte Richard aufgeregt. »Sagt mal, warum ziehen wir nicht los und holen uns den Schatz wieder. Wir nehmen denselben Weg wie Johnson, nur in umgekehrter Richtung. Los, kommt!«

»Nicht so eilig, Richard. Beruhig dich!«, bremste Julius seinen jüngeren Bruder. »Lass den Schatz jetzt erst mal Schatz sein. Wir haben ja keine Ahnung, wo er ihn hingebracht hat. Aber wir könnten natürlich eine kleine Erkundungstour durch diesen Gang machen ...«

Jenny erzählten sie nichts davon, schließlich wollten sie die Haushälterin nicht beunruhigen. Die Kinder holten ihre Taschenlampen und gingen wieder in den Keller. Einer nach dem anderen betraten sie den Geheimgang: Gleich hinter der Tür führte eine Treppe noch tiefer unter die Erde und von dort aus verlief ein schmaler Gang geradeaus weiter. Die Wände waren gemauert. Zum Glück war der Boden ziemlich trocken.

Georg führte die anderen an, aber plötzlich knipste sie ihre Taschenlampe aus. Die anderen machten es ihr sofort nach. »Psst«, zischte sie. »Ich glaub, ich hab was gehört.«

Sie warteten eine Weile und lauschten – doch es war kein Laut zu vernehmen. Falscher Alarm! Aber als sie so im Dunkeln standen, fiel den Kindern ein Licht am Ende des Ganges auf.

»Tageslicht«, flüsterte Anne. »Da vorne muss der Gang zu Ende sein.«

Sie gingen weiter, noch vorsichtiger als zuvor. Der Gang stieg nun ein ganzes Stück immer weiter nach

oben an und bald hatten sie den höchsten Punkt erreicht. Die Sonne schien durch ein Gewirr von Zweigen
über ihren Köpfen.

Vorsichtig lugte Georg aus dem Tunnel. Als ihre Augen auf gleicher Höhe mit dem Erdboden waren, stieß
sie einen kleinen Triumphschrei aus.

»Wir sind im Garten der Blauregen-Villa«, flüsterte
sie den anderen zu, die ganz still hinter ihr standen.
»Ich kann die Rückseite des Hauses sehen.«

Ihre Theorie hatte sich also bestätigt. Der geheime
Gang führte zum Garten der Manders, der früher einmal zu dem großen Park des alten Herrenhauses gehört
hatte.

»Und was machen wir jetzt?«, murmelte Richard.
Das hatte sich Georg auch schon gefragt. »Wollen wir
den Manders von unserer Entdeckung erzählen, oder
was?«

»Wart mal«, sagte Georg plötzlich. »Hm … das ist ja
seltsam. Die Läden aller Fenster der Blauregen-Villa
sind geschlossen, jedenfalls auf dieser Seite.«

»Kommt, wir müssen erst mal aus diesem Loch
raus«, sagte Brummer. »Mir wird es hier zu eng.«

»Wir müssen aber ganz vorsichtig sein«, warnte

Georg. »Wenn wir jetzt Johnson treffen, geraten wir in Schwierigkeiten.«

Aber Haus und Garten schienen verlassen. Die Kinder kletterten aus dem unterirdischen Gang, der mitten in einer Hecke endete. Wenn man nicht gerade nach diesem Eingang suchte, würde man ihn nie finden. Johnson musste ihn zufällig entdeckt haben, als er die Hecke geschnitten hatte, vermutete Georg. Denn schließlich wusste nicht einmal Herr Manders etwas von dem Geheimgang.

Ganz vorsichtig schlichen die Fünf Freunde und Brummer um das Haus herum. Aber in der Blauregen-Villa regte sich nichts. Alles war fest verschlossen.

»Die Manders müssen wieder weggefahren sein«, murmelte Anne.

»Kommt, wir verschwinden«, sagte Julius. »Wir sind auf Privatgelände, hier haben wir nichts zu suchen. Ich kann erst wieder ruhig atmen, wenn wir dieses Grundstück verlassen haben.«

Die Kinder mussten nur eine kleine Pforte öffnen, die nicht abgeschlossen war, und schon waren sie auf der Straße.

»Übrigens, das Häuschen, in dem Johnson wohnt, liegt nicht weit von hier«, sagte Brummer.

»Lasst uns doch mal nachsehen, ob er zu Hause ist«, schlug Georg vor. »Wenn er den Schatz geklaut hat, kann der sich doch eigentlich nur in seinem eigenen Haus befinden.«

»Das kann ganz schön gefährlich werden«, sagte Julius warnend.

»Wer nicht wagt, der nicht gewinnt«, meinte Georg nur.

»Und Frechheit siegt«, ergänzte Richard, der mal zeigen wollte, dass er sich mit Sprichwörtern genauso gut auskannte wie Georg.

Die Kinder schlichen in den kleinen Garten hinter Johnsons Haus. Sie achteten darauf, keine verdächtigen Geräusche zu machen. Und je näher sie sich an das Haus heranpirschten, desto deutlicher konnten sie die Stimmen von zwei Männern hören, die im Haus miteinander redeten.

»Aha, Johnson ist zu Hause«, flüsterte Brummer. »Und er ist nicht allein.«

»Mal sehen, was er macht«, sagte Richard und robbte auf allen vieren zu dem Fenster hinüber, aus dem die

Stimmen drangen. Ganz langsam und vorsichtig hob er den Kopf und schaute in den Raum. »Das kann doch nicht wahr sein«, hauchte er. »Guckt euch das mal an.«

Die anderen schlichen zu ihm. Ihre Erkundungstour im Geheimgang hatte recht lange gedauert und jetzt brannte die Sonne nicht mehr so heiß und große Wolken zogen über den Himmel. Sie brauchten eine Weile, bis sie überhaupt etwas in dem Zimmer erkennen konnten, und weil sie unter keinen Umständen entdeckt werden wollten, mussten sie sich sehr vorsehen.

Aber schließlich sahen sie alle, dass sich zwei Leute in dem Zimmer befanden. Johnson war der eine, der andere war der dunkelhaarige junge Mann, der sich als Benjamin Latter ausgegeben hatte. Sie saßen am Tisch und hatten jeder eine Flasche Bier vor sich stehen. So unterhielten sie sich in aller Ruhe und ahnten nicht, dass fünf Paar Ohren ihr Gespräch aufmerksam verfolgten.

Ein interessantes Gespräch

»Es wundert mich, dass du auf dem Weg hierher nicht der Polizei begegnet bist«, sagte Johnson. »Die haben vorhin erst das Haus durchsucht, aber sie mussten mit leeren Händen abziehen, und das ist ja die Hauptsache. Es war zum Brüllen komisch.«

»Hast mal wieder den armen Unschuldigen gespielt, dem man was anhängen will, Onkel Jim?« Der junge Mann lachte. »Ich wette, dass du denen eine harte Nuss zu knacken gegeben hast. Die konnten ja nicht wissen, dass die Klunker schon längst abtransportiert worden waren.«

»Wir haben eine Glückssträhne, Gary«, sagte Johnson.

»Das kann mal wohl sagen! Schwein gehabt, dass wir den Schatz sofort gefunden haben. Ganz schön blöd von diesen Gören, ihn direkt vor die Geheimtür im Keller zu legen. Und der Kram ist was wert, mein lieber Mann.«

»Als ich diese rostige, alte Kiste aufgemacht hab,

wär ich fast aus den Latschen gekippt«, gab Johnson zu.

»Das Problem ist nur, wie wir die Sachen loswerden, ohne dass uns jemand auf die Schliche kommt! Man könnte doch was davon wieder erkennen.«

»Keine Sorge, Potter kennt einen Typen in der Stadt, der als Strohmann auftreten kann. Er nimmt Kontakt zu dem Mann auf. Aber das eilt nicht. Wir wollen uns ja nicht verdächtig machen, nicht wahr? Deshalb warten wir ab, bis sich die Aufregung gelegt hat. Die Beute ist dort sicher, wo wir sie hingebracht haben. Prost, Gary. Auf unseren Erfolg!«

Die beiden Männer tranken ihr Bier aus und danach machte Gary sich wieder auf den Weg. Die Kinder konnten hören, dass er sein Motorrad startete und weg-fuhr.

Sie schauten einander an. Na, da hatten sie in ziem-lich kurzer Zeit eine ganze Menge erfahren. Die Polizei hatte also Johnsons Haus durchsucht und nichts gefun-den. Der junge Mann, der behauptet hatte, Benjamin zu sein, war in Wirklichkeit Johnsons Neffe Gary. Und es war völlig klar, dass Gary und sein Onkel den Schatz gestohlen hatten. Außerdem hatten sie noch einen

Komplizen namens Potter. Und Georg hatte Recht gehabt, Johnson und Gary waren durch den Geheimgang ins Rosenhaus gekommen. Nun wollten sie das Gold und die Juwelen einem Strohmann übergeben, damit der den Schatz für sie verkaufte, aber das würde noch eine Weile dauern. Und das bedeutete, dass die Fünf Freunde und Brummer noch Zeit hatten, etwas dagegen zu unternehmen.

Aber so redselig Johnson und sein Neffe auch gewesen waren, das Allerwichtigste hatten sie leider nicht gesagt: Wo sie den Schatz versteckt hatten.

Als Garys Motorrad nicht mehr zu hören war, schlichen die Kinder zurück zum Rosenhaus. Sie überlegten sich, was sie als Nächstes tun sollten.

»Wenn die Manders doch bloß nicht weg wären!«, sagte Julius. »Aber es sieht ganz danach aus. Wir können nur hoffen, dass sie morgen wiederkommen. Dann müssen wir ihnen unbedingt erzählen, was wir herausgefunden haben.«

»Meint ihr nicht, dass wir am besten jetzt gleich zur Polizei gehen und alles berichten sollten?«, fragte Anne.

»Und was soll das bringen?«, antwortete Georg düster. »Die fragen nur diesen Johnson noch mal aus und der wird alles abstreiten. Außerdem könnte ihn das dazu bringen, den Schatz schneller loszuwerden, als er eigentlich geplant hat, und danach abzuhauen. Nein, das nützt uns gar nichts. Und überhaupt, vielleicht ist der Schatz ja sogar im Haus der Manders. Klar ist ja wohl, dass Johnson nicht weit damit gekommen sein kann. Und ich wette, dass er ab und zu mal gucken geht, ob auch noch alles da ist und niemand das Versteck entdeckt hat. Wir müssen ihn also nur im Auge behalten, dann wird er uns schon hinführen.«

Richard stimmte seiner Kusine zu und Julius sagte: »Okay, das machen wir. Wir wechseln uns mit der Beschattung von Johnson ab und morgen fangen wir damit an.«

Am nächsten Morgen ging Jenny schon ganz früh zum Einkaufen. Sie kam mit Neuigkeiten zurück, die die Kinder sehr interessant fanden. Die Frau auf der Post hatte Jenny erzählt, dass Herr Manders gestern ganz unerwartet in einer dringenden Angelegenheit in die Stadt zurückgerufen worden war. Da seine Frau nicht gern allein im Haus war, hatte sie ihn begleitet, aber die beiden würden bald wiederkommen.

Georg und die anderen wechselten bedeutsame Blicke, als sie das hörten. Wenn Johnsons Arbeitgeber nicht zu Hause waren, dann konnte er in der Blauregen-Villa ein und aus gehen, falls er den Schatz tatsächlich dort versteckt hatte. Auf alle Fälle brauchte er sich nicht besonders vorzusehen und damit erleichterte er den Kindern die Nachforschungen.

Sie machten gleich einen Plan für die Beobachtung Johnsons. Nachts würden sie nicht auf ihren Posten bleiben, aber sonst wollten sie ihn keine Minute aus den Augen lassen. Es hatte sich nicht so angehört, als ob Gary und Johnson den Schatz jetzt schon wegschaffen wollten, deshalb war es wahrscheinlich nicht nötig, Johnson rund um die Uhr zu überwachen. Tagsüber aber würde immer eines der Kinder in seiner Nähe sein, sogar zu den Essenszeiten.

Die Kinder waren ziemlich enttäuscht, als sie feststellten, auf welch langweilige Weise Johnson den Tag verbrachte. Er ging nicht oft raus, und wenn er es tat, dann nur, um im Garten der Blauregen-Villa zu arbeiten oder um etwas einzukaufen. Und so ging das zwei Tage lang.

»Wisst ihr was, so langsam glaube ich, dass er den

Schatz in seinem eigenen Haus versteckt hat«, sagte Georg ein paarmal. »Ich weiß, ich weiß, die Polizei hat alles durchsucht und nichts gefunden, aber vielleicht hat er ja ein richtig tolles Versteck da drinnen.«

Am Ende glaubten Julius, Anne, Richard und Brummer das auch. Dieser Johnson setzte schließlich kaum mal einen Fuß vor die Tür, er verhielt sich wie ein Hund, der seinen Knochen eifersüchtig bewacht.

»Also, so können wir nicht weitermachen«, sagte Georg am dritten Tag. »Wir müssen jetzt etwas unternehmen. Wenn dieser grässliche Kerl das nächste Mal sein Haus verlässt, sollten wir es uns genauer ansehen. Dagegen kann er ja nichts haben, schließlich hat er dasselbe bei uns gemacht.«

Julius hielt das zwar nicht für eine gute Idee, aber alle anderen waren auf Georgs Seite, und deshalb gab er nach.

Und schon an diesem Nachmittag gab es eine günstige Gelegenheit. Johnson ging in den Garten der Manders zum Rasenmähen. Die Kinder liefen sofort zu seinem Haus, und sie hofften, sie hätten genügend Zeit, um sich dort umzuschauen.

Es stellte sich heraus, dass es leicht war, in das Haus

hineinzukommen. Ein Fenster im Erdgeschoss stand offen. Eilig durchsuchten die Kinder alle Räume, aber sie konnten nichts finden.

Richard seufzte. »Ich hatte es nicht anders erwartet«, sagte er. »Wenn die Polizei schon nichts findet, warum sollten wir denn mehr Glück haben?«

»Genau«, sagte Julius. »Aber die Polizei hatte einen Durchsuchungsbefehl, und den haben wir nicht, also lasst uns sehen, dass wir hier wegkommen. Du hast deinen Willen gekriegt, Georg, aber jetzt verschwinden wir.«

»Aber Ju, ich bin ganz sicher, dass der Schatz hier ganz in der Nähe ist«, protestierte Georg. »Da stehen noch ein paar kleine Schuppen auf dem Grundstück, dort sollten wir uns noch mal umsehen, bevor wir gehen ...«

Aber Anne fiel ihr ins Wort. »Psst«, machte sie. Sie sah sehr ängstlich aus. »Ach du meine Güte, ich höre Schritte. Das muss Johnson sein, er kommt zurück!«

Die Kinder schauten sich blitzschnell um, und als sie feststellten, dass ihre Suche keine verdächtigen Spuren hinterlassen hatte, kletterten sie schnell wieder aus dem Fenster. Tim war ihnen vorausgelaufen und sie machten sich lautlos davon. Gerade noch rechtzeitig, denn Anne hatte Recht gehabt: Johnson war wieder nach Hause gekommen.

Auf dem Rückweg zum Rosenhaus machten sie auf einer Wiese im Schatten einer Eiche Halt, um erst mal zu verschnaufen.

»Wir dürfen die Hoffnung nicht aufgeben«, sagte Georg. »Morgen suchen wir weiter, wenn sich eine Gelegenheit ergibt. Denkt immer daran, Johnsons Haus steht auch auf dem alten Anwesen, und es kann ja sein, dass hier überall Geheimgänge sind. Vielleicht gibt es noch einen anderen ganz in der Nähe, in dem Johnson seine Beute versteckt hat.«

Am nächsten Tag hatten die Kinder wieder Glück. Johnson ging zur Blauregen-Villa hinüber und schnitt die Hecken. Diesmal stiegen die Kinder aber nicht in sein Haus ein, sondern sahen sich auf dem Hof und im Garten um. Da stand ein Geräteschuppen, in den es reinregnete – es war also unwahrscheinlich, dass Johnson hier etwas Wertvolles aufbewahrte. Doch Georgs Aufmerksamkeit wurde von etwas anderem angezogen: Es gab da nämlich einen steinernen Waschzuber, der von einem Dach geschützt und einer niedrigen

Steinmauer umgeben war. Früher hatte man solche Brunnen benutzt, um die Wäsche für eine große Familie zu waschen. Der Boden dieses Beckens bestand aus mehreren großen, rechteckigen Steinplatten. Georg schlich um das Becken herum und nahm jeden Stein genau unter die Lupe. Tim half ihr dabei. Schnell fiel ihr auf, dass ein Stein etwas weiter vorstand als die anderen. Sie rief ihren Freunden zu: »He, kommt doch mal her. Ich will versuchen, diesen Stein zu bewegen.«

Julius und Richard kamen sofort, und gemeinsam gelang es ihnen, den Stein von seinem Platz zu heben. Eine Art rostiger Handgriff kam darunter zum Vorschein. Julius zog daran und eine der großen Steinplatten am Boden des Zubers schwenkte langsam zur Seite. Georg hatte ja schon vermutet, dass es noch einen anderen unterirdischen Gang gab, und es sah ganz so aus, als ob man hier hineinkriechen konnte.

»Na, was hab ich gesagt!«, rief sie begeistert und war auch schon in dem dunklen Loch verschwunden. »Los, beeilt euch. Wie gut, dass wir unsere Taschenlampen dabeihaben.«

Ihre Freunde folgten ihr. Julius bildete das Schlusslicht. Er wollte ganz sicher sein, dass er die Steinplatte auch von innen hochdrücken konnte, wenn er sie wieder an ihren Platz geschoben hatte. Unten im Tunnel fand er einen Griff, der offenbar dazu diente, die Platte anzuheben, und darüber war er froh. Er probierte den Mechanismus gerade aus, als er erschrocken zusammenzuckte. Schwere Schritte näherten sich. Johnson war wieder einmal eher zurückgekommen, als sie gedacht hatten. Er ließ sein Haus offenbar nicht gern allzu lange allein. Eben war er in den Garten gekommen und jetzt ging er direkt auf den Waschzuber zu.

»Passt auf«, flüsterte Julius und schob die Steinplatte in Windeseile wieder an ihren Platz. »Johnson ist schon wieder da. Ich glaub nicht, dass er uns bemerkt hat, aber das war knapp. Wir können nur hoffen, dass er nicht hierrunter kommt.«

Sie wagten nicht, noch länger stehen zu bleiben, und einen anderen Weg als geradeaus konnten sie nicht gehen. Wenn sie Pech hatten und Johnson in den Tunnel kam, mussten sie sich so schnell wie möglich irgendwo verstecken.

Annes Herz pochte wie verrückt, als sie der furchtlosen Georg durch den unterirdischen Gang folgte. Brummer und Richard waren dicht hinter ihr und Julius kam

als Letzter. Georg hatte den anderen geraten, ihre Taschenlampen jetzt nicht zu benutzen. Nur ihre eigene
kleine Taschenlampe hatte sie angeschaltet und die
warf einen schmalen, goldenen Lichtstrahl auf den Boden vor ihr.

Ein Abenteuer unter der Erde

Der Boden des unterirdischen Tunnels war uneben und die Kinder stolperten immer wieder. Plötzlich machte der Gang einen scharfen Knick. Die Kinder blieben stehen und lauschten.

»Alles in Ordnung. Ich kann nichts hören«, flüsterte Georg.

Aber Tim hatte die Ohren aufgestellt. Er winselte leise, als ob er ihr sagen wollte, dass sie sich irrte. Die Kinder horchten angestrengt, und dann glaubten sie auf einmal, hinter sich ein leises Geräusch zu hören.

»Ich fürchte, Johnson hat die Steinplatte weggeschoben«, flüsterte Brummer.

»Dann los, schnell!« Julius gab seinem Bruder einen leichten Schubs. Georg war schon weitergelaufen, sie zog Anne hinter sich her. Jetzt waren sie in einer brenzligen Lage. Wenn Johnson sie hier unten fand, würde er ihnen vielleicht nichts Schlimmes antun, aber sicher war das nicht. Er würde auf jeden Fall Verdacht schöpfen und den Schatz womöglich an einem anderen Ort verstecken. Oder er würde früher als geplant das Weite suchen und seine Beute mitnehmen.

Tim lief nun voran, er schnüffelte auf dem Boden herum und seine empfindliche Nase zuckte immer wieder. Die Kinder konnten Johnsons schwere Schritte jetzt ganz deutlich hören. Der Hausmeister kannte sich hier unten vermutlich sehr gut aus und er kam schneller voran als sie. Lange würde es nicht dauern, bis er sie eingeholt hatte.

Auf einmal blieben die Kinder stehen. Sie waren in eine kleine Höhle gekommen. Auf dem Boden lagen überall heruntergefallene Steine herum. Der Tunnel ging hinter diesem Raum vermutlich noch weiter, aber der Zugang zu diesem Teil des Ganges war mit einem Gitter versperrt. Sie saßen in der Falle.

Tim winselte wieder und die Kinder unterdrückten einen entsetzten Aufschrei. Richard, Julius und Brummer sahen sich in Panik um. Dann entdeckte Georg, die Ruhe bewahrt hatte, einen Haufen alter Säcke, die achtlos in eine Ecke geworfen worden waren.

»Schnell«, sagte sie. »Wir verstecken uns darunter!«

Alle liefen zu den Säcken hinüber, und Georg befahl Tim, sich hinzulegen, damit sie ihn zudecken konnte.

Dann schlüpften sie und die anderen auch unter die Säcke und warteten reglos zusammengekauert auf das, was nun geschehen würde.

Sie wagten kaum zu atmen. Ihre Taschenlampe hatte Georg natürlich ausgeschaltet und deshalb war es stockfinster. Schelm drückte sich an Brummer und lag genauso still da wie sein Herrchen.

Johnson kam immer näher und der Schein seiner Taschenlampe war schon deutlich durch das grobe Sackleinen zu sehen.

Oje, hoffentlich guckt er nicht in unsere Richtung, flehte Anne stumm.

Sie hätte sich nicht zu fürchten brauchen. Selbst wenn Johnson in ihre Richtung geschaut hätte, wäre ihm nicht aufgefallen, dass dort jemand war. Die Kinder waren bei der spärlichen Beleuchtung in ihrem Versteck überhaupt nicht zu sehen.

Johnson ging auf das Gitter zu. Weil er dachte, er wäre allein, fing er an, mit sich selbst zu sprechen. Er klang ausgesprochen fröhlich.

»Gute Sache, dieses Gitter«, sagte er. »Die Tür zu Jim Johnsons privatem Safe, was? Hahaha.«

Julius und die anderen hörten ein leises Klicken, und

sie wussten sofort, dass Johnson das vergitterte Tor auf- geschlossen hatte. Ein sanftes Quietschen war zu hören, offenbar hatte Johnson die Angeln seiner »Safetür« gut geölt.

Georg wagte es, eine Ecke ihres Sackes anzuheben und aus ihrem Versteck zu gucken. Sie konnte Johnson von hinten sehen. Das Gitter stand jetzt offen und er ging mit seiner Taschenlampe den Tunnel weiter entlang.

»Was tun wir jetzt?«, wisperte Richard Georg ins Ohr. »Sollen wir den Gang wieder zurücklaufen und durch den Waschtrog rausklettern?«

»Nein«, sagte Julius sofort. »Johnson ist noch nicht weit genug weg. Er könnte uns hören.«

»Hört mal zu«, sagte Georg leise. »Ich glaube, dass er nach dem Schatz sieht. Lasst uns hier bleiben, bis er wieder verschwindet, dann können wir den Schatz von Herrn Manders gleich mitnehmen. Deshalb sind wir doch hier, oder nicht?«

Die Kinder mussten sich eine ganze Weile gedulden, aber schließlich kam Johnson zurück. Er schien bester Laune zu sein und kicherte wie ein Irrer ständig vor sich hin.

»Hoho, diese wunderbaren Goldmünzen«, murmelte er, als er das Gitter wieder verschloss. »Was die wohl einbringen werden? Na, ist ja auch egal, klar ist nur eines: Jim Johnson ist bald ein reicher Mann. Hahaha.«

Sein Gekicher und Geplapper verebbte, als er den langen Tunnel zurückging und durch den Waschtrog wieder ins Freie kletterte.

»Habt ihr das gehört?«, fragte Georg triumphierend. »Ich hatte Recht. Der Schatz ist hier irgendwo ganz in der Nähe. Wir müssen ihn uns nur schnappen.«

Schnell schlüpften die Kinder unter den Säcken hervor, die ihnen so gute Dienste geleistet hatten. Tim sprang herum, er war wohl beim Stillliegen etwas steif geworden. Georg lief zu dem Gitter hinüber, packte es mit beiden Händen und rüttelte daran. Aber es öffnete sich nicht.

»Mist«, sagte sie.

»Warte mal«, meinte Julius. »Ein Schloss ist nicht dran, das heißt, dass irgendwo ein Hebel oder so was sein muss, der den Öffnungsmechanismus in Gang setzt. Wenn wir den nur finden würden …«

Schließlich war es Anne, die mit ihren geschickten Fingern einen kleinen Knopf ausfindig machte. Man musste nur kräftig darauf drücken und schon sprang die Gittertür auf. Die Kinder hätten am liebsten laut gejubelt.

Es stellte sich heraus, dass der Tunnel ein Stück hinter dem Gitter endete. Sie standen plötzlich vor einem runden Brunnenschacht. Als ihnen das klar wurde, waren sie schon halb in den Brunnen gerutscht. Über ihnen und unter ihnen weitete sich der Schacht und ein paar Meter tiefer konnten sie Wasser sehen. Weiter ging es hier nicht, sie konnten nur wählen, ob sie runter- oder wieder hochklettern wollten.

»Na, das heißt ja wohl, dass Johnson den Schatz irgendwo in dem kurzen Tunnelstück versteckt hat«, sagte Richard zufrieden. »Es wird nicht lange dauern, bis wir alles gründlich durchsucht haben. Kommt schon!«

Aber die Kinder wurden enttäuscht. Sosehr sie auch suchten und so genau sie auch jeden Winkel und jede Mauerritze des unterirdischen Ganges unter die Lupe nahmen, den Schatz fanden sie einfach nicht. Und nichts deutete darauf hin, dass er hier war.

»So ein Mist!«, sagte Julius. »Das versteh ich einfach nicht.«

Und plötzlich hörten die Kinder wieder das Quiet-schen, das sie schon kannten.

»O nein!«, rief Richard. »Das Gitter fällt ins Schloss. Wir hätten irgendwas dazwischenstecken sollen, um das zu verhindern.«

Sofort rannten sie zu der Gittertür zurück, aber sie kamen zu spät. Vor ihren Nasen fiel die Tür mit einem trockenen Klicken ins Schloss.

»Mal wieder Pech gehabt«, sagte Brummer. »Wir sind gefangen.«

»Aber wir müssen doch nur auf den Knopf drücken, dann geht die Tür schon wieder auf«, sagte Richard. Doch das war leichter gesagt als getan. Der Knopf be-fand sich auf der anderen Seite der Gittertür – und sie konnten nicht an ihn rankommen. Julius war der Größ-te von ihnen, er hatte die längsten Arme, aber es gelang ihm trotzdem nicht, den Knopf zu erreichen.

Dann kam Brummer auf die Idee, Schelm durch die Gitterstäbe zu schieben, damit er auf den Knopf drü-cken konnte. Schelm schaffte es auch, sich durch das Gitter zu zwängen, und er strengte sich mächtig an, das zu tun, was Brummer ihm zeigte, aber leider war er nicht stark genug, um fest auf den Knopf zu drücken.

Sosehr er sich auch abmühte, das Gitter blieb geschlossen. Als die Kinder keinen anderen Rat mehr wussten, versuchten sie, das Gitter mit Gewalt zu öffnen. Mit vereinten Kräften rüttelten und schüttelten sie daran, aber auch das nützte nichts.

»Es hat keinen Zweck, dass wir unsere Kraft an diesem blöden Ding verschwenden«, sagte Georg. »Wir sollten besser zum Brunnen zurückgehen und mal schauen, ob wir nicht einen anderen Weg nach draußen finden.«

Georg, Julius und Richard waren wirklich sehr ruhig und tapfer, und das war gut so, denn sonst hätten Anne und Brummer nur noch größere Angst gehabt. Ihre Lage war schlimm, sie saßen in der Falle – und das unter der Erde! Und da niemand wusste, wohin sie gegangen waren, konnten sie auch nicht mit Hilfe rechnen.

Georg ließ sich aber davon nicht beirren. Energisch ging sie wieder auf den Brunnenschacht zu. Sie lehnte sich über den Rand und leuchtete mit ihrer Taschenlampe in die Tiefe. Wie tief das Wasser da unten war, konnte sie nicht feststellen, aber eines war klar: Auf diesem Weg würden sie nicht nach draußen kommen. Dann leuchtete sie mit ihrer Taschenlampe die Decke des Tunnels ab, aber da war auch nichts zu sehen. Sie knipste die Taschenlampe aus und guckte sich die Tunneldecke noch einmal im Dunkeln an. Und als ihre Augen sich an die Finsternis gewöhnt hatten, entdeckte sie einen schwachen Lichtstrahl über ihrem Kopf. Dort oben war der Brunnenschacht zu Ende. Weit war es bis dahin, aber nicht zu weit.

»Gut«, sagte sie. »Bis zum Brunnenloch da oben kommen wir schon. Der Brunnen ist wahrscheinlich mit einem Deckel verschlossen. Wenn wir den von unten wegschieben können, dann kommen wir raus. Ich wette, das klappt.«

»Aber können wir denn so hoch klettern?«, fragte Brummer. Er klang besorgt.

Georg schaltete ihre Taschenlampe wieder an und leuchtete die Wände des Schachtes von unten nach oben ab.

»Guckt mal«, rief sie begeistert, »ich hab mir doch gedacht, dass es hier so was gibt. Da sind Eisensprossen in die Wand eingelassen – wie eine Leiter. Macht schnell, wir klettern hinauf!«

»O nein«, jammerte Anne. »Das kann ich nicht. Ich hab solche Angst.«

»Wenn du hier unten bleibst, wirst du noch viel mehr Angst kriegen«, entgegnete Georg trocken.

»Moment mal.« Julius streckte den Arm aus und griff nach einer Sprosse, an die er sich mit seinem ganzen Gewicht hängte. »Wir müssen erst mal prüfen, ob die Sprossen uns überhaupt tragen.«

Es stellte sich zum Glück heraus, dass alle Eisensprossen fest in der Wand verankert waren. Georg wollte unbedingt als Erste hinaufklettern und die anderen beobachteten sie dabei gespannt. Bald hatte sie die oberste Sprosse erreicht. Mit der Schulter stemmte sie sich gegen den hölzernen Brunnendeckel und versuchte, ihn wegzuschieben. Alle atmeten erleichtert auf, als ihr das gelungen war. Und dann kletterte Georg hinaus ans Tageslicht.

Sie schaute sich um und wusste gleich, wo sie war: am hinteren Ende von Herrn Manders' Garten, nicht weit von der Stelle, wo der andere Geheimgang endete.

Sie beugte sich über den Brunnenrand und rief leise nach unten: »Richard, Brummer, Anne! Kommt rauf, beeilt euch. Ju, kannst du noch da unten bleiben? Ich muss ein Seil suchen, damit wir Tim hochziehen können.«

Während Anne und die beiden Jungen den Brunnenschacht hinaufkletterten, rannte Georg zum Geräteschuppen der Blauregen-Villa. Sie hatte Glück, denn
dort fand sie ein langes, kräftiges Seil. Damit würden
sie Tim sicher hochziehen können. Sie lief wieder zum
Brunnen und ließ das eine Ende des Seils zu Julius herunter. Er wickelte Tim in seine Jacke und band ihm
dann das Seil um den Bauch – einen Augenblick später
zogen Georg und Richard aus Leibeskräften. Und Tim
stieg auf wie in einem Fesselballon.

Dann kletterte Julius auch aus dem Brunnen und sie
schoben den Deckel wieder über die Öffnung. Nun
wollten sie sich gleich auf den Weg zum Rosenhaus machen, aber vorher brachten sie das Seil noch in den Geräteschuppen zurück.

Es ließ ihnen aber keine Ruhe, dass sie den Schatz
immer noch nicht gefunden hatten, und deshalb
beschlossen sie, am nächsten Tag weiterzusuchen. In
dem Teil des Tunnels, den sie bereits so gründlich
durchsucht hatten, konnte der Schatz nicht sein, und
deshalb vermuteten sie, dass er vielleicht im Brunnen
versteckt war, oder zumindest ganz in der Nähe des
Brunnens.

Julius war überhaupt nicht glücklich über diese Expedition. Immer wieder schärfte er seinen Freunden ein, dass sie sehr vorsichtig sein mussten. Aber Georg ließ sich nicht von ihrem Plan abbringen. Sie wollte wieder in den Schacht hinunterklettern und nachsehen, ob nicht etwas auf dem Grund des Brunnens zu finden war.

Die Kinder hatten sich darauf geeinigt, erst dann aufzubrechen, wenn es dämmerte. Tagsüber könnten sie von Johnson erwischt werden, der vielleicht wieder im Garten der Blauregen-Villa arbeitete. Gleich nach dem Abendessen nahmen sie ihre Fahrräder und sagten Jenny, sie würden eine kleine Tour machen.

Sie radelten zur Blauregen-Villa und schlüpften durch die kleine Gartenpforte in den Garten. Dann liefen sie geradewegs zum Brunnen. Sie hatten Taschenlampen und ein gutes Seil mitgebracht. Julius bestand darauf, dass Georg sich das Seil umband, bevor sie in den Schacht hinunterstieg.

»Das andere Ende machen wir an diesem Baum fest«, sagte er. »Wenn du abrutschen solltest, können wir dich wieder hochziehen.«

Also wickelte Georg sich das Seil um und kletterte

hinab. Als sie bis zur Wasseroberfläche gekommen war, zog sie einen Stein aus ihrer Hosentasche. Er hatte in der Mitte ein Loch, durch das Georg eine Schnur gezogen hatte. Sie ließ den Stein ins Wasser hinab und stellte fest, dass er schon bald auf dem Grund angelangt war. Nun zog sie ihn wieder hoch und konnte an der nassen Schnur ablesen, wie tief das Wasser war.

»Prima!«, rief sie den anderen zu. »Das Wasser ist nicht tief. Nun möchte ich bloß mal wissen …«

Während sie redete, leuchtete sie den Brunnenschacht mit der Taschenlampe ab. Plötzlich kam ihr ein Gedanke. Könnte es nicht sein, dass Johnson den Schatz unter Wasser versteckt hatte?

Ihre Augen fingen an zu funkeln. Sie hatte gerade eine Schnur entdeckt, die an der untersten Eisensprosse festgebunden war und im Wasser baumelte. Mit ihrer freien Hand zog sie daran und da kam auch schon etwas zum Vorschein: Eine Plastiktüte war um eine rostige, kleine Kiste gewickelt – es war die Schatztruhe! Sie erkannte sie sofort wieder, trotz der Plastikhülle.

Georg schrie begeistert auf. »Ich hab den Schatz!«, rief sie. »Hier ist er! Ich komm wieder hoch!«

Sie band die Schnur, die um das Päckchen gewickelt

war, an dem Seil fest, das sie trug, während Julius, Richard, Anne und Brummer sie zu ihrem Fund beglückwünschten. Aber ganz leise nur, denn schließlich wollten sie nicht, dass jemand sie hörte. Tim wurde von der allgemeinen Begeisterung angesteckt. Er war nicht so vorsichtig und sprang am Brunnenrand umher, als ob es keine Rolle spielte, wie viel Krach er machte. Und er bellte Georg, die gerade wieder nach oben gekommen war, an. Mit der schweren Schatzkiste kam sie nur langsam voran. Brummer wollte Tim einen kleinen Klaps geben, damit er ruhig war, aber Tim wich ihm aus und verlor das Gleichgewicht.

Der arme Hund fiel in den Brunnenschacht hinunter, aus dem sein Frauchen gerade auftauchte. Georg verschwendete keine Zeit. Der Hund musste gerettet werden. Blitzschnell machte sie die Schatzkiste, die sie aus dem Schacht gezogen hatte, von ihrem Seil los und drückte sie Richard in die Hände, dann kletterte sie so schnell wie möglich wieder in den Brunnen. Dort unten war Tim mit einem gewaltigen Platscher ins Wasser gefallen, aber er kam sofort wieder an die Oberfläche und paddelte mit viel Getöse im Kreis herum.

»Keine Angst, Tim! Ich komme!«, rief Georg ihm zu.

Kurz darauf konnte sie Tim packen. »Meine Güte, heute hängt aber auch alles an einem dünnen Faden«, murmelte sie und schlang das Seil, das sie sich um den Bauch gebunden hatte, um Tim. Leicht war das nicht.

»Seid ihr fertig da oben?«, rief sie. »Dann zieht Tim hoch!«

Die Rettungsaktion verlief in völliger Stille. Dann stieg Georg aus dem Brunnenschacht und fiel beinahe hintenüber, als sie sah, was los war.

Tim war in Sicherheit und es war ihm nichts passiert. Er schüttelte sich. Aber Julius, Richard, Anne und Brummer standen wie angewurzelt da und sahen ziemlich blass und ängstlich aus. Johnson hatte sich vor den Kindern aufgepflanzt und zielte mit einem Gewehr auf sie, während sein Neffe Gary die Plastiktüte untersuchte und nachsah, ob der Schatz noch da war.

Gefangen!

Deshalb also war es bei Tims Rettung plötzlich so still geworden. Die Kinder waren ihren Feinden in die Hände geraten!

Georg wusste sofort, dass sie jetzt ernstlich in der Klemme waren. Johnson und Gary waren entlarvt, sie konnten nicht länger die Unschuldigen spielen. Dass die Kinder den Schatz im Brunnen gefunden hatten, war Beweis genug für die Schuld der Männer. Und jetzt hatten sie ihn wieder.

Die werden uns nicht so einfach gehen lassen, dachte Georg und schauderte. Wir können gegen sie aussagen.

Julius warf seiner Kusine einen verzweifelten Blick zu. Er dachte das Gleiche. Was soll nun aus uns werden?, fragte er sich. Jetzt, da es zu spät war, bereute Georg, dass sie so waghalsig gewesen war. Sie hatte den anderen diese Suppe eingebrockt. Tim hatte seinen Schrecken überwunden und fing plötzlich an zu knurren.

»Ruhig, Tim!«, befahl Georg. Sie hatte schreckliche

Angst, dass Johnson ihren geliebten Hund erschießen würde.

Der gute Tim gehorchte ihr und die fünf Kinder standen ihren Feinden, dicht aneinander gedrängt, gegenüber.

»Alles in Ordnung«, sagte Gary und streckte sich. »Sie hatten keine Zeit, die Tüte aufzumachen. Was jetzt, Onkel Jim? Was machen wir mit diesen Gören? Laufen lassen können wir sie wohl nicht ...«

»Nein, das geht nicht«, sagte Johnson mit grimmiger Miene. »Dumme Gören, Nervensägen, der Teufel soll sie holen. Wir müssen unseren Plan ändern und sie aus dem Weg schaffen, wenn wir uns wieder frei bewegen wollen.«

»Sollen wir sie gefangen halten? Oder was meinst du?«

Anne fing leise an zu weinen. Richard lächelte ihr aufmunternd zu. »Kopf hoch, Anne«, flüsterte er. »Das sind nur Diebe, keine Mörder.«

Georg sah Brummer und die anderen an. »Also, das tut mir furchtbar Leid, dass ich euch alle in diese Sache reingezogen hab«, sagte sie, geradeaus und ehrlich wie immer.

»Maul halten, ihr Gören!«, blaffte Johnson. »Ich muss mir überlegen, was ich mit euch mache.«

Johnson richtete sein Gewehr noch immer auf die Kinder, als er anfing, mit seinem Neffen zu reden. Sie sprachen leise, aber da es eine ruhige Nacht war, konnten die Kinder das meiste verstehen.

»Das Beste ist, wir verdrücken uns sofort«, meinte Gary.

»Geht nicht, wir müssen warten, bis Potter mit der Nachricht von seinem Freund aus der Stadt zurück ist. Und das kann ein paar Tage dauern. Wir müssen sie also irgendwo einsperren«, raunzte Johnson.

»Ja, aber wo? In deinem Haus jedenfalls nicht. Die Polizei könnte es wieder durchsuchen. Und das gilt auch für die Blauregen-Villa. Die Manders sind zwar nicht zu Hause, aber sie können jederzeit zurückkommen.«

Gary schwieg einen Moment und dachte nach. Plötzlich sagte er triumphierend: »Ich hab's, Onkel Jim. Neulich bin ich mit dem Motorrad in der Gegend rumgefahren und da hab ich so eine kleine Insel vor der Küste entdeckt. Nur ein ganz kleines Ding, total unbewohnt – und das ist gut für uns. Ich glaub, da kommt nie jemand hin. Nur eine alte Ruine steht da rum, das ist alles. Wir schaffen diese neugierige Brut rüber auf die Insel und lassen sie mit ein paar Decken und ein bisschen Proviant da sitzen. Wenn Potter kommt, hauen wir ab. Wir können ja auf einen Zettel schreiben, wo die Gören stecken. Was hältst du davon?«

Johnson fand die Idee gut. »Dann lass uns die Kinder wegschaffen«, sagte er. »Ich hol das Motorboot von den Manders. Kommt, ihr kleinen Schnüffler!«

Julius gehorchte nur zögernd, aber er hatte keine andere Wahl. Richard knirschte mit den Zähnen. Brummer und Anne hielten sich an den Händen, als ob sie einander Mut machen wollten, und Schelm klammerte sich an sein Herrchen. Nur Georg, die Tim am Halsband hielt, ging bereitwillig mit. Es schien fast, als fände sie die ganze Geschichte ziemlich komisch. Plötzlich blieb Johnson stehen.

»Ich hab nachgedacht«, sagte er zu Gary. »Wir wollen nichts übereilen und dabei womöglich was Blödes tun. Wir müssen noch ein paar Vorsichtsmaßnahmen ergreifen. Komm mit rüber ins Gewächshaus, da können wir reden.«

Gary trieb die Kinder ins Gewächshaus. Sein Onkel

war ein schlauer Fuchs, ihm waren ein paar Dinge eingefallen, die den Plan zum Scheitern bringen konnten, und die teilte er seinem Neffen nun mit: Wenn die Kinder nicht nach Hause kamen, gab Johnson zu bedenken, würde sich die Frau Sorgen machen, bei der sie wohnten. Und die würde dann Alarm schlagen.

»Wir müssen sie also davon überzeugen, dass alles in Butter ist«, sagte Johnson. »Sonst geht sie zur Polizei oder holt die Eltern der Kinder. Aber ich weiß schon, wie wir es machen. Gary, nimm diese Schnur und binde unseren Gefangenen die Hände auf dem Rücken zusammen. Ja, so ist's gut.«

Gary erledigte seine Aufgabe schnell und gründlich, während Johnson die Kinder immer noch mit dem Gewehr bedrohte. Georg und die anderen kochten vor Wut, aber sie mussten still stehen und alles über sich ergehen lassen. Als sie alle fünf gefesselt waren, ließ Johnson seine Waffe sinken.

»Gut«, sagte er. »Und jetzt wartest du hier auf mich und passt gut auf sie auf, Gary. Ich bin gleich wieder da.«

»Wo willst du hin?«

»Ich lauf zu meinem Haus, so schnell ich kann. Und

dann ruf ich diese Haushälterin an, wie heißt sie noch … Jenny! Ich tu so, als wär ich Herr Kirrin, der von seinem Haus aus anruft.«

Georg biss sich auf die Lippe. Dieser Johnson war ganz schön gerissen. Er hatte sich offenbar die Mühe gemacht herauszufinden, wer sie waren und woher sie kamen.

»Du bist ja verrückt!«, rief Gary. »Die alte Schachtel kennt die Stimme von diesem Kirrin doch bestimmt. Die legst du damit nicht rein!«

»Worauf du dich verlassen kannst. Ich tu so, als wär ich heiser. Und ich sag ihr gleich, dass ich es kurz machen muss. Dann erklär ich ihr, dass die Kinder im Felsenhaus sind und dass sie ein paar Tage dort bleiben. Dann macht sie sich keine Sorgen.«

»Genial, Onkel Jim. Einfach irre«, sagte Gary verblüfft.

Die Kinder sahen einander gequält an. In diesem dunklen Gewächshaus waren sie vollkommen von der Außenwelt isoliert. Die Taschenlampen der beiden Diebe waren das einzige Licht weit und breit.

Dieser grässliche Johnson hat an alles gedacht, sagte sich Georg. Und Jenny ist so gutgläubig, die schluckt diese Geschichte, ohne Verdacht zu schöpfen. Ach, wäre ich doch bloß vorsichtiger gewesen!

Johnson blieb nicht lange weg. »Das lief wie geschmiert«, sagte er grinsend. »Und jetzt ab mit euch. Ich hab das Boot rausgefahren.«

»Du hast aber nichts zu essen und keine Decken mitgebracht«, sagte Gary.

»Ich hab es mir anders überlegt. Die kommen auch ohne so was aus. Weißt du, ich dachte gerade an diese Insel. Die mag ja unbewohnt sein, aber wer garantiert uns, dass nicht irgendwelche Touristen auftauchen und dort ein Picknick machen wollen? Wenn wir die Kinder da frei rumlaufen lassen, können sie ihre Geschichte jedem erzählen, der zufällig vorbeikommt, dann werden sie zum Festland rübergefahren – und wir sind dran. Nein, mir ist was Besseres eingefallen. Du hast doch gesagt, es steht eine alte Ruine auf der Insel, und da gibt es doch bestimmt einen Keller oder so was Ähnliches.«

»Das war mal eine Burg, glaub ich«, sagte Gary. »Vielleicht hatte die ja einen Kerker.«

»Noch besser. Wir suchen uns einen sicheren Ort, wo wir unsere Freunde einsperren können. Dann erkälten sie sich schon nicht in der kalten Nachtluft, und was Essen und Trinken angeht, zwei Tage Fasten schadet denen nicht, haha. Kommt, Kinder, nicht so lahm …«

Ja, Johnson hatte wirklich an alles gedacht – und trotzdem lächelte Georg geheimnisvoll, während die anderen Kinder die Köpfe hängen ließen.

Die beiden Männer führten die Kinder an den Strand hinunter, wo das Bootshaus der Manders stand, und ließen sie in das Motorboot von Herrn Manders steigen. Gary warf den Motor an. Als Georg sah, welchen Kurs er einschlug, grinste sie. Das hatte sie sich gedacht.

Richard fiel ihr Grinsen auf, aber er war gewitzt genug und stellte keine Fragen. Außerdem verging Georg das Grinsen sehr bald. Als Gary nämlich fand, dass sie weit genug von der Küste entfernt waren, schnappte er sich Tim ohne jede Vorwarnung und warf ihn über Bord. Bevor die Kinder sich von ihrem Schrecken erholt hatten, nahm er Schelm am Nackenfell und warf ihn auch ins Wasser.

»Gemeiner Kerl!«, rief Georg entsetzt. »Hol meinen Hund raus, das kannst du nicht machen!«

Brummer protestierte auch laut, aber Gary lachte nur.

»So? Kann ich das nicht? Der Hund könnte mit seinem Gekläffe alles vermasseln und verraten, wo wir euch einsperren! Und was weiß ich, was dieser Affe alles kann. Vielleicht habt ihr ihm ja beigebracht, Fesseln zu entknoten. Ich hoffe, die Mistviecher saufen schnell ab.«

Georg war sich sicher, dass Tim ihm den Gefallen nicht tun würde, er war ein ausdauernder Schwimmer und würde leicht wieder ans Ufer kommen. Und Schelm war bestimmt so schlau, sich am Fell seines starken Freundes festzuhalten. Aber sie musste unbedingt verhindern, dass Tim seine Kraft vergeudete und dem Boot folgte. Das machte er nämlich gerade. Als Johnson den Hund bemerkte, hob er drohend einen Riemen. Im Mondschein konnte Georg sehen, wie Tim ihr einen traurigen Blick zuwarf, und dann schwamm er davon. Tränen stiegen ihr in die Augen. Ihre Freunde hatten sie noch nicht oft weinen sehen.

Wenig später landete das Boot am Strand der Insel, die Gary von seinem Motorrad aus gesehen hatte. Nun wussten die anderen, warum Georg gegrinst hatte. Sie waren nämlich auf die Felseninsel gebracht worden, auf Georgs eigene Insel. Hier hatten die Fünf Freunde schon oft gezeltet.

Georg war natürlich gleich klar gewesen, dass die

beiden Männer sie hierhin verschleppen wollten. Sie kannte sich in der Gegend schließlich bestens aus und außer der Felseninsel gab es weit und breit keine unbewohnte Insel. Julius, Richard, Anne und Brummer ging es auch schon ein wenig besser, als sie in diese vertraute Umgebung kamen. Und der Kerker, in den die Gauner sie sperren wollten, machte den Fünf Freunden überhaupt keine Angst.

»Na los, Beeilung! Schneller!«, knurrte Johnson. »Mist, dieser Pfad ist ganz schön steil«, sagte er zu seinem Neffen. »Ah, da ist ja diese Ruine, von der du gesprochen hast.«

Die beiden mussten eine Weile suchen, bevor sie den Weg zum Kerker gefunden hatten. Georg hatte plötzlich die verrückte Idee, ihnen ein paar Ratschläge zu geben, aber sie riss sich zusammen. Schließlich schob Johnson einen Stein beiseite und machte so den Einstieg zum Kerker frei. »Na, da haben wir's«, sagte er. Dann leuchtete er mit seiner Taschenlampe den finsteren Weg zum Kerker aus und sagte schroff: »Zwei Tage im Dunkeln mit den Händen auf dem Rücken, ohne jemanden, der euch zu Hilfe kommt, und ohne Proviant, das wird euch schon davon kurieren, eure Nasen in die Angelegenheiten anderer Leute zu stecken. Mach zu, Gary. Wir gehen. Halt, mir ist gerade noch was eingefallen. Wir lassen den Schatz auch hier auf der Insel, wir vergraben ihn auf dem Burghof. Einen sichereren Ort dafür gibt es nicht. Und wenn Potter kommt, morgen oder übermorgen, dann kommen wir her, sehen nach, wie's unseren Gören so geht, und holen unser Eigentum.«

Auf der Felseninsel

Die beiden Gauner verschwanden, ohne sich weiter um ihre Gefangenen zu kümmern.

»Also, das sind ja schöne Blödmänner«, sagte Richard, als sie außer Hörweite waren. »Die hatten Angst, dass Tim bellt, aber sie haben ganz vergessen, uns zu knebeln. Haben die vielleicht gedacht, wir sind taub oder was, dass sie vor uns einfach so über ihre Pläne mit dem Schatz reden?«

Er lachte.

»Sie wissen, dass wir hier nicht wegkommen«, meinte Brummer. »Ich bin so fest verschnürt, dass ich meine Arme schon nicht mehr spüre.«

Georg war immer noch wütend, weil die Männer so gemein zu Tim gewesen waren. Aber sie würde sich nicht so schnell geschlagen geben, schon gar nicht auf ihrer eigenen Insel. »Wer sagt denn, dass wir hier nicht wegkommen?«, fragte sie. »Du hast gesehen, was sie mit Tim und Schelm gemacht haben, aber damit kommen sie nicht durch! Und das hier ist meine Insel. Ich wette, dass uns sogar die Steine dieser Ruine helfen werden.«

Sie bewegte sich auf die Kerkermauer zu, und als sie dort angekommen war, drehte sie sich mit dem Rücken zur Wand und fing an, die Schnur, mit der ihre Hände gefesselt waren, an den Steinen zu reiben. Dabei schürfte sie sich die Haut auf, aber das störte sie kaum. Sie musste sich einfach befreien.

Die anderen folgten ihrem Beispiel und versuchten auch, sich von ihren Fesseln zu befreien. Es dauerte lange, aber schließlich hatten sie es geschafft. Julius und Georg waren als Erste frei und sie halfen Richard, Anne und Brummer. Dann gingen sie alle den Weg zurück, den sie gekommen waren, und kurz darauf standen sie vor dem Stein, der den Zugang zum Kerker versperrte. Mit vereinten Kräften schoben sie ihn zur Seite. Und sie waren frei!

Sofort rannten die Kinder aus dem Kerkergang hinaus. Der Morgen graute bereits und über dem Festland ging die Sonne gerade auf. Georg stieß einen Freudenschrei aus.

»Guckt mal, da ist Tim! Tim schwimmt zu uns rüber!«

Und so war es! Im ersten Morgenlicht konnten sie

den guten Hund tapfer durch die Wellen schwimmen sehen. Und er war nicht allein. Schelm hockte auf seinem Rücken und klammerte sich an Tims Hals fest. Nun war Brummer dran, vor Freude zu schreien. »Schelm! Tim hat Schelm mitgebracht!«

Die Kinder hopsten und tanzten vor Freude. Wenig später schüttelten sich Tim und sein Reiter am Strand das Wasser aus dem Fell. Der Hund sprang auf Georg zu und leckte ihr das Gesicht.

»Tim, mein Bester, du bist genau im richtigen Augenblick gekommen. Jetzt kannst du uns helfen, und dann werden wir uns an diesen Kerlen rächen, die dich ins Wasser geworfen haben«, sagte sie.

Brummer und Schelm hüpften am Strand herum. Die anderen lachten über die beiden, sie hatten schon ganz vergessen, dass sie eben noch Gefangene waren.

»Und da ist noch etwas, das wir unbedingt erledigen müssen«, rief Richard plötzlich. »Kommt, beeilt euch, wir müssen uns den Schatz wiederholen.«

Das war nicht besonders schwierig. Sie liefen in den Burghof, und da entdeckte Julius sofort eine Stelle auf dem Boden, die ganz so aussah, als sei dort vor kurzem gegraben worden. Das Fleckchen Erde war nur unzureichend mit drei großen Steinen getarnt worden. Die Kinder holten sich Stöcke zum Graben und hielten die Truhe schon nach kurzer Zeit in Händen.

»Die verstecken wir in unserer Vorratskammer«, sagte Georg. »Wir müssen auf Nummer Sicher gehen.«

Die Vorratskammer war eine nützliche Nische in einer der Burgmauern. Hier bewahrten die Kinder Dosen mit Suppe, Zucker, Salz und andere Vorräte auf, die nicht verderben konnten, damit sie immer etwas zu essen hatten, wenn sie auf der Insel zelteten. Georg hatte eine Schwäche für Geheimnisse aller Art und deshalb hatte sie den Proviant so gut versteckt wie einen Schatz. Und für den echten Schatz war dieser »Safe« der ideale Aufbewahrungsort!

Nun hatten die Kinder alle Trümpfe in der Hand. Sie waren aus ihrem dunklen Verlies entkommen, sie hatten den Schatz in Sicherheit gebracht und sie waren auf ihrem eigenen Territorium.

»Georg, was meinst du, was sollen wir machen, um diesen Kerlen einen ordentlichen Denkzettel zu verpassen?«, fragte Anne.

»Darüber reden wir gleich«, erwiderte Georg. »Wir müssen jetzt erst mal frühstücken. Ich bin am Verhungern. Dosenmilch, Schokolade und Kakao haben wir noch in der Vorratskammer. Brot gibt's nicht, dafür jede Menge Kekse. Hol den Spirituskocher raus, Richard, und Brummer, du läufst los und holst Wasser von der Quelle.«

Es war ein seltsames Frühstück, aber es schmeckte ihnen wunderbar. Den Kindern ging es gleich viel besser, als sie etwas im Bauch hatten. Nach dem Frühstück besprachen sie die Lage.

»Wir können ohne Probleme hier bleiben, bis Johnson und seine Kumpel zurückkommen. Wir haben hier schließlich schon oft gezeltet und das hat uns nie was ausgemacht. Aber es wäre schon gut, wenn wir Onkel Quentin eine Botschaft schicken könnten«, schlug Richard vor.

»Können wir doch«, sagte Georg. »Ich schwimme wie ein Fisch. Da kann ich doch leicht zum Festland rüberschwimmen und Alarm schlagen.«

»Nee, das lässt du schön bleiben«, widersprach Julius ihr energisch. »Das ist vielleicht deine Insel, Georg, aber ich bin der Älteste, und ich sag dir: So was Gefährliches tust du nicht. Das wäre einfach leichtsinnig und blöde.«

Eigentlich wusste Georg, dass er Recht hatte. Sie wurde knallrot und schüttelte den Kopf. »Na gut, wenn du es sagst. Ach, übrigens«, hakte sie mit einem schelmischen Grinsen nach, »das hatte ich gar nicht wirklich vor. Wir werden mit diesen Kerlen schon selber fertig, dazu brauchen wir keine Hilfe.«

»Wie meinst du das?«, fragte Brummer mit glänzenden Augen.

»Also, ich hab mir die ganze Sache durch den Kopf gehen lassen. Wenn Johnson, Gary und ihr Freund Potter hierher kommen, stolpern sie in allerlei Fallen, die wir für sie vorbereitet haben. Damit werden sie nicht rechnen, und ich wette, so treiben wir sie von der Insel und direkt in die Arme der Polizei. Nun denkt mal nach, was fällt euch denn zum Thema ›Fallen‹ ein?«

Richard prustete los. »Klasse, die Idee, Georg«, sagte er. »Haha! Diese Typen können sich auf was gefasst machen!«

»Und wir können den Überraschungseffekt ausnutzen«, meinte Julius. »Sie wissen ja nicht, dass wir uns befreit haben. Die denken, dass wir immer noch gefesselt im Kerker liegen.«

»Und sie haben keine Ahnung, dass Tim und Schelm gesund und munter bei uns sind.«

»Und dass ihr Schatz weg ist«, fügte Anne mit zufriedenem Lächeln hinzu.

»Dann wollen wir jetzt mal einen Schlachtplan ausarbeiten«, schlug Georg vor. »Wir müssen aber Wache halten. Am besten, wir wechseln uns ab, denn wir wollen doch nicht, dass diese Kerle uns überraschen, wenn sie zurückkommen.«

Die Freunde verbrachten den größten Teil des Morgens damit, an den Fallen für Jim, Gary und Potter zu tüfteln. Dann machten sie sich etwas zu essen und waren froh darüber, dass Georg am Anfang der Ferien einen Riesenvorrat Würstchen und gebackene Bohnen angelegt hatte. Pfirsiche in der Dose gab es auch und Anne fand noch ein Päckchen Brausepulver in der Vorratskammer und machte Zitronenbrause mit dem Quellwasser. Es war alles köstlich. Nach dem Essen arbeiteten sie weiter an ihrem Plan und bereiteten alles für den Empfang der Diebe auf der Insel vor.

Als es dunkel wurde, holten sie die alten Decken, die sie in dem einzigen Raum der Burg aufbewahrten, der noch ein Dach hatte. Da blieben die Decken schön trocken. Die Kinder rollten sich gemütlich ein und waren bald eingeschlafen. Es war ja nicht das erste Mal, dass sie in der Burgruine übernachteten. Ihre Schlafsäcke, die sie sonst immer mitbrachten, fehlten ihnen kaum, denn zum Glück war es eine milde Nacht.

Georg übernahm an diesem Abend die erste Wache. Sie saß zwei Stunden lang oben am Ende des Pfades, der zum Strand hinunterführte, Tim neben sich. Die beiden schauten aufs Meer hinaus. Richard löste sie ab und danach war Julius dran, dann Brummer und gegen Morgen übernahm Anne die Wache. Aber die Gauner tauchten nicht auf. Die Kinder hielten bis zum Abend Wache, denn sie waren fest davon überzeugt, dass es nun nicht mehr lange dauern würde, bis Johnson und seine Komplizen zurückkamen.

Und tatsächlich, genau um neun Uhr abends, als es langsam dunkel zu werden begann, gab Brummer seinen Freunden ein Zeichen.

»Es geht los!«, rief er. »Ich seh ein Motorboot herankommen.«

»Das sind sie bestimmt«, rief Georg aufgeregt. »Toll. Kommt schon, ihr Mistkerle, jetzt könnt ihr was erleben.«

Der Schatz ist in Sicherheit

Tatsächlich, es waren Johnson, Gary und Potter. Die Kinder hatten sich oberhalb der Klippen auf den Bauch gelegt und beobachteten, wie die Männer aus dem Boot kletterten. Es wurde rasch dunkel, aber der Mond ging auf, und deshalb konnte man immer noch gut sehen. Potter war ein bulliger Typ, der schon aus der Ferne ziemlich ungepflegt aussah.

»Okay, das hätten wir«, sagte er mit heiserer Stimme zu seinen Kumpanen. »Wenn ihr den Schatz hier gelassen habt, dann solltet ihr ihn so schnell wie möglich holen, und dann ist es so weit, wir können ihn Tracy übergeben, unserem Strohmann. Vergesst nicht, der erwartet uns morgen.«

»Ich geh mit der Taschenlampe voraus«, sagte Gary. »Übrigens, was machen wir denn nun mit den Kindern? Nach zwei Tagen in dem dunklen Loch werden die wohl nicht mehr frech werden, nehm ich mal an.«

»Ach die …«, sagte Johnson ungerührt. »Ein Anruf bei ihren Eltern, aber erst, wenn wir in der Stadt sind –

das sollte reichen. Neugierige Bande, geschieht ihnen ganz recht, immerhin haben sie uns genug Scherereien gemacht.«

»Und gleich machen wir euch noch ein paar mehr, ihr Gauner«, murmelte Georg. »Und das hier ist erst der Anfang!«

Mit sicherer Hand warf sie einen Stein über die Kante der Klippe – und der traf Johnson genau am Kopf.

»Au!«, brüllte Johnson und rieb sich den Kopf. »Was war das denn?«

»Nur ein Stein, der von den Klippen runtergefallen ist«, sagte Gary. »Nun stell dich nicht so an, Onkel Jim.«

Und im selben Augenblick war er auch schon lang hingeschlagen. Das Glas seiner Taschenlampe zersprang in tausend Splitter.

»Was ist mit dir los?«, fragte Johnson. »Kannst du nicht mal einen Fuß vor den anderen setzen?«

»Ich bin wohl ausgerutscht«, knurrte Gary. »Weiß der Himmel, warum.«

Richard hätte ihm das genau sagen können. Er war es nämlich gewesen, der den Inhalt einer ganzen Flasche Speiseöl auf dem steinigen Pfad verteilt hatte. Es war dort ganz schön glitschig geworden, kein Wunder, dass Gary ausgerutscht war.

Gary rappelte sich hoch, aber da lag Johnson auch schon am Boden. Als Potter ihm aufhelfen wollte, rutschte auch er aus. Gary stand da und lachte über die beiden. »Na, Schwierigkeiten, einen Fuß vor den anderen zu setzen, was?«

Fluchend standen die beiden Männer auf und kletterten den steilen Pfad hinauf; immer wieder rutschten sie aus und fielen hin. Richard hatte den Pfad nämlich an verschieden Stellen »eingeölt«.

Inzwischen hatten sich die Kinder, Tim und Schelm wieder auf den Weg zur Burg gemacht und dort trafen auch die drei Ganoven kurze Zeit später ein.

»Hier drüben ist es«, sagte Johnson und blieb dort stehen, wo er die Schatztruhe vergraben hatte. »Grab hier, Gary.«

Gary schob die Steine zur Seite und fing an, mit seinen bloßen Händen die krümelige Erde wegzuschaufeln.

»Hier haben wir ihn«, sagte er gut gelaunt, als er eine Plastiktüte ausgegraben hatte. »Nun sieh dir das mal an, Potter.«

Potter nahm die Tüte, steckte seine riesige Hand hinein und holte die Truhe hervor. Mit einem gierigen Glitzern in den Augen machte er sie auf – und stieß ein angeekeltes Grunzen aus. Statt Gold und Juwelen fand er Kiesel und den Kadaver einer Möwe darin. Die Kinder hatten sie am Strand gefunden und zu den Kieseln in die Truhe gelegt.

»Soll das euer Schatz sein?«, brüllte er los.

Johnson war sprachlos und entsetzt. Er leuchtete mit seiner Taschenlampe in die Truhe, aber bevor er noch einen Blick riskieren konnte, wurde ihm die Lampe von einem kleinen Wesen, das plötzlich aus der Dunkelheit hervorgeschossen war, aus der Hand geschnappt. Es raste mit der Taschenlampe auf das Burgtor zu.

»Was war denn das?«, blaffte Johnson. »Das sah doch aus wie ein Affe! Aber wie kommt der denn hierher? Fang das Biest ein, Gary!«

So schnell er konnte, lief Gary dem kleinen Affen hinterher. Schelm hielt immer wieder an, als ob er auf ihn wartete, und dann rannte er weiter in die Ruine hinein.

Der junge Mann verfolgte ihn – und stolperte über eine Schnur, die am Burgtor gespannt war. Und weil Gary so viel Schwung hatte, konnte er seinen Fall nicht abbremsen. Er stürzte mit dem Kopf auf einen großen Stein und verlor das Bewusstsein.

Die Kinder schlichen aus dem Schatten der Burgruine, in der sie sich versteckt hatten. Sie hoben Gary auf, schleppten ihn hinter eine Mauer und fesselten und knebelten ihn. Dort würden die beiden anderen Männer ihren Komplizen nicht gleich finden.

Johnson und Potter standen noch immer im Burghof. Sie hörten eine klagende Stimme, die von den Burgmauern widerhallte: »Hilfe, Onkel Jim! Hilfe!«

»Du bleibst hier«, sagte Potter zu Johnson. Die beiden ahnten nicht, dass es Julius war, der da rief. »Ich seh mal nach, was da los ist.«

Und nun lief er auf das Burgtor zu und stürzte über dieselbe Schnur. So viel Glück wie Gary, der nur einen Moment lang ohnmächtig gewesen war, hatte er nicht: Potter fiel und blieb mit einem seltsam verdrehten Bein liegen.

»Mein Bein!«, brüllte er. »Ich glaub, es ist gebrochen.«

Georg grinste in ihrem Versteck. Sie war ziemlich sicher, dass er sich nur den Fuß verstaucht hatte, aber er führte sich auf wie ein Schwerverletzter. »Prima, zwei von denen haben wir aus dem Verkehr gezogen«, flüsterte sie den anderen zu. »Jetzt ist der Dritte dran.«

»Wuff«, bellte Tim, der auch ein Wörtchen mitreden wollte.

»Habt ihr das gehört?«, sagte Richard. »Klingt doch

ganz so, als ob Tim auch ein bisschen Spaß haben möchte.«

»Und das hat er sich auch verdient«, meinte Georg. »Ich nehme an, er will sich rächen. Los, mach schon, mein guter Hund. Schnapp ihn dir!«

Das ließ sich Tim nicht zweimal sagen. Ehe Johnson noch dem verletzten Potter zu Hilfe kommen konnte, wurde er von einer wütenden Kreatur angegriffen, die mit gebleckten Zähnen auf ihn losging.

Dieser Hund, dachte Johnson verwundert, der ist ja doch nicht ertrunken! Und dann rannte er, so schnell er konnte, um sich in Sicherheit zu bringen.

»Jetzt!«, schrie Julius. »Ins Boot, schnell!«

Die Kinder liefen den Pfad hinunter, Brummer hielt Schelm auf dem Arm, die anderen trugen den Schatz, den sie aus der Truhe genommen und sorgfältig in Decken gewickelt hatten. Sie mussten sich sehr vorsehen, damit sie nicht auf den öligen Flecken ausrutschten, aber schließlich konnten sie an Bord des Motorboots springen. Georg pfiff Tim heran, der vor dem Baum stehen geblieben war, auf den Johnson sich vor ihm geflüchtet hatte.

Wenige Minuten später steuerte das Boot mit fünf

glücklichen Kindern und ihren Tieren das Festland an. Sie konnten schon Licht im Felsenhaus sehen.

»Onkel Quentin und Professor Hayling sind mal wieder an der Arbeit«, sagte Julius. »Na, die werden staunen. He, Georg, warum änderst du den Kurs?«

»Äh, also, hm …«, sagte Georg. »Ich glaub, es ist das Beste, wenn wir erst ins Dorf gehen und der Polizei alles sagen, wie sich das für anständige Bürger gehört.«

Richard kicherte. »Ach, so ist das«, sagte er. »Du denkst wohl, dass dein Vater nicht ganz so sauer wird, wenn ein paar Polizisten dabei sind. Wir haben bei diesem Abenteuer ja wirklich ganz schön viel riskiert – und Onkel Quentin rastet bekanntlich gerne mal aus, wenn wir es übertreiben …«

Die Männer von der Polizeiwache in Felsenburg staunten nicht schlecht, als die Kinder mit dem Schatz bei ihnen auftauchten und erzählten, was passiert war. Aber sie begriffen schnell, dass die Zeitungen nur Gutes über sie schreiben würden, wenn sie die Gauner festnahmen, die sich mit dem Erbe der Manders aus dem Staub machen wollten.

»Ich glaube, Herr Manders ist heute Abend zurückgekommen«, sagte einer der Polizisten. »Ich habe in seinem Haus Licht gesehen, als ich vorhin vorbeigefahren bin.«

Nun überschlugen sich die Ereignisse! Brummer rief Jenny an, Georg telefonierte mit ihrem Vater, und ein Polizist rief bei den Manders an. Inzwischen holten seine Kollegen das Polizeiboot. Sie wollten zur Felseninsel fahren und die Gauner abholen. Herr und Frau Manders konnten kaum glauben, was alles in ihrer Abwesenheit geschehen war. Herr Manders kam sofort auf die Polizeiwache.

»Nimmt jetzt jemand Johnson und dessen Freunde fest?«, wollte er wissen. »Ausgezeichnet, das ist ein guter Fang für Sie. Ihnen ist hoffentlich klar, dass Sie Ihren Erfolg allein diesen Kindern zu verdanken haben. Ich weiß jedenfalls, dass ich meinen jungen Freunden noch viel mehr zu Dank verpflichtet bin«, fügte er mit einem Lächeln hinzu.

Und es war ein guter Fang, den die Beamten von der Felseninsel mitbrachten. Johnson war wütend und enttäuscht, Gary hatte auf der Stirn eine Beule so groß wie ein Gänseei und Potter jammerte und stöhnte, dass sein Bein gebrochen sei. Während Johnson und sein

Neffe sich schon mal an die Gefängniszelle gewöhnen durften, wurde Potter unter Polizeischutz ins Krankenhaus gebracht. Die Beamten von Felsenburg hatten bei der Landespolizei angerufen und den Namen des Strohmanns mitgeteilt. Wenig später konnte auch Tracy festgenommen werden. Er war bereits für seine krummen Geschäfte bekannt, und als die Beamten seine Wohnung durchsuchten, fanden sie Beweise, die dreimal für eine Festnahme ausreichten.

Am nächsten Tag luden Herr Manders und seine Frau die Kinder, deren Eltern und Jenny zum Mittagessen in ihr Haus ein. Es war ein fröhliches Mahl, obwohl sie immer wieder von Radioreportern gestört wurden, die herausgefunden hatten, wo sich die Kinder aufhielten, und sie baten, von ihrem Abenteuer zu berichten. Sogar Tim sollte für die Zuhörer etwas ins Mikrofon bellen. Herr Manders erzählte Georg, dass er einen Teil seines Erbes dazu verwenden würde, ein modernes Kinderheim in der Nähe von Felsenburg zu bauen.

Frau Manders fand, dass die Fünf Freunde und Brummer auch eine Belohnung verdient hatten, und sie gab jedem zwei kostbare Goldmünzen, die noch aus der Zeit von Karl dem Ersten stammten. »Als Andenken an euer so glücklich bestandenes Abenteuer«, sagte sie und lächelte.

Georg war ziemlich erleichtert darüber, dass ihr Vater nicht mit ihr geschimpft hatte, und über die Münzen freute sie sich enorm. »O danke!«, sagte sie, und mit einem schelmischen Grinsen fügte sie hinzu: »Um ehrlich zu sein, es war höchste Zeit, dass Sie und Ihr Mann wieder nach Hause gekommen sind und den Schatz von Lady Manders an sich genommen haben. Wenn Sie noch länger weggeblieben wären, dann wäre der Schatz wahrscheinlich noch mal verschwunden. Ich fürchte nämlich, das ist so ein Schatz, der ebenso plötzlich verschwindet, wie er wieder auftaucht. Wissen Sie, was ich meine? Mal ist er da, schon ist er wieder weg. Halten Sie ihn gut unter Verschluss, damit er nicht gleich wieder verschwinden kann.«

Und so endete das festliche Mahl unter schallendem Gelächter.

Fünf Freunde
und die seltsame Erbschaft

Aus dem Englischen von Carsten Jung

Ein junger Mann aus Kanada

»Ich glaube, ich kann den Zug hören!«, rief Richard. »Ja – da kommt er schon!«

Georgina Kirrin, die von allen Georg genannt wurde, ihre Vettern Julius und Richard und ihre Kusine Anne standen auf dem Bahnsteig von Neudorf am Wald. Neudorf am Wald war ein kleiner Ort und lag etwa fünfzig Kilometer von Felsenburg entfernt. Georg lebte mit ihren Eltern in der Nähe von Felsenburg in einem ziemlich großen Haus direkt am Meer. Anne, Richard und Julius verbrachten dort gemeinsam mit Georg bei Tante Fanny und Onkel Quentin fast immer ihre Ferien. Jetzt warteten sie in Neudorf gerade auf den Zug, der sie zurück nach Felsenburg bringen sollte.

Alle vier – oder alle fünf, wenn man Georgs Hund Tim mitzählte – waren den ganzen Tag über in Neudorf gewesen. Johannes, ein Schulkamerad von Julius und Richard, hatte seinen dreizehnten Geburtstag gefeiert. Es war eine ziemlich weite Reise für eine Geburtstagsfeier, aber Johannes war einer von Julius' besten Freunden, und die Kinder hatten viel Spaß gehabt.

Die Geburtstagsfeier war ein großer Erfolg. Der Imbiss wurde zu einem richtigen Festessen, mit Hotdogs und Eiskrem und einer Geburtstagstorte, die aussah wie ein Fußballfeld. Und danach improvisierten alle Gäste eine Geburtstagsrevue. Einer der Jungen stahl mit seinen raffinierten Zaubertricks allen die Schau und zwei Mädchen gaben ein paar schöne Lieder zum Besten.

Die vier aus dem Felsenhaus hatten auch einiges zum Gelingen der Feier beigetragen. Julius war gut im Jonglieren und Anne überraschte alle mit einem Ständchen auf der Mundharmonika. Das musste sie heimlich geübt haben!

Dann zeigten Georg und Richard ihre Lasso-Künste. Lassowerfen war das neueste Hobby der beiden – sie trainierten jeden Tag im Garten des Felsenhauses und am Strand.

Der Zug lief in die Station ein und hielt am Bahnsteig. Die Fünf Freunde stiegen in einen der vorderen Wagen ein, und Georg lief den Gang entlang, wobei sie in alle Abteile sah.

»Hier – lasst uns hier reingehen!«, rief sie den anderen zu. »Es ist fast leer!«

Tatsächlich befand sich in dem Abteil nur ein Fahrgast: Ein junger Mann von achtzehn oder neunzehn Jahren saß am Fenster und las eine Zeitschrift.

»Entschuldigen Sie, unser Hund stört Sie doch nicht?«, fragte Julius höflich. Er hatte eben sehr gute Manieren.

Der junge Mann lächelte. Er hatte einen offenen Blick, kräftiges braunes Haar und wunderbar weiße Zähne. Doch obwohl er lächelte, machte er einen nachdenklichen, ja sogar traurigen Eindruck.

»Nein, er stört mich gar nicht«, antwortete er Julius. »Ich mag Hunde sehr gern. Was für ein schönes Tier!«

Das war nun wirklich etwas übertrieben, denn der gute alte Tim war ein Mischling, aber Georg freute sich über das Lob. Tim seinerseits schien zu spüren, dass der Mitreisende ihn mochte. Er lief zu ihm hin und der junge Mann streichelte ihm den Kopf.

»Braver Hund!«, sagte er.

Dann wandte er sich wieder seiner Zeitschrift zu. Die vier Kinder machten es sich in dem Abteil bequem und begannen, sich angeregt zu unterhalten. Georg und Richard waren noch ganz im Hochgefühl ihres Lasso-Erfolges und konnten gar nicht aufhören, darüber zu reden.

»Sah Bernhard nicht komisch aus, als er durch den

Garten rannte und dir zurief, du könntest ihn nie einfangen?«

»Das kann man wohl sagen! Er fiel aus allen Wolken, als sich das Lasso um ihn legte – er fiel dann auch wirklich hin, aber das Gras war weich. Du warst auch ziemlich gut, Georg. Vor allem, als dein Lasso durch die Luft pfiff und verschiedene Figuren bildete. Die anderen hatten so etwas noch nie gesehen, außer in Filmen«, sagte Richard und war sichtlich stolz auf Georg.

»Das hab ich alles aus dem Buch ›Wie man ein Lasso wirft‹ gelernt!«

»Und wir haben natürlich viel trainiert.«

Anne lächelte ihren Bruder und ihre Kusine an. »Ihr werdet noch richtige Nachwuchs-Lasso-Künstler«, sagte sie.

»Das war ja noch gar nichts!«, klärte Richard seine kleine Schwester auf. »Am Ende der Ferien werden wir *die* Experten sein – wart's nur ab!«

»Und die Cowboys werden aus dem Wilden Westen kommen und bei euch Unterricht nehmen«, zog Julius sie auf. Er fand es sehr lustig, dass die beiden so angaben.

Georg wurde etwas rot, aber sie sagte: »Gut, vielleicht sind wir noch nicht *die* Experten, aber Übung macht den Meister. Und Lassowerfen ist ein so aufregender Sport!«

Natürlich konnte der junge Mann gar nicht anders, als das Gespräch der vier mitzubekommen, und er lächelte unwillkürlich.

Tim, der ihn offensichtlich sehr mochte, ging zu ihm und legte den Kopf auf die Knie des jungen Mannes, sah ihn an und wollte gestreichelt werden. Also kraulte der junge Mann ihn zwischen den Ohren und strich ihm freundlich über den Kopf.

»Komm her, Tim!«, rief Georg ihren Hund. »Du musst andere Leute nicht nerven! Bitte entschuldigen Sie, mein Herr.«

Der Fremde lächelte noch mehr. »Du musst mich nicht ›mein Herr‹ nennen – es ist noch gar nicht so lange her, dass ich ein Junge war wie du! Und der Hund stört mich gar nicht. Wie ich schon sagte, ich mag Hunde, und der hier scheint das zu spüren.«

Jetzt musste Georg lächeln. Sie sah wirklich wie ein Junge aus, mit ihrem kurzen, lockigen schwarzen Haar und den Jeans und dem Pulli. Es war wahrhaftig nicht das erste Mal, dass jemand nicht erkannte, dass sie eigentlich ein Mädchen war.

»Mein Hund heißt eigentlich Timotheus«, sagte sie.

»Seine Freunde dürfen ihn Tim nennen. Ich bin Georg Kirrin und dies sind meine Vettern Julius und Richard und meine Kusine Anne.«

»Freut mich, eure Bekanntschaft zu machen«, antwortete ihr neuer Freund.

»Und ich bin eigentlich kein Junge, obwohl ich es mir oft wünsche«, schloss Georg. »Mein eigentlicher Name ist Georgina, aber es wäre mir lieber, wenn Sie mich Georg nennen.«

»Georg ist mit Sicherheit ein passenderer Name für einen Lasso-Experten«, stimmte der junge Mann zu. »Dieser Sport ist mehr etwas für Jungs als für Mädchen. Na, dann stelle ich mich auch mal vor: Ich heiße Peter Darcy.«

»Darcy?«, wiederholte Georg. »Irgendwie kommt mir der Name bekannt vor.«

»Ich glaube, dieser Name kommt in dieser Gegend häufig vor«, meinte ihr neuer Freund. »Darcys haben seit Jahrhunderten nicht weit von hier in dem kleinen Ort Felsenburg gelebt. Aber mein Großvater war der Letzte unserer Familie hier. Er hieß Edmund Darcy – er ist vor kurzem gestorben, und ich bin hergekommen, weil er mir sein Anwesen in Felsenburg vererbt hat. Es heißt Haus Schönfeld.«

»Das trifft sich gut!«, rief Richard. »Dann werden wir Nachbarn!«

»Wissen Sie, Georgs Eltern leben bei Felsenburg«, erklärte Julius. »Und wir drei verbringen dort unsere Ferien.«

Sie hatten schon bemerkt, dass der junge Mann mit einem leichten Akzent sprach. Anne wagte deshalb zu fragen: »Und woher kommen Sie?«

»Ich komme aus Kanada«, erzählte ihnen der junge Mann. »Ich habe in der Nähe von Toronto gelebt – aber ich werde euch nicht mit meiner Lebensgeschichte langweilen! Sie ist nicht besonders lustig.«

»Aber ich liebe Geschichten! Auch die traurigen«, rief Georg aus. »Erzählen Sie doch!«

»Georg, sei nicht unhöflich«, wies Julius seine Kusine zurecht.

»Sie ist nicht unhöflich«, versicherte Peter Darcy ihm. »Eigentlich macht es mir nichts aus, über Groß-vater zu reden, wenn ihr es wirklich hören wollt.«

»Ja, bitte!«, sagte Richard.

Peter Darcy stand auf und schloss die Tür zum Gang. Es sah so aus, als wollte er ganz sichergehen, dass er allein mit seinen neuen Freunden war. Dann setzte er sich wieder und begann, seine Geschichte zu erzählen.

Die Kinder merkten, dass er sich ziemlich einsam fühlte und froh war, mit jemandem sprechen zu können.

»Meine Mutter war Kanadierin«, begann er. »Ich wurde in Toronto geboren und da bin ich auch aufgewachsen. Als Junge bin ich ein- oder zweimal hierher gekommen, um die Ferien bei meinem Großvater zu verbringen. Vor einem Jahr kamen meine Eltern bei einem Autounfall ums Leben. Der gute Großvater flog extra wegen des Begräbnisses nach Kanada herüber – er wusste, dass es mir gut tun würde, wenn er dabei wäre. Er wollte mich auch gleich mitnehmen, aber ich hatte noch ein Jahr Schule vor mir und dachte, es sei besser, noch in Kanada zu bleiben. Ich wollte die Schule nicht wechseln, und ich hatte ein paar Kusinen mütterlicherseits in Toronto, die sagten, ich könne bei ihnen wohnen. Also vereinbarten wir, dass ich nach dem letzten Schuljahr hierher zu meinem Großvater kommen sollte.«

»Sie sollten also bei ihm in Felsenburg wohnen?«, fragte Anne.

»Ja, sozusagen, aber nur in den Ferien. Wisst ihr, ich möchte Arzt werden und deshalb wollte ich in einer Universitätsstadt Medizin studieren.«

»Aber die Dinge entwickelten sich anders als erwartet?«, fragte Julius mitfühlend. »Sagten Sie nicht, Ihr Großvater sei vor kurzem gestorben?«

»Ja, so ist es, leider. Erst vor zwei Monaten«, sagte Peter traurig. »Er starb, gerade als ich alles vorbereitet hatte, um hierher zu kommen und ihn wiederzusehen.«

Der junge Mann verstummte für eine Weile. Die Kinder warteten – sie hatten das Gefühl, dass der interessanteste Teil der Geschichte noch kommen würde. Und richtig, nach einigen Augenblicken fuhr Peter Darcy mit seiner Erzählung fort:

»Bevor Großvater krank wurde, machte er ein Testament, in dem er mir seinen ganzen Besitz vererbte. Der letzte Brief, den ich von ihm bekam, war mit zittriger Hand geschrieben und lautete: ›Mein Junge, ich bin ein reicher Mann … reicher, als deine Eltern es sich je träumen ließen. Und da du Arzt werden möchtest, wird dir mein Vermögen sehr nützlich sein. Wenn du deine medizinische Laufbahn unter den besten Bedingungen beginnen kannst, wirst du, da bin ich sicher, viel Gutes für diese Welt tun. Mein Erbe soll dir dabei helfen.‹ Und als Erstes, schrieb mein Großvater, würde er mir sein Haus, Haus Schönfeld, vererben.«

»Wir kennen Haus Schönfeld ganz gut«, unterbrach

Georg ihn. »Es liegt nicht weit vom Felsenhaus, wo meine Eltern leben. Wir kommen manchmal daran vorbei, wenn wir mit unseren Rädern unterwegs sind.«

»Ich habe vor, den Sommer dort zu verbringen. Das gibt mir Zeit, die Gegend um Felsenburg wieder kennen zu lernen. Mein letzter Aufenthalt im Haus Schönfeld liegt schon sehr lange zurück. Ich habe vieles vergessen.« Peter sah seine neuen Freunde lächelnd an. »Ich muss Felsenburg neu entdecken! Vielleicht helft ihr mir dabei – führt mich durch den Ort und zeigt mir alles?«

»Ja, natürlich machen wir das«, antwortete Georg. »Es wird uns ein Vergnügen sein!«

Den vier Kindern war klar, dass Peter Darcy sich ziemlich einsam fühlte – er hatte seine Eltern und seinen Großvater kurz nacheinander verloren, und jetzt war er hier allein in einer Gegend, die er kaum kannte. Er brauchte Freunde und die Kinder hatten ihn auf den ersten Blick gut leiden können. Und auch der gute alte Tim hatte ihn sofort ins Herz geschlossen, das war immer ein gutes Zeichen!

Sie unterhielten sich weiterhin angeregt, und bald waren die Kinder und Peter Darcy die besten Freunde und schmiedeten Pläne, was sie in den Ferien alles zusammen unternehmen könnten. Georg, Julius, Richard und Anne waren entschlossen, aus Felsenburg ein zweites Zuhause für ihren kanadischen Freund zu machen. Sie redeten gerade alle wild durcheinander, als sie abrupt unterbrochen wurden. Der Zug ruckte, schwankte und kam mit einem heftigen Stoß zum Stillstand. Gleichzeitig ertönte ein fürchterlicher Lärm.

Sie errieten sofort, was passiert war. Der Zug war aus dem Gleis gesprungen!

Das Zugunglück

Die arme Anne wurde auf den Boden des Abteils geschleudert. Julius und Peter Darcy zogen sie sofort wieder hoch. Georg und Richard klammerten sich an die Abteiltür. Draußen vor dem Fenster schien die Landschaft hin und her zu schwanken. Hilferufe tönten aus den anderen Abteilen des Wagens und die Lok stieß einen lauten, durchdringenden Pfiff aus.

174

Der gute alte Tim hatte furchtbare Angst und bellte aus Leibeskräften.

»Vorsicht!«, rief Peter Darcy. »Haltet euch alle gut fest!«

Es war, als ob er geahnt hätte, was als Nächstes geschehen würde. Ihr Wagen schnellte in die Höhe und legte sich dann langsam auf die Seite, wie in Zeitlupe. Wahrscheinlich bremsten die Wagen davor und dahinter den Fall.

»Oooooh!«, machten die Kinder gleichzeitig.

»Festhalten!«, befahl Peter ihnen noch einmal.

»Wuhuhuff!«, heulte Tim.

Und der Wagen landete genau auf der Fensterseite. Das Glas zersplitterte mit einem fürchterlichen Krachen.

Die Reisenden hatten instinktiv nach dem Türrahmen und den Gepäckablagen gegriffen – nach allem, was ihnen Halt zu geben versprach.

Glücklicherweise befand sich in der Gepäckablage nichts Schweres, abgesehen von Peters beiden Koffern. Sie fielen zwar herunter, aber verletzt wurde dadurch niemand.

Der Zug war endlich zum Stehen gekommen. Eine dicke Staubwolke hüllte die Wagen ein. Viele Fahrgäste husteten und das Geschrei war lauter als zuvor. Für die Fünf Freunde war es wie ein Albtraum.

Julius brannte der Staub in den Augen, aber er war ein tapferer Junge und trat als Erster nach dem Unglück wieder in Aktion. Er spürte, dass er aufrecht stehen konnte, obwohl sich seine Füße nicht auf dem Boden des Abteils befanden, denn der Boden war zur Wand geworden! Julius stand auf einem grasbewachsenen Abhang draußen vor dem Fenster, denn das Glas war zersprungen. Was für ein Glück, dass Julius lange Hosen trug, die seine Beine davor bewahrt hatten, von Glasscherben zerschnitten zu werden!

Auch die anderen, die zwischen Holz- und Glassplittern saßen oder lagen, versuchten nun aufzustehen.

»Anne, bist du verletzt?«, fragte Julius seine kleine Schwester besorgt. »Und was ist mit euch, Georg und Richard? Und du, Peter?«

Sie hatten alle noch weiche Knie und waren überrascht, dass ihnen nicht viel passiert war.

»Bei mir ist alles in Ordnung«, sagte Anne schließlich. »Nein, ehrlich, Julius, ich bin nicht verletzt, ich krieg nur ein paar blaue Flecken!« Obwohl sie so schüchtern schien, konnte Anne wirklich ein tapferes Mädchen sein.

»Ich bin auch o. k.!«, rief Georg. »Nur ein paar Beulen – die werden morgen bestimmt hübsch blau und grün sein!«

Richard hatte einen kleinen Schnitt auf der Stirn, Peters Hand war zerkratzt und Julius schien sich ein Handgelenk leicht verstaucht zu haben. Insgesamt waren sie aber gut davongekommen.

Richard rieb sich die Augen. »Ich fürchte, nicht alle Reisenden in diesem Zug haben so viel Glück gehabt«, sagte er. »Hört ihr dieses Geschrei? Vielleicht sind einige Fahrgäste ernsthaft verletzt.«

»Wir wollen feststellen, was wir tun können, um ihnen zu helfen«, entschied Georg. »Dazu müssen wir aber erst mal hier raus!«

»Ich frage mich, was den Zug aus dem Gleis geworfen hat«, sagte Richard.

»Vielleicht waren die Weichen falsch gestellt«, meinte Peter. »Wenn wir gegen ein Hindernis gestoßen wären, hätte es einen viel heftigeren Aufprall gegeben.«

»Wir haben Glück gehabt, dass der Zug so langsam fuhr«, ergänzte Julius.

Georg, die sehr praktisch veranlagt war, suchte schon nach einem Weg, wie sie aus dem umgestürzten Wagen herauskommen konnten. Das war nicht so leicht, wie man vielleicht erwartet hätte, denn der Wagen lag auf der Seite, und so konnte niemand die Tür benutzen, die direkt aus dem Abteil herausführte – es war schon schwierig genug, überhaupt an die Tür zum Gang zu kommen!

Glücklicherweise waren die vier Kinder und ihr neuer Freund Peter sportlich. Sie halfen sich gegenseitig und nutzten jeden Halt, den sie finden konnten. So schafften sie es, aus dem Wagen und auf dessen Seite zu gelangen, die jetzt sein Dach bildete. Nur der gute alte Tim war ein Problem. Sie mussten ihn mit Georgs Lasso hochziehen.

Als sie endlich alle draußen waren, sahen sie, dass einige der anderen Wagen ebenfalls umgestürzt waren.

»Wir sollten hier so schnell wie möglich runter«, sagte Richard.

Die Lassos erwiesen sich wieder als sehr nützlich. Richard knotete seines an einen Fensterrahmen zwischen zwei zerbrochenen Glasscheiben. Die Fünf Freunde hatten schon bald festen Boden unter den Füßen.

Sie blickten sich um und sahen fast überall nur Panik. Ein paar Mitreisende hatten die Nerven behalten, aber die meisten schrien und brüllten und rannten verängstigt herum – entweder selbst verletzt oder in Sorge um ihre Reisegefährten im Zug. Was für ein Durcheinander!

Julius rief zu dem neuen Freund, der immer noch auf dem Dach des Wagens hockte, hinauf: »Kommst du auch runter, Peter?«

Doch Peter blieb noch einen Moment lang vornübergebeugt hocken, um Richards Lasso aufzuknoten. »Wäre doch schade, dieses schöne Seil hier hängen zu lassen«, grinste er. »Hier – fang!«

Und er warf den Kindern das Seil zu und machte sich bereit hinterherzuspringen. »Es ist nicht so hoch«, rief er ihnen zu. »Ich falle bestimmt auf die Füße!«

Und das wäre ihm sicher auch gelungen – aber gerade als er landete, rutschte er auf den Schottersteinen des Gleisbettes aus, fiel unglücklich und verrenkte sich den Fuß. Er stieß einen Schrei aus und lag dann mit geschlossenen Augen regungslos am Boden. Er schien das Bewusstsein verloren zu haben.

Anne rannte zu ihm und rief: »Peter, o Peter, was ist mit dir?«

Der junge Mann antwortete nicht. Auch Georg kam herbei und kniete sich neben ihn. Sie schüttelte ihn sanft an den Schultern. »Wach auf, Peter – wach auf!«, sagte sie. »Bist du verletzt?«

Peter öffnete die Augen und versuchte zu lächeln. »Ja … ich … ich glaube, ich habe mir einen Knöchel gebrochen!«, keuchte er.

Die Kinder sahen entsetzt zu, wie der Knöchel vor ihren Augen immer dicker wurde und blau anlief. »Vielleicht ist er nur verstaucht«, meinte Anne hoffnungsvoll.

Doch Peter schrie wieder vor Schmerzen auf, obwohl Georg und Anne so vorsichtig wie möglich zu Werke gingen, als sie ihm den Schuh auszogen und das Hosenbein hochschoben.

»Wir müssen dich zu einem Arzt bringen oder ins Krankenhaus«, sagte Richard. »Irgendjemand hat inzwischen bestimmt Alarm ausgelöst – ich schätze, bald wird Hilfe kommen.«

Die Sonne schien immer noch warm, obwohl es schon Abend wurde, und für einen Verletzten war es im Freien neben dem umgestürzten Zug doch zu heiß. Also trugen die Kinder Peter vorsichtig hinüber in den Schatten einiger Büsche. Dann sahen sie sich um und fragten sich, was sie jetzt wohl tun könnten. Tim kam und leckte Peters Gesicht und setzte sich dann neben ihn, als ob er ihn bewachen wollte.

Überall liefen Leute auf und ab. Einige konnten erste

Hilfe leisten und gingen den Zug entlang, um gute Ratschläge zu geben, andere aber waren noch völlig panisch und rannten herum, ohne zu wissen, warum und wohin. Ein Bahnbeamter in Uniform näherte sich den Kindern.

»Alles in Ordnung bei euch?«, fragte er. »Oje, da ist jemand verletzt, oder? Na, habt noch ein bisschen Geduld, bald kommt ein Krankenwagen. Die nächste Station ist schon informiert worden. Wie wär's, wenn ihr mir unterdessen ein bisschen helfen würdet?«

Anne und Tim blieben bei Peter, Julius, Richard und Georg begleiteten den Beamten. Sie halfen, verletzte und verängstigte Kinder von den Gleisen herunterzuführen; sie zogen Gepäckstücke aus den umgestürzten Wagen und machten sich nützlich, wo immer es möglich war.

Bald kam Hilfe. Mehrere Krankenwagen fuhren vor und Peter wurde zum nächstgelegenen Bahnhof gefahren. Die Fünf Freunde begleiteten ihn. Ein Arzt aus der Umgebung untersuchte die Passagiere, die verletzt waren, und entschied, ob sie ins Krankenhaus gefahren werden mussten.

Der Stationsvorsteher schien ein sehr umsichtiger und kluger Mann zu sein: Er forderte alle Passagiere, die Familienangehörige in der Umgebung hatten, auf, diese anzurufen und sich von ihnen abholen zu lassen. Und er kündigte an, dass die anderen Passagiere bald mit Bussen weiterbefördert werden würden.

Georg fragte, ob sie ihre Eltern anrufen könne. Tante Fanny meldete sich am anderen Ende der Leitung.

»Uns ist nichts passiert, Mutter«, versicherte Georg sofort. »Also reg dich nicht auf! Aber könnte Vater vielleicht mit dem Auto herkommen und uns abholen?«

»Er ist schon unterwegs«, sagte Tante Fanny. »Wir haben von dem Zugunglück gehört und ich war schon ganz krank vor Sorge! Gott sei Dank, dass du angerufen hast! Ich wollte mit Vater mitfahren, aber er ließ mich nicht, weil er dachte, es wäre euch etwas passiert. Also wartet nur ruhig ab, bis er kommt und euch nach Hause bringt.«

Es dauerte nicht lange und Onkel Quentin tauchte auf. Die Kinder hätten ihn fast nicht wieder erkannt! Sonst war er immer so ernst und reserviert – aber heute konnte es ihm jeder ansehen, dass er schrecklich aufgeregt war: Er war ganz blass vor Angst und schließlich sehr erleichtert, Georg und die anderen gesund und munter wiederzusehen. Er umarmte sie alle.

»Wir haben noch einen Freund hier, Vater«, sagte

Georg zu ihm. »Er ist am Knöchel verletzt. Es ist Peter Darcy – der Enkel von Herrn Darcy, der in Haus Schönfeld gewohnt hat.«

»Er ist sehr nett, Onkel Quentin«, sagte Richard. »Wir haben ihn im Zug kennen gelernt.«

Onkel Quentin folgte den Kindern in den Wartesaal der Station. Auf dem Boden waren Matten ausgebreitet worden, damit sich die verletzten Passagiere hinlegen konnten, und auf einer lag Peter Darcy regungslos und sehr blass im Gesicht. Ein Arzt beugte sich gerade über ihn und untersuchte den Knöchel. Der arme Peter biss sich auf die Lippen, um nicht vor Schmerz loszuschreien.

»Sind Sie mit dem jungen Mann verwandt?«, fragte der Arzt Onkel Quentin und richtete sich auf.

»Nein, aber ich kannte seinen Großvater«, antwortete Onkel Quentin.

»Peter kommt aus Kanada«, erklärte Anne. »Er hat hier gar keine Familie mehr.«

»Wir müssen uns um ihn kümmern!«, rief Georg. »Wir müssen einfach!«

Ein Lächeln huschte über Onkel Quentins ansonsten so strenges Gesicht. »Was hat er denn nun wirklich?«, fragte er den Arzt.

»Sein rechter Knöchel ist wahrscheinlich gebrochen. Wir werden ihn so schnell wie möglich in ein Krankenhaus bringen.«

Der Arzt ging weiter, um nach anderen Verletzten zu sehen. Onkel Quentin wandte sich Peter Darcy zu und stellte sich vor. »Wie wäre es, wenn Sie ins Krankenhaus von Felsenburg kämen?«, schlug er vor. »Es ist nicht groß, aber sehr gut ausgestattet und effizient – und es wird von Dr. Moor, einem Freund von mir, geleitet. Ich werde Sie sicher dort unterbringen können. Ich glaube, meine Tochter und deren Freunde werden Sie besuchen kommen wollen, und deshalb wäre es viel einfacher für die Kinder, wenn Sie in Felsenburg liegen und nicht in einem Krankenhaus irgendwo in der nächstgrößeren Stadt. Was halten Sie davon?«

Peter gelang ein Lächeln. »Ich bin Ihnen sehr dankbar, Herr Kirrin! Wenn ich schon ins Krankenhaus muss, ist mir Felsenburg natürlich lieber als ein anderer Ort. Sagten Sie nicht, dass Sie meinen Großvater gekannt haben?«

»Ja, das stimmt. Edmund Darcy hat sich für meine Forschungsarbeiten interessiert – ich bin Wissenschaftler, müssen Sie wissen. Wir haben nicht oft über persönliche Dinge gesprochen, aber er hat Sie mir gegen-

über erwähnt. Aha, da kommen noch ein paar Krankenwagen. Dann wollen wir mal versuchen, Sie ins
Krankenhaus von Felsenburg zu bringen.«

Am nächsten Tag war Peter gerade mit dem Frühstück
fertig, als die Fünf Freunde in sein Zimmer stürmten –
oder genauer: die vier Freunde, denn Tim durfte nicht
ins Krankenhaus hinein. Peters Zimmer war hell und
sonnig wie alle Zimmer im Krankenhaus von Felsenburg. Es lag im Erdgeschoss und durch das Fenster sah
man in einen Garten voll schöner Blumen.

Peters Knöchel steckte in einem dicken Gips. »Hallo,
Peter!«, sagte Anne. Sie hatte ihm einen Strauß Rosen
aus Tante Fannys Garten mitgebracht. »Ich hoffe, du
konntest gut schlafen.«

»Fühlt sich dein Knöchel besser an?«, fragte Richard.

Anne stellte die Rosen in eine Vase, und auch Julius
und Georg erkundigten sich bei Peter, wie es ihm gin-
ge. Tante Fanny hatte an jenem Morgen köstliche kleine
Kuchen gebacken und Georg hatte ihrem neuen Freund
ein paar davon mitgebracht. »Die werden dir helfen,
stark zu bleiben!«, erklärte sie ihm.

»Wuff!«, machte es plötzlich.

Alle fünf blickten verblüfft zum offenen Fenster. Da

stand Tim, mit den Vorderpfoten auf dem Fensterbrett! Aus seinen Augen blitzte der Schalk! Jeder konnte sehen, dass er sehr stolz darauf war, wie er die Krankenhausregeln umgangen hatte. Wenn man ihn nicht zur Tür hereinließ, dann kam er eben durch den Garten.

Alle lachten herzlich. »Was bist du doch für ein alter Schlauberger, Tim«, sagte Georg liebevoll zu ihm. »Weißt du, Peter, Tim ist bei jedem unserer Abenteuer dabei. Und wir haben schon sehr viele aufregende Abenteuer erlebt!«

»Wirklich?«, sagte Peter. »Das habt ihr mir ja noch gar nicht erzählt – lasst mal hören.«

Und so erzählte ihm Richard einige der spannenden Geschichten, die die Fünf Freunde erlebt hatten. Peter war überrascht, wie oft sie schwierige Fälle aufgeklärt hatten, die selbst für die Polizei ein Rätsel gewesen waren – aber er glaubte ihnen jedes Wort.

Richard konnte es nicht lassen, etwas anzugeben, und als er geendet hatte, sagte Julius: »Mein Bruder ist nicht gerade berühmt für seine Bescheidenheit. Aber es stimmt schon, wir haben oft Glück gehabt – und wenn du jemals ein Problem hast, das gelöst werden muss, Peter, dann sag uns einfach Bescheid. Inzwischen hast du hier erst mal was zu lesen. Ich habe dir die Tageszeitungen mitgebracht. Schau mal, du stehst auch drin!«

»Ich?«, fragte Peter erstaunt.

»Ja – zumindest steht dein Name auf der Liste der Leute, die bei dem Zugunglück verletzt wurden. In der Lokalzeitung wird ausführlich darüber berichtet.«

Peter blätterte etwas abwesend in den Zeitungen. Er schien an etwas anderes zu denken und plötzlich sagte er: »Hört zu – ich schätze, das Schicksal hat uns nicht zufällig zusammengebracht. Ich mochte euch gleich, als wir uns trafen. Ich hab euch fast meine ganze Lebensgeschichte erzählt und das passiert mir nicht oft und schon gar nicht mit Fremden …«

Er hielt inne und blickte nachdenklich in den Garten hinaus. Georg ahnte, dass er vorhatte, ihnen noch etwas zu erzählen. Sie hatte einen geheimen sechsten Sinn, der ihr verriet, wenn ein Abenteuer auf die Fünf Freunde wartete – und dieser sechste Sinn war jetzt geschärft.

»Weiter!«, sagte sie ermutigend.

»Nun«, fuhr Peter fort, »da ich euch gestern schon einiges anvertraut habe, gibt es wohl keinen Grund, warum ich euch heute nicht noch ein bisschen mehr erzählen sollte – besonders weil ihr mir gesagt habt, dass ihr gern Geheimnisse aufklärt.«

Vier Paar leuchtende Augen sahen ihn gespannt an.

»Wuff!«, machte Tim am Fenster. »Wuff, wuff, wuff!«

Peter grinste. »Und da offensichtlich auch Tim glaubt, dass es eine gute Idee ist, erzähle ich euch die ganze Geschichte – mein großes Geheimnis, von dem ich noch nie jemandem auch nur ein Wort verraten habe. Kommt näher … Ich will nicht so laut sprechen, nur für den Fall, dass uns jemand hören kann. Also, das war nämlich so …«

Ein rätselhaftes Gemälde

»Nach dem Begräbnis meines Großvaters«, erzählte Peter Darcy den Kindern, »bekam ich einen Brief von seinem Anwalt. Ich war nicht zur Beerdigung aus Kanada hergekommen. Großvater hatte es so gewollt und ausdrücklich gewünscht. Er wusste, dass ich in Kanada wichtige Prüfungen abzulegen hatte, und selbst während seiner langen Krankheit sagte er mir nie, wie schlecht es wirklich um ihn stand. Aber er hatte mir eine kurze Mitteilung geschrieben, die der Anwalt mir zusammen mit einem versiegelten Umschlag zuschickte. Großvaters Brief lautete etwa so: Dieser Umschlag enthält den Schlüssel zu meinem ganzen Reichtum! Niemand sonst weiß davon. Mache guten Gebrauch von deinem Erbe, mein Junge. Du könntest davon ein Forschungszentrum bauen oder eine Spezialklinik oder etwas in dieser Art, wenn du Arzt geworden bist.«

Der junge Mann hielt inne. Die vier Kinder fanden seine Geschichte faszinierend und hingen an seinen Lippen. Nach einer Weile fuhr er fort: »Als ich den Brief gelesen hatte, dachte ich: Da ist ja wirklich von einer

Menge Geld die Rede. Großvater war ein sehr vorsichtiger Mann, und er achtete darauf, dass er nur in Sachen investierte, die ihren Wert immer behielten, z. B. Gold oder Edelsteine. Und ich dachte, dass er mit ›Schlüssel‹ einen richtigen Schlüssel meinte und dass ich den Schlüssel zu einem Safe oder Tresor in dem Umschlag finden würde. Er hatte aber wohl ›Hinweis‹ gemeint, denn als ich den Umschlag öffnete, enthielt er nur dies.«

Während er sprach, hatte Peter eine schöne Brieftasche aus blauem Leder unter seinem Kissen hervorgeholt. Er öffnete sie.

»Ich habe den Umschlag immer bei mir«, erklärte er, »um ganz sicherzugehen.«

Er nahm einen gelben Umschlag, der aus dickem Papier von bester Qualität war, aus der Brieftasche. Er war mit Wachs versiegelt gewesen, aber das Siegel war jetzt aufgebrochen.

»Da – schaut ihn euch selbst an!«, forderte Peter Darcy die Kinder auf.

Georg nahm den Umschlag, öffnete ihn und zog ein schweres, zweimal gefaltetes Blatt Papier heraus. Sie breitete das Blatt aus und schaute verblüfft darauf. Vor ihr lag ein Porträt, das mit Bleistift und Tinte in mehreren Farben gezeichnet worden war. Das Bild zeigte einen Gentleman in zwar altmodischer, aber sehr eleganter Kleidung.

Auch Julius, Richard und Anne waren überrascht.

»Ein Porträt«, stellte Anne fest.

»Aber was hat es zu bedeuten?«, fragte Julius.

»Es sieht nicht gerade wertvoll aus«, bemerkte Richard.

Peter konnte ihnen weitere Einzelheiten zu dem Bild berichten – aber das brachte kaum mehr Licht in das, was sein Großvater gemeint haben könnte.

»Es ist eine Zeichnung nach einem Ölgemälde, das in Großvaters Schlafzimmer hängt, aber viel kleiner als das Original. Ich erinnere mich, wie er mir das Bild einmal zeigte und mir erklärte, es sei das Porträt eines unserer Vorfahren, Sir Paul Darcy, der Schatzmeister am Hof von König Karl dem Zweiten war.«

»Vielleicht ist das Gemälde wertvoll«, meinte Richard nachdenklich, »aber ich glaube nicht, dass diese Skizze besonders kostbar ist.«

»Ich weiß es wirklich nicht«, seufzte Peter. »Und ich denke ständig darüber nach … Übrigens ist das Gemälde auch nicht sehr wertvoll, so viel steht fest. Und außerdem liebte Großvater immer schon Rätsel und

Geheimnisse! Er war etwas exzentrisch. Es würde mich gar nicht wundern, wenn in dem Bild eine Botschaft versteckt wäre.«

»Wuff«, ließ sich Tim hören. Er schien jedes Wort des Gesprächs zu verstehen.

»Ja«, sagte Georg. »Ich glaube, du hast Recht, Peter. Es muss ein Geheimnis, eine versteckte Botschaft sein. Warum sonst hätte dir dein Großvater die Zeichnung geschickt?«

Doch in diesem Moment kam die Krankenschwester herein und unterbrach die Unterhaltung. Es war Zeit für die Kinder zu gehen – aber sie versprachen Peter, während der Besuchszeit am Abend wieder zu kommen.

Als sie zu Hause im Garten und später am Strand spielten, tat ihnen Peter in seinem Krankenhausbett sehr Leid, und sie waren wieder bei ihm, sobald man sie am Abend ins Krankenhaus hineinließ.

»Also, Peter«, begann Julius, »wir haben über dich und dein Problem nachgedacht, und wir sind alle der Meinung, dass dein Bild der rätselhafte ›Schlüssel‹ sein muss. Vielleicht zeigt es dir, wo du einen Safe oder so was findest, wie du schon zu Beginn vermutet hattest.«

»Er meint, in dem Bild könnte irgendwo ein Hinweis darauf versteckt sein«, erklärte Richard. »Und das ist der Schlüssel des Geheimnisses.«

»Wo wir gerade von Schlüsseln reden«, sagte Peter und suchte seine Brieftasche. »Warum gebe ich euch nicht einfach die Schlüssel von Haus Schönfeld? Dann könnt ihr euch mal selbst im Haus umsehen! Großvaters Schlafzimmer ist im ersten Stock, und wenn ihr reingeht, könnt ihr euch das Gemälde von Sir Paul anschauen. Ich weiß zwar nicht, ob euch das mehr bringt als das, was wir bisher wissen, aber es wäre immerhin möglich.«

»Wie schade, dass du nicht mitkommen kannst«, klagte die gutherzige Anne.

»Das kannst du laut sagen«, meinte Peter und zog eine Grimasse. »Nicht dass man es in diesem Krankenhaus nicht aushalten könnte – aber ich hasse es, ausgerechnet jetzt mit einem Bein in Gips hier festgenagelt zu sein!«

»Dann beeil dich und werde schnell wieder gesund«, riet ihm Georg. »Inzwischen kannst du dich darauf verlassen, dass wir alles tun, was wir können, um dein Rätsel zu lösen – das kann er doch wohl, oder, Tim?!«

»Wuff«, bellte Tim. Er war bislang nicht zu sehen

gewesen, aber jetzt steckte er, zu Peters Überraschung, seinen großen, haarigen Kopf aus einem nicht gerade kleinen Korb, den Richard und Georg gemeinsam trugen.

»Du siehst, wir sind die Fünf Freunde«, erklärte Georg ernsthaft, »und wir hassen es, getrennt zu werden!«

Die Kinder waren ganz aufgeregt, als sie an diesem Abend zum Felsenhaus zurückkehrten. Es machte solchen Spaß, wieder ein neues Abenteuer vor sich zu haben! Nach dem Abendbrot gingen sie hinaus in den Garten. Die Sonne ging langsam zwischen goldenen und rosaroten Wolken unter, und sie sahen ihr dabei zu, während sie Kriegsrat hielten.

»Als Erstes müssen wir uns in Haus Schönfeld umsehen«, sagte Julius. »Das machen wir morgen früh. Mit etwas Glück finden wir doch irgendwo einen Hinweis.«

Am nächsten Morgen zogen die Fünf Freunde los. Auf dem Anwesen, das der alte Darcy seinem Enkel hinterlassen hatte, stand ein schönes, großes Haus, das im vorletzten Jahrhundert erbaut worden war. Es war in gutem Zustand, und auch der große Garten, der es um-

gab, war offensichtlich bis vor kurzem sorgfältig gepflegt worden. Nun aber war überall auf den Wegen
und Beeten Unkraut zu sehen, das sich seit dem Tod
des alten Herrn vor zwei Monaten ausgebreitet hatte.
Peter würde bald einen Gärtner finden müssen, wenn
er nicht selbst einen grünen Daumen hatte.

Die Fünf Freunde gingen durch das Gartentor, den
Kiesweg entlang und erklommen die paar Stufen zur
Eingangstür des Hauses. Mit zwei Schlüsseln öffneten
sie die Tür. Der Strom war abgeschaltet worden, aber
Richard hatte mithilfe seiner Taschenlampe bald den
Sicherungskasten mit dem Hauptschalter gefunden. Er
schaltete den Strom wieder ein. Jetzt konnten sie die
Lampen in allen Zimmern anmachen , aber das brauch-
ten sie gar nicht, außer in einer dunklen Küchenecke,
denn das Sonnenlicht flutete durch alle Fenster.

»Also dann – lasst uns mit der Arbeit beginnen!«,
sagte Georg. »Wir werden mal ein paar Fenster aufmachen, um das Erdgeschoss zu lüften, und dann gehen
wir nach oben und besuchen Sir Paul.«

Bevor die Fünf Freunde in den ersten Stock gingen,
sahen sie sich im Parterre um – da gab es ein Wohnzimmer, ein Esszimmer, eine Bibliothek und das Ar-
beitszimmer des alten Herrn Darcy. Sie merkten bald,

dass das ganze Haus viele wertvolle Gegenstände barg! Zwei Schaukästen in der Bibliothek enthielten alte Schmuckstücke und ein paar wunderschöne goldene Medaillen.

Nachdem die Kinder im ersten Stock angekommen waren, fanden sie schnell zum Schlafzimmer des alten Herrn. Und da hing das Porträt von Sir Paul an der Wand.

Anne gab ihrer Stimme einen feierlichen Ton und sagte: »Seid mir gegrüßt, mein edler Herr«, während sie einen tiefen Knicks machte.

Richard dagegen war nicht nach Höflichkeiten zumute. »Lass das blöde Grinsen und erzähl uns von deinem Geheimnis«, forderte er das Gemälde auf.

Der erste Gedanke, den die Kinder hatten, war natürlich, das Bild von der Wand zu nehmen und nachzusehen, ob sich dahinter ein Versteck verbarg. Aber die Wand hinter dem Gemälde war absolut leer. Sie hörte sich noch nicht einmal hohl an, als sie dagegen klopften! Enttäuscht hängten Richard und Anne das Bild wieder an seinen Platz.

Julius und Georg suchten mit Tims Hilfe das andere Ende des Zimmers ab. Der Vierbeiner hatte seine Nase immer dicht am Boden.

»Wonach sucht ihr?«, fragte Richard irritiert.

»Nach einer Kassette natürlich«, klärte seine Kusine ihn auf. »Unten haben wir nichts dergleichen gesehen und hier oben kann ich auch keine entdecken. Merkwürdig.«

»Finde ich auch«, pflichtete Julius ihr bei. »Man sollte doch meinen, jemand mit so vielen Schätzen im Haus wie der alte Herr Darcy hätte einen Safe oder eine Kassette, um seine wertvollsten Sachen darin aufzubewahren.«

»Stimmt«, sagte Richard. »Und erinnert euch, Peter hat uns erzählt, dass im Bankfach seines Großvaters nur Aktien und Wertpapiere waren, obwohl Herr Darcy sein Geld gern in Gold und Edelsteinen anlegte.«

»Kein Gold auf der Bank, kein Tresor hier«, fasste Georg enttäuscht zusammen. Dann ging sie noch einmal hinüber zu dem Porträt und baute sich vor ihm auf. »Ich kann mir nur denken, dass Sir Paul hier mehr weiß als wir«, sagte sie. »Wie schade, dass er es uns nicht verraten will.«

»Lasst uns das Bild genauer mit der Lupe betrachten«, schlug Richard vor und nahm es wieder von der Wand.

Doch auch unter der Lupe war nicht mehr zu erkennen. Das Bild schien nichts Außergewöhnliches an sich zu haben und der Rahmen war aus solidem Holz, ohne einen verborgenen Mechanismus oder Geheimfächer. Auch Tim kam und beschnupperte das Bild, kriegte aber nur Staub in die Nase und musste niesen.

»Tschi!«, machte er angewidert.

»Er sagt, es hat keinen Sinn«, übersetzte Georg für die anderen und hängte das Bild wieder an die Wand. »Na gut, dann müssen wir eben woanders suchen.«

Doch als das Bild wieder an der Wand hing, blieb sie etwas weiter davor stehen und zog die Stirn in Falten. Dann ging sie näher heran, sah genauer hin, trat zurück, machte wieder einen Schritt nach vorn, legte den Kopf auf die Seite – und die anderen beobachteten sie die ganze Zeit über schweigend. Sie wollten Georg nicht stören. Jeder konnte sehen, dass sie eine neue Idee hatte, und Georgs Ideen waren meistens ziemlich gut!

»Das ist komisch«, sagte sie schließlich etwas abwesend.

»Was ist komisch?«, fragte Anne.

»Sein Kopf – oder besser seine lange, lockige Perücke.«

»Was ist denn mit seiner Perücke los?«, fragte Julius und warf einen kurzen Blick auf das Porträt. Er konnte nichts Seltsames entdecken. »Wir würden ziemlich komisch aussehen, wenn wir heutzutage Perücken trügen, aber zur Zeit von Karl dem Zweiten waren sie in Mode.«

»Ja, aber sie sieht nicht genauso aus wie die Perücke auf der Zeichnung, die Peter uns gezeigt hat. Du weißt, ich habe ein gutes Gedächtnis und …«

»Augenblick mal«, unterbrach Richard sie. »Du meinst, die Perücke auf der Zeichnung sieht nicht so aus wie die Perücke auf dem Gemälde hier?«

Georg sah ihren Vetter an. »Ja, du hast Recht, Richard. Gut gemacht! So rum ist es richtig – die Perücke auf der Zeichnung ist anders als das Original.«

»Und was bedeutet das nun?«, fragte Julius, der immer noch nicht begriff, worauf seine Kusine hinauswollte.

»Das bedeutet: Wenn es wirklich einen Unterschied zwischen der Kopie und dem Original gibt, dann könnte darin des Rätsels Lösung verborgen sein.«

»Aber wie können wir herausfinden, was …«, begann Anne.

»Natürlich, indem wir sie vergleichen. Schnell – wir müssen los und Peter bitten, uns die Zeichnung zu leihen!«

Sie kamen rechtzeitig zur vormittäglichen Besuchszeit im Krankenhaus an und erzählten Peter, was sie in Haus Schönfeld gefunden hatten – oder vielmehr nicht gefunden hatten. Er schien sehr daran interessiert zu sein, was Georg über ihre Theorie von dem Unterschied zwischen Gemälde und Zeichnung erzählte.

»Bist du sicher, dass sie nicht identisch sind?«, fragte er.

»Fast – aber ich möchte sie direkt vergleichen, und das heißt, ich müsste die Zeichnung ausleihen. Wir würden sehr gut auf sie aufpassen!«

Peter überlegte keinen Augenblick. Er hatte die Fünf Freunde in dem Moment ins Herz geschlossen, als sie sich zum ersten Mal begegnet waren, und nun, da er sie besser kannte, vertraute er ihnen umso mehr. »Hier habt ihr sie«, sagte er und nahm den gelben Umschlag aus seiner Brieftasche. »Da ist die Zeichnung.«

Er faltete sie auseinander. Die vier Kinder beugten sich darüber. Zuerst konnten sie nichts Ungewöhnliches entdecken, aber dann bemerkten sie, dass die lange, lockige Perücke, die Sir Paul trug, an vielen Stellen seltsame Markierungen trug.

»Georg, du hast Recht!«, rief Julius. »Die Perücke auf dieser Zeichnung ist anders!«

»Es sieht so aus, als wären kleine Drähte drin, die sie ganz steif machen«, bemerkte Anne.

»Ja, das stimmt«, meinte Peter. »Der Künstler hat sie mit vielen kleinen, geraden Strichen gezeichnet. Schau, es gibt kaum gebogene Linien, selbst in den Locken der Perücke nicht.«

»Moment mal!«, rief Richard und suchte in seinen Hosentaschen, was ziemlich schwierig war, denn sie steckten voller Krimskrams. »Hier ist meine Lupe! Jetzt können wir mal einen genaueren Blick darauf werfen.«

Georg konnte es kaum erwarten, ihre Theorie bestätigt zu sehen. Sie schnappte sich Richards Lupe und bewegte sie über die Zeichnung. Eine Zeit lang studierte sie aufmerksam die verwirrende Menge kleiner Linien, aus denen sich Sir Pauls Perücke zusammensetzte – und dann stieß sie plötzlich einen triumphierenden Schrei aus.

»Hurra! Ich glaub, ich hab's! Schaut mal – seht euch das an! In den Haaren sind kleine Buchstaben und Zahlen versteckt – sie laufen die Locken der Perücke entlang, und zwar in allen vier Tintenfarben.«

Das Geheimnis der Perücke

Die Kinder ließen die Lupe von Hand zu Hand gehen. Georg hatte Recht! Als sie durch das Glas sahen, konnten sie wirklich Buchstaben und Zahlen erkennen, die mit ganz dünnen, kleinen Federstrichen geschrieben und in der Zeichnung der lockigen Perücke verborgen waren. Was für eine schlaue Idee!

»Das ist eine Botschaft!«, rief Richard. Er war ganz aufgeregt. »Das ist also das Geheimnis, das der gute alte Sir Paul hatte. Jetzt brauchen wir nicht einmal mehr zurück nach Haus Schönfeld zu fahren, um die Zeichnung mit dem Gemälde zu vergleichen.«

»Für eine Botschaft ist das ziemlich schwer zu verstehen«, bemerkte Anne.

»Ja, die kleinen Buchstaben scheinen ganz durcheinander gewürfelt zu sein«, stimmte Julius seiner kleinen Schwester zu.

»Egal«, sagte Peter Darcy. Er strahlte. »Ich wusste doch, dass ihr das Problem lösen würdet! Ihr habt euch bisher ganz hervorragend geschlagen – ich bin sicher, ihr werdet auch die Botschaft noch entschlüsseln. Mein

Großvater Edmund Darcy wollte mir offensichtlich etwas sagen.«

Julius hatte sich schon wieder die Lupe geschnappt. Er inspizierte die kleinen Buchstaben und Zahlen.

»Ich glaube, dies ist so eine Art Gebrauchsanweisung. Die Zahlen und Buchstaben verteilen sich in Linien auf verschiedene Locken der Perücke. Man hat zwar den Eindruck, dass die Perücke schwarz ist, aber tatsächlich besteht sie auch aus braunen und rötlichen und sogar lila Tönen. Sie ist mit verschiedenfarbigen Tinten gezeichnet worden. Angenommen, jede Farbe steht für einen neuen Satz?«

»Aber das ist alles so winzig, dass wir die Buchstaben nicht richtig lesen können«, sagte Anne.

»Anne hat Recht«, war auch Georgs Meinung. »Aber nichts hält uns davon ab, eine Vergrößerung zu machen – wir können mehrere Fotokopien machen, die Farben einzeichnen und sehen, ob sie tatsächlich etwas zu bedeuten haben, wie Julius meint.«

»Also, nehmt die Zeichnung und macht damit, was ihr wollt«, sagte Peter. »Ich bin in eurer Hand – und das scheint eine ziemlich glückliche zu sein.«

»Dann wollen wir mal beim nächsten Fotokopierer vorbeiradeln«, gab Georg das Zeichen zum Aufbruch.

»Kommt mit! Lasst uns keine Zeit verlieren!« Sie wandte sich wieder an Peter Darcy: »Heute Abend bringen wir dir die Zeichnung zurück, Peter. Bis dahin haben wir die Kopien ausgewertet. Also, mach's gut.«

Als die Fünf Freunde aus dem Krankenhaus traten, sahen sie, dass der strahlende Sonnenschein des frühen Morgens verschwunden war. Der Himmel bezog sich. Schnell fuhren sie zu einem Schreibwarengeschäft in Felsenburg, ließen die Zeichnung so vergrößern, bis sie die Buchstaben und Zahlen ohne Lupe erkennen konnten, und machten für jeden eine Fotokopie. Sie schafften es gerade noch, das Felsenhaus zu erreichen, bevor es zu regnen begann – ein Nieselregen, der gar nicht mehr aufhören wollte.

»Ist doch egal«, sagte Julius. »Wir werden sowieso den ganzen Nachmittag damit zu tun haben, die Nachricht zu entschlüsseln, also macht es nichts, dass wir nicht schwimmen gehen oder herumradeln können.«

Tim beschloss, sich ausnahmsweise den Nachmittag über aufs Ohr zu legen. Nach dem Mittagessen setzten sich die Kinder um den Tisch im Zimmer der Jungen. Sie machten sich an die Arbeit und bald hatten sie auf ihren Kopien die verschiedenen Farben eingezeichnet. Dann schrieb jeder von ihnen alle Buchstaben und Zahlen, die klar zu entziffern waren, auf ein extra Blatt Papier und versuchte, sie zu Worten zusammenzusetzen.

Georg und die anderen arbeiteten intensiv, tauschten ihre Ergebnisse untereinander aus und nach einer Weile hatten sie tatsächlich die ganze Botschaft auf dem Papier stehen.

Doch es sah ganz so aus, als würde sie keinen Sinn ergeben!

Die Buchstaben und Zahlen aus dem schwarzen Teil der Perücke lauteten:

HEIM2 FAIR4 GEH1 STECK5 ES3

Die aus den braunen Linien ergaben:

TEE2 CIS3 NÄH5 ALL1 TEER4

Im roten Teil der Perücke war Folgendes versteckt:

STAIN3   ZIEH1   RECHTS4   GEL2   GANS4 STOPP342

Und schließlich die Kombinationen in lila Tinte:

JUST4 GEH1 FON3 FAHR2 U. S.5

»Aber das ist doch einfach Unsinn«, sagte Anne und schüttelte enttäuscht den Kopf.

»Nein, ich halte das nicht für Unsinn!«, rief Georg. Sie war plötzlich ganz aufgeregt. »Ich glaube, es ist ganz leicht, den Code dieser geheimnisvollen Nachricht zu knacken.«

Sie beugte sich über das Papier, auf dem sie alles notiert hatte, und erklärte den anderen ihren Geistesblitz.

»Angenommen, jede Farbe enthält einen vollständigen Satz, wie Julius schon gedacht hat. Und dann nehmen wir mal an, dass die Zahlen uns sagen, in welcher Reihenfolge die Wörter im Satz stehen sollen.«

»Moment!«, sagte Richard. »Das würde heißen, die 342 nach dem Wort STOPP bedeutet, dass STOPP das dreihundertzweiundvierzigste Wort im Satz ist, aber

offensichtlich gibt es in der gesamten Botschaft noch nicht mal annähernd so viele Wörter.«

»Lass es uns mal mit den anderen Wörtern versuchen«, drängte Georg.

Die Kinder machten sich wieder an die Arbeit, und als sie die Wörter in der Reihenfolge aufgeschrieben hatten, die die Zahlen ihnen vorgaben, sah das Ergebnis so aus:

GEH HEIM ES FAIR STECK

ALL TEE CIS TEER NÄH

ZIEH GEL STAIN GANS RECHTS STOPP342

GEH FAHR FON JUST U. S.

Aber das ergab immer noch keinen Sinn!

Für ein paar Augenblicke starrten alle die Botschaft schweigend an – dann schrien Richard und Georg gleichzeitig: »Ich hab's!«

»Was habt ihr?«, wollte Anne wissen.

»Es ist ganz einfach«, antwortete Georg und schrieb wie wild auf ihr Papier. »Die Worte sind absichtlich zerrissen und manchmal falsch geschrieben! Wenn man sie richtig zusammensetzt, lautet die Botschaft: Geheimes Versteck – Alte Zisterne – Ziegelstein ganz rechts – Stopp 342 – Gefahr von just U. S.« Sie kaute an ihrem Bleistift und schüttelte den Kopf. »Den Schluss verstehe ich immer noch nicht. Ich vermute, das Wort STOPP soll dazu dienen, den vorangehenden Satz von der Nummer 342 zu trennen. Aber ich begreife nicht, was die Nummer bedeuten soll. Na, wir werden es schon noch herausfinden.«

»Sicher – aber das Wichtigste ist, dass wir jetzt wissen, dass es tatsächlich ein geheimes Versteck gibt«, sagte Julius. »Und wir müssen uns nach einer alten Zisterne umsehen und nach einem Stein, der irgendwie wichtig ist – so verstehe ich die Botschaft zumindest.«

»Ich vermute, das Versteck befindet sich irgendwo im Haus oder im Garten von Haus Schönfeld«, meinte Anne.

»Warte mal!«, meldete sich Richard. »Wir haben noch nicht rausgekriegt, was der letzte Teil der Botschaft zu bedeuten hat – sie scheint irgendwie gar keinen ordentlichen Schluss zu haben. Gefahr von – aber dann kommt, ›JUST U. S.‹ und nichts weiter!«

»Ja, mit ›JUST U. S.‹ komme ich auch nicht klar«, musste Georg zugeben.

»Eine Sekunde«, sagte Julius. »Mal angenommen, das ist nur ein Wort – JUSTUS? Ein Vorname. Das könnte jemand sein, dem der alte Darcy nicht vertraut hat und vor dem er Peter warnen wollte.«

Georg sprang auf. »Kommt mit, gleich fängt die Besuchszeit im Krankenhaus an! Lasst uns zu Peter fahren. Vielleicht kann er noch etwas mehr Licht in diese Botschaft bringen. Er wird sich sehr freuen, dass wir wirklich den ›Schlüssel‹ zum Geheimnis seiner Erbschaft gefunden haben.«

Die lauten Geräusche, die die Kinder beim Aufbrechen machten, weckten Tim. Er sprang auf und wedelte mit dem Schwanz. Er wusste, dass etwas geschehen und er dabei sein würde!

Peter Darcy war begeistert, als die Kinder ihm von der Botschaft erzählten, die sie, versteckt in den Locken von Sir Pauls Perücke, gefunden hatten. Wenn sein Knöchel nicht eingegipst gewesen wäre, hätte er vor Freude getanzt! Sie redeten alle so aufgeregt durcheinander und machten dabei so viel Lärm, dass die Krankenschwester die Tür von Peters Zimmer öffnete und den Kopf hereinsteckte, um zu sehen, was da vor sich ging. Die Kinder hatten Tim wieder, im Korb versteckt, hereingeschmuggelt. Er konnte gerade noch rechtzeitig unter dem Bett in Deckung gehen.

»Macht hier nicht solchen Krach, bitte!«, sagte die Krankenschwester. »Sonst muss ich euch verbieten, meinen Patienten zu besuchen.«

Die Kinder sagten, es tue ihnen Leid, und nachdem die Krankenschwester gegangen war, setzten sie ihre Diskussion fort – diesmal allerdings etwas leiser.

»Was wir noch nicht verstehen, sind die Nummer 342 und der Name Justus«, sagte Georg.

Peters Gesicht verdüsterte sich plötzlich. »Die Nummer sagt mir auch nichts«, erwiderte er, »aber der Name Justus. O Gott, ich wünschte, ich säße nicht in diesem Krankenhaus fest! Sobald ich wieder aufstehen und rumlaufen kann, werde ich mich an der Schatzsuche beteiligen – wenn ihr bis dahin noch nicht weitergekommen seid. Doch was Justus angeht …«

»Sag schon«, drängte Georg, »wer ist dieser Justus?«

»Er ist ein ziemlich übler Bursche. Ich rede nicht gern über ihn, denn er ist ein entfernter Verwandter: ein Vetter zweiten Grades. Großvater erzählte mir, dass er Justus mal nach Felsenburg geholt hatte, als er nirgendwo anders mehr unterkam – aber anstatt dankbar zu sein, versuchte Justus, ein paar von Großvaters wertvollen Juwelen zu stehlen. Da hat Großvater ihn natürlich rausgeworfen – doch er hatte Angst, Justus würde zurückkommen. Er dachte, Justus sei gefährlicher als ein normaler Dieb, weil er all die wertvollen Dinge kannte, die Großvater gesammelt hat.«

»Wie sieht dieser Justus denn aus?«, wollte Anne wissen.

»Er ist mindestens fünfzehn Jahre älter als ich. Er war also schon erwachsen, als ich als Kind einmal hierher kam und ihn traf. Ich habe ihn als klein, dünn und dunkelhaarig in Erinnerung. Aber das ist schon lange her. Er kann inzwischen dick geworden sein und graue Haare bekommen haben.«

»Trotzdem, er wird nicht noch gewachsen sein«, sagte Richard. »Nicht wenn er erwachsen war, als du ihn getroffen hast. Also haben wir es mit einem kleinen Mann zu tun, der vielleicht dünn geblieben ist – das ist immerhin ein Anhaltspunkt.«

»Ich hoffe nur, dass er nicht hier auftaucht – dann braucht ihr ihn auch nicht zu identifizieren«, sagte Peter. »Aber wir dürfen nicht vergessen, dass er eine Menge über das Vermögen meines Großvaters weiß.«

»Na, und selbst wenn er vermutet, dass in Haus Schönfeld ein Schatz versteckt ist, wie würde er wohl danach suchen sollen?«, fragte Georg fröhlich in die Runde. »Dein Großvater hat ihm kein Bild mit versteckten Hinweisen geschickt – das nehme ich wenigstens an, nach dem, was du uns von ihm und deinem Vetter Justus erzählt hast.«

»Nein, da hast du ganz Recht«, sagte Peter lachend. »Aber jetzt sagt mir, wann ihr mit der Schatzsuche anfangt.«

»Ich fürchte, wir kommen erst morgen Nachmittag dazu«, antwortete Georg bedauernd. »Heute ist es zu spät, damit anzufangen, und morgen früh müssen wir für Mutter einkaufen gehen. Mein Vater fährt zu einer wichtigen wissenschaftlichen Konferenz in die Stadt, und er möchte, dass Mutter ihn begleitet. Deshalb hat sie Johanna aus dem Dorf gebeten, zu uns ins Haus zu kommen, aber sie möchte nicht, dass Johanna viel Arbeit mit uns hat. Also haben wir gesagt, dass wir für sie einkaufen, und jetzt können wir das schlecht rückgängig machen.«

»Kein Problem«, meinte Peter. »Ich finde es sehr nett von euch, dass ihr überhaupt für mich auf Schatzsuche geht – und einkaufen für Johanna!«

»Wir kommen morgen Vormittag während der Besuchszeit vorbei und sagen Guten Tag, wenn wir auf dem Rückweg vom Dorf sind«, versprach Julius ihm.

»Fein«, sagte Peter, »ich freue mich schon darauf. Also dann, bis morgen!«

Auf Schatzsuche in Haus Schönfeld

Die Fünf Freunde taten genau das, was sie Peter erzählt hatten. Tante Fanny hatte ihnen eine Liste mit all den Dingen gegeben, die sie für Johanna besorgen sollten, und am nächsten Morgen, nachdem Tante Fanny und Onkel Quentin abgereist waren, fuhren die Kinder mit ihren Rädern in den Ort, um einzukaufen. Auf dem Weg nach Hause hielten sie am Krankenhaus. Sie ließen ihre Fahrräder auf dem Hof stehen, und diesmal blieb auch Tim dort, um die Einkaufstaschen zu bewachen. Der gute Hund wäre viel lieber mit ihnen gekommen, um Peter zu besuchen, aber er wusste, dass es seine Pflicht war, das zu tun, was Georg ihm befahl.

»Hallo, alter Knabe!«, schmetterte Richard aufmunternd, als sie Peters Zimmer betraten. Doch den Kindern verging die gute Laune, als sie sahen, wie besorgt ihr neuer Freund dreinsah.

»Oje, geht's deinem Knöchel schlechter, oder was?«, fragte Julius.

»Nein, es geht ihm schon viel besser, danke der Nachfrage. Ich habe trotzdem schlechte Nachrichten für euch – letzte Nacht ist bei mir eingebrochen worden!«

»Eingebrochen?«, fragte Georg. »Wie ist das passiert? Was haben die Einbrecher mitgenommen?«

»Na, ihr wisst doch, dass ich gern frische Luft habe und darum mein Fenster immer offen lasse. Dieses Zimmer liegt im Erdgeschoss. Offenbar ist jemand durch das Fenster geklettert, während ich schlief. Und wer immer es war, er muss es geschafft haben, unter mein Kissen zu greifen, ohne mich aufzuwecken, denn die Krankenschwester hat heute Morgen meine Brieftasche auf dem Fußboden gefunden. Geld und Ausweis waren noch drin – aber der gelbe Briefumschlag mit der Zeichnung der Perücke ist verschwunden.«

»O Mann!«, entfuhr es Richard. »Glaubst du, dass der Einbrecher Justus heißt? Jetzt weiß er genauso viel wie wir!«

»Das ist gar nicht sicher«, hielt Georg dagegen. »Er hat nicht die Vergrößerungen, die wir haben, und solange er die Nachricht nicht verstanden hat, sind wir ihm um einiges voraus.«

»Und er schafft es vielleicht nie, die Wörter richtig zu sortieren«, ergänzte Anne.

Peter sah schon wieder etwas fröhlicher drein. »Eins

ist aber doch seltsam«, murmelte er. »Wie hat Justus nur herausgefunden, wo ich bin?«

»Er hält sich vielleicht schon seit dem Tod deines Großvaters in dieser Gegend auf«, meinte Georg. »Wenn er wusste, dass Haus Schönfeld unbewohnt war, hat er vielleicht auf eine Gelegenheit gewartet einzubrechen. Und außerdem stand dein Name in den Zeitungen, und zwar auf der Liste der Unfallopfer des Zugunglücks.«

»Genau«, stimmte Anne ihrer Kusine zu. »Und jeder wusste, dass alle Verletzten, die nicht in die nächste große Stadt gebracht worden waren, hier im Krankenhaus von Felsenburg liegen.«

Peter war immer noch sehr aufgeregt. Je mehr er darüber nachdachte, desto sicherer war er sich, dass Justus in sein Zimmer eingebrochen war. Peters Sachen waren durchwühlt worden, aber nichts war verschwunden, außer der Zeichnung in dem gelben Briefumschlag. Und sein entfernter Vetter Justus wusste sehr gut, wie exzentrisch Edmund Darcy gewesen war und wie sehr er Rätsel und Geheimnisse geliebt hatte. Dennoch war Peter sich nicht sicher, ob der Einbrecher wirklich die Zeichnung von Sir Paul gesucht hatte.

»Ich nehme an, der eigentliche Grund für sein Kommen war, dass er die Schlüssel von Haus Schönfeld stehlen wollte«, sagte Peter zu den Kindern. »Was für ein Glück, dass ich sie euch gegeben hatte! Und vielleicht hat er, während er in meiner Brieftasche nach ihnen suchte, das Bild gefunden und es statt der Schlüssel mitgenommen. Jetzt schleicht er sicher um Haus Schönfeld herum. Wir müssen ihn aufhalten – ich wünschte nur, ich wäre wieder auf den Beinen. Wir haben keine Zeit zu verlieren!«

»Wie schade, dass Onkel Quentin heute Morgen weggefahren ist«, sagte Julius. »Wenn er hier wäre, könnten wir ihm alles erzählen. Dann würde er mit uns ins Haus Schönfeld gehen – oder vielleicht würde er sagen, es sei besser, die Polizei zu rufen. Möchtest du, dass wir die Polizei einschalten, Peter?«

Julius war ein vernünftiger, verantwortungsbewusster Junge – manchmal etwas zu vernünftig, fand seine Kusine Georg.

»Nein, das möchte ich nicht«, lehnte Peter Darcy ab. »Erstens würde das bedeuten, dass ich der Polizei von meinem Geheimnis erzählen muss, und das möchte ich auf keinen Fall. Und es würde auch bedeuten, dass wir kostbare Zeit verlieren – das heißt, wenn ihr wirklich heute Nachmittag hinfahren und mit der Suche anfangen könnt. Außerdem machen sie sich vielleicht über unsere Geschichte lustig und kümmern sich um nichts.«

»Du hast Recht«, sagte Richard, und die anderen nickten. Die Fünf Freunde hatten schon oft erfahren müssen, dass die Polizei sie nicht ernst nahm. »Wir fahren direkt nach dem Mittagessen zum Haus Schönfeld.«

»Und wenn Justus da ist, dann jagen wir ihn weg!«, sagte Anne bestimmt.

Nach diesen Worten wurde Peter bewusst, dass seine Freunde sich möglicherweise in Gefahr begaben, wenn sie zum Haus Schönfeld fuhren, und dass er daran schuld wäre. Er wurde rot und schämte sich, dass er nicht früher daran gedacht hatte.

»Hört mal, wenn ich es recht bedenke, möchte ich doch nicht, dass ihr zum Haus Schönfeld fahrt«, sagte er. »Ihr seid nur Kinder. Angenommen, Justus bekommt heraus, dass da ein Schatz liegt, und will ihn haben, dann ist er imstande und tut euch etwas an. Und das ist das Letzte, was ich möchte!«

»Du machst wohl Witze!«, entgegnete Richard. »Wir sind vielleicht ›nur Kinder‹, aber wir fünf nehmen es jederzeit mit zwei Erwachsenen auf.«

»Tim allein schafft schon einen Erwachsenen«, sagte Georg stolz. »Wenn es zu einem Kampf kommt, dann wird er nicht die Fliege machen, das kannst du mir glauben.«

Die Vorstellung, wie Tim als Fliege davonschwirrte, war so komisch, dass Peter lachen musste. Julius, Richard und Anne stimmten mit ein. Georg war zuerst etwas beleidigt, aber dann fing sie auch zu lachen an.

Julius beruhigte sich als Erster wieder. »Pst!«, warnte er die anderen. »Die Krankenschwester wird uns rausschmeißen, wenn wir nicht vorsichtig sind. Keine Angst, Peter. Wir machen das schon richtig – ich pass auf, dass die anderen sich nicht in Gefahr begeben.«

Anne, Georg und Richard sahen ihn irritiert an, aber sie wussten, Julius, der Älteste, meinte es gut. »Und ich glaube nicht, dass Justus in Haus Schönfeld einbricht, bevor er die Botschaft deines Großvaters entschlüsselt hat. Also müssen wir den Schatz nur vor ihm entdecken und in Sicherheit bringen.«

Schließlich gab Peter Julius' Argumenten nach. Er sah ein, dass er dem Jungen vertrauen konnte, und so stimmte er zu, dass die Fünf Freunde bei ihrem ursprünglichen Plan blieben.

»Aber ihr müsst wirklich vorsichtig sein«, sagte er.

»Ich würde es mir nie verzeihen, wenn euch etwas zustößt.«

»Wir werden darauf achten, dass niemand im Haus ist, bevor wir hineingehen«, versprach Anne – obwohl keiner sich vorstellen konnte, wie sie das wohl anstellen wollte.

»Und wir lassen Tim als Wache zurück, während wir nach der Zisterne suchen«, sagte Georg. »Der gute alte Tim ist der beste Wachhund der Welt! Auf Wiedersehen, Peter. Wir kommen wieder, sobald wir Neuigkeiten haben.«

Die alte Johanna hatte einen schönen, frischen Kopfsalat aus ihrem Garten mitgebracht und die Kinder Schinken und ofenwarme Brötchen; so gab es ein köstliches Mittagessen. Nachdem sie Johanna beim Abwasch geholfen hatten, fuhren sie mit ihren Rädern nach Haus Schönfeld. Tim rannte fröhlich neben Georgs Fahrrad her – und hier und da jagte er von der Straße hinunter, nur um zu sehen, ob da zufällig ein paar Kaninchen wären.

Als die Fünf Freunde Haus Schönfeld erreicht hatten, sahen sie, dass die Gartentür genau so verschlossen war, wie sie sie nach ihrem letzten Besuch hinterlassen hatten. Tim lief ihnen mit wedelndem Schwanz den Gartenweg hinauf zum Haus voraus. Georg wusste, dass er sich nicht so verhalten hätte, wenn er irgendwo die Witterung eines Fremden aufgenommen hätte. Sie sagte den anderen, dass sie es nicht für gefährlich hielt, hineinzugehen.

Auch die Schlösser der Eingangstür schienen in der Zwischenzeit von niemandem geöffnet worden zu sein. Die Kinder schlossen mit beiden Schlüsseln auf. Sie gingen durchs Haus, um sicher zu sein, dass niemand drin war, und traten dann in den Garten hinaus.

»Also gut«, sagte Richard, »dann lasst uns mal das geheime Versteck in der alten Zisterne finden.«

Die Fünf Freunde hatten im Haus keine Spur einer alten Zisterne entdeckt. Die Botschaft des alten Herrn Darcy konnte also nur bedeuten, dass sie im Garten nach diesem Versteck suchen mussten. Und der Garten war, das wussten sie schon, ziemlich groß. Er umgab Haus Schönfeld auf allen Seiten und so teilten sich die Kinder auf und jedes suchte auf einer Seite des Hauses.

Wegen dieser Arbeitsteilung brauchten sie nicht lange – doch das Ergebnis war enttäuschend.

»Keine Zisterne zu sehen«, sagte Georg, die als Erste wieder am Haus anlangte.

»Ich hab nichts gefunden außer einem Gewächshaus«, berichtete Anne ihrer Kusine.

Und als die Jungs wieder zurück waren, stellte sich heraus, dass auch sie kein Glück gehabt hatten.

»So 'n Mist!«, sagte Richard verärgert. »Es ist ja nicht so, dass man eine alte Zisterne übersehen könnte. Ich meine, eine Zisterne muss ziemlich groß sein, um Wasser zu speichern – und die einzige im Haus ist ganz neu und voller Wasser. Wir haben sie uns schon angesehen, oben unterm Dach.«

»Ich frage mich, ob es auf dem Dach nicht noch eine Zisterne gibt«, meinte Julius. »Eine alte Zisterne, die man einfach nicht abgerissen hat, als der neue Wasserspeicher eingebaut wurde.«

Doch als sie sich etwas vom Haus entfernten und das ganze Dach überblicken konnten, sahen sie, dass sich darauf nichts befand, was auch nur annähernd wie eine alte Zisterne aussah. Die Kinder blickten sich ratlos an und waren ziemlich niedergeschlagen.

»Was ist mit dem Keller?«, rief Anne.

Also rannten die Fünf Freunde die Stufen hinunter, die in den Keller des alten Hauses führten. Sie hatten vorher nur einen kurzen Blick hineingeworfen, nun aber durchsuchten sie diesen Teil des Hauses gründlich. Doch wieder erwartete sie eine Enttäuschung. Nirgendwo gab es auch nur die Spur einer alten Zisterne!

»Oje, ich glaube, wir können genauso gut nach Hause fahren und Tee trinken«, sagte Julius schließlich. »Vielleicht ist es eine ganz kleine Zisterne, irgendwo im Garten versteckt. Lasst uns nach dem Tee wieder herkommen und den Garten Millimeter für Millimeter durchkämmen.«

Damit waren alle einverstanden. Johanna hatte Rosinenbrötchen gebacken und freute sich, dass die Kinder sie restlos vertilgten, dick mit guter Butter und Erdbeermarmelade bestrichen – die Sucherei hatte ihnen zumindest Appetit gemacht! Sobald sie aufgegessen hatten, radelten sie zurück zum Haus Schönfeld. Sie wollten nicht mit leeren Händen vor Peter stehen, wenn sie ihn am Abend besuchten. Sie mussten einen Hinweis auf das Versteck des Schatzes finden – und das vor allem, bevor Justus ihn fand!

»Lasst uns mit der zweiten Runde unserer Gartendurchsuchung beginnen. Diesmal müssen wir so gründlich vorgehen, als ob wir einen bestimmten Kiesel an einem Strand suchen würden«, sagte Julius.

»Selbst eine winzige Zisterne ist nicht so klein, dass sie sich hinter einem Grasbüschel verstecken kann«, knurrte Richard.

»Na, irgendwo muss sie doch sein«, sagte Georg bestimmt.

Diesmal suchten sie alle zusammen, anstatt den Garten unter sich aufzuteilen, wie sie es an diesem Tag schon getan hatten. »Zehn Augen sehen mehr als zwei«, war Georgs Parole.

Trotzdem konnten sie im Vordergarten nicht das Geringste finden. Also gingen sie auf die Seite, auf der das Gewächshaus stand. Es war ein lang gestrecktes, niedriges Glashaus, mit Glaswänden bis auf den Boden, und einige der Glasflächen konnte man öffnen. Die vier Kinder waren gerade damit beschäftigt, einen Winkel des Gewächshauses, in dem große, leere Blumentöpfe, ein Schubkarren und zahlreiche Gartengeräte standen, zu untersuchen, als Tim, der am Boden herumgeschnüffelt hatte, plötzlich an einer der Glastüren stehen blieb und leise zu knurren anfing.

Georg sah auf und zischte: »Pst! Tim hat was gehört!«

Tim stieß ein wütendes Gebell aus und warf sich gegen die Tür. Die Kinder konnten nicht hinaussehen,

denn in diesem Teil des Gewächshauses bestanden die Wände aus undurchsichtigem Milchglas, aber auf der weißen Scheibe war ein Schatten zu erkennen, der Schatten eines Menschen. Er verschwand augenblicklich, wie durch Zauberei.

»O!«, wisperte Anne. »Da war jemand!«

»Ja – jemand, der uns beobachtet und aufpasst, was wir machen«, sagte Richard.

Georg stürzte zur Tür und riss sie auf und Tim rannte laut bellend hinaus.

Eine überraschende Begegnung

Als die Kinder Tim endlich eingeholt hatten, stand der Hund bereits vor der Mauer, die das Darcy-Grundstück von dem Nachbargarten trennte. Tim bellte immer noch und sah nach oben, als ob er den Kindern sagen wollte, dass der Eindringling über die Mauer geflohen war.

»Wenn der wirklich über die Mauer gesprungen ist, dann muss er ziemlich fit sein«, stellte Richard fest.

Julius legte seine Stirn in Falten, während er herauszufinden versuchte, was dieser Vorfall zu bedeuten hatte. »Warum sollte uns irgendjemand nachspionieren? Vielleicht weil er hofft, dass wir etwas finden – dass wir es für ihn finden, weil er schon selbst danach gesucht ... und nichts gefunden hat!«

»Du meinst den Schatz?«, sagte Anne. »Du glaubst also, das war Justus?«

»Sieht ganz so aus«, antwortete Julius. »Das ist nur ein Grund mehr, uns ranzuhalten und die Zisterne zu finden. Wo um Himmels willen kann sie nur sein?«

Jetzt mussten sich die Kinder beeilen und sie suchten

fieberhaft. Aber sie hatten immer noch kein Glück. Sie fanden zwar einen Rechen und kratzten hier und da den Boden auf, wenn sie dachten, darunter könnte möglicherweise die Zisterne liegen. Aber das nützte auch nichts. Schließlich gaben sie völlig erschöpft auf.

Sie hatten nichts erreicht!

Es war Zeit, ins Krankenhaus zu fahren, und sie fühlten sich sehr niedergeschlagen, als sie Peters Zimmer betraten. Er erwartete sie bereits voller Ungeduld.

»Ihr habt nichts gefunden, nicht wahr?«, war seine erste Frage.

»Leider nein«, sagte Georg und schüttelte den Kopf. »Aber nicht, weil wir zu flüchtig gesucht hätten, das kannst du mir glauben!«

»Es tut mir so Leid – das ist ganz allein mein Fehler«, sagte ihr Freund. Das war nicht die Reaktion, die die Kinder erwartet hatten, und sie sahen ihn verblüfft an.

»Ja – das könnt ihr nicht wissen: Nachdem ihr heute Morgen gegangen seid, habe ich in meinem Gedächtnis gekramt«, erklärte Peter, »und mir wurde klar, dass ich im Garten von Haus Schönfeld überhaupt keine Zisterne gesehen hatte, als ich damals zu Besuch bei Großvater war. Er meint also vielleicht die alte Zisterne auf dem Turm in dem kleinen Wäldchen, das hinter dem

Garten liegt. Da steht ein alter Turm, der einzige Über-
rest von dem Gebäude, das sich dort einmal befunden
hat.«

»Na klar!«, rief Richard. »Das Wäldchen haben wir
gesehen, es beginnt direkt hinter den Gemüsebeeten
am äußersten Ende des Gartens. Aber uns war nicht
klar, dass es noch zu Haus Schönfeld gehört.«

»Na, dann werden wir morgen wieder hinfahren«,
sagte Julius bestimmt, »und dann wird sich zeigen, ob
wir deine Erbschaft aufspüren können.«

Anne setzte gerade an, um Peter von dem Schatten
zu erzählen, den sie gesehen hatten, aber Georg ahnte,
was Anne sagen wollte, und bedeutete ihr, dass sie
nichts verraten sollte. Sie mussten ihren Freund doch
nicht unnötig beunruhigen.

Sie sagten Peter Gute Nacht und fuhren zurück ins
Felsenhaus. Sie kamen viel zu spät zum Abendessen,
und die alte Johanna schimpfte sie aus, aber sie machte
ihnen dann trotzdem ein gutes, warmes Essen. An diesem Abend gingen sie alle bald ins Bett. Selbst Tim
schlief fast im Stehen ein.

Am nächsten Morgen waren die Kinder so früh auf,
dass Johanna es gar nicht fassen konnte. »Du liebe

Güte!«, sagte sie. »Wollt ihr denn jetzt wirklich schon frühstücken?«

Ja, das wollten sie! Johanna briet jede Menge Eier und Speck und die Kinder langten auch bei Toast und Honig kräftig zu. Sie hatten das Gefühl, ein gutes und großes Frühstück sei einfach nötig, bevor sie sich wieder auf Schatzsuche nach Haus Schönfeld begaben!

Als sie das Grundstück erreicht hatten, liefen sie gleich in das Wäldchen und entdeckten bald den alten Turm, von dem Peter Darcy ihnen erzählt hatte.

»Der sieht ja ziemlich baufällig aus«, murmelte Georg. »Ich kann nur hoffen, dass er nicht zusammenbricht, während wir hinaufklettern.«

Doch die Wendeltreppe im Inneren des Turmes schien in Ordnung zu sein. Julius stieg als Erster hinauf, um sicher zu sein, dass sie auch die anderen tragen würde. Er fühlte sich für alle verantwortlich. Julius prüfte sorgfältig jede Stufe, bevor er sie mit seinem ganzen Gewicht belastete, und die anderen vier folgten ihm. Schließlich kamen sie oben auf der Plattform des Turmes heraus.

»Und da ist die Zisterne!«, rief Richard.

Sie blickten alle neugierig hinein. Es handelte sich um ein kleines, quadratisches Becken aus Steinen und

Zement, das offen vor ihnen lag. Früher musste es auch eine Abdeckung gehabt haben, aber die war verschwunden, genauso wie der metallene Rand. Wahrscheinlich hatte der Rost sie weggefressen.

»Geheimes Versteck, alte Zisterne«, rezitierte Anne. »Selbst wenn der alte Herr Darcy hier wirklich sein Vermögen versteckt hat, wissen wir immer noch nicht, wie wir da rankommen sollen. Ich kann in dieser Zisterne überhaupt nichts entdecken.«

»Vergiss nicht den letzten Teil der Botschaft«, erinnerte Richard sie. »Ziegelstein rechts!«

»Hm«, machte Georg. »Ich frage mich, was er wohl damit meint. Ich glaube, wir fangen einfach mal in der Richtung an zu suchen, in die wir gerade schauen.«

Als die Kinder die Plattform erreicht hatten, standen sie genau vor der Zisterne, und die Ziegelsteine des Beckens lagen direkt vor ihnen.

»Vielleicht ist damit einer der Ziegel in dieser Wand der Zisterne gemeint«, schlug Julius vor und machte einen Schritt darauf zu. »Jedenfalls schadet es nicht, es mal auszuprobieren.«

Er legte seine Hand flach gegen den obersten rechten Ziegel und drückte kräftig dagegen. Der Stein drehte sich langsam und die Kinder hörten ein Klicken. Dann glitt ein Teil der Wand zur Seite und gab den Blick auf eine Nische frei. Etwas schimmerte darin. Es war die Vorderseite eines Safes mit drei glänzenden Drehknöpfen.

»Wir haben es geschafft!«, schrie Georg. »Mir kamen die Wände dieser Zisterne doch gleich so merkwürdig dick vor! Aber nur deshalb konnte man dieses Versteck einbauen.«

Blieb nur noch die Frage, wie der Safe geöffnet werden konnte.

»Stopp, 342«, erinnerte sich Anne.

»Ja, natürlich! Das ist die Antwort!«, rief Georg. Die anderen sahen sie verständnislos an und Georg erklärte: »Passt auf – der Safe hat hier vorn drei Drehknöpfe, und wir brauchen die richtige Kombination, die uns die Tür öffnet. Na, und das ist sie! Die Zahlen, die wir brauchen, müssen die aus der Botschaft des alten Herrn Darcy sein – 3, 4 und 2.«

Während sie sprach, streckte Georg ihre Hand schon aus und begann, die Knöpfe zu drehen. Man konnte hören, wie in der Tür Zahnräder leise klickend ineinander einrasteten. Georg drehte den linken Kopf im Uhrzeigersinn drei Klicks weiter, den mittleren vier Klicks und schließlich den rechten zwei Klicks. Dann zog sie die Tür des kleinen Safes in ihre Richtung – und diese öffnete sich ohne den geringsten Widerstand.

Aufgeregt streckten die Kinder ihre Köpfe vor, um hineinsehen zu können. Und als ob die Sonne ihnen helfen wollte, kam sie hinter einer Wolke hervor und schien genau ins Innere des Safes hinein. Der Anblick war überwältigend! Das oberste Fach des Safes enthielt ein Tablett mit Diamanten, im nächsten Fach lag ein ähnliches Tablett, doch auf diesem lagen Smaragde, und der ganze übrige Safe war mit Goldbarren gefüllt.

Georg musste bei diesem fantastischen Anblick blinzeln, streckte aber eine Hand aus und nahm einen Diamanten aus dem Safe heraus. Der Edelstein funkelte in der Sonne. Anne konnte sich nicht helfen und rief begeistert aus: »Das ist ja wie ein Feuerwerk!«

Auch Richard beugte sich nun vor und griff nach einem Goldbarren. »Ich hätte nichts dagegen, ein ganzes Haus aus solchen Ziegeln zu bauen«, witzelte er.

Georg, die immer noch den Diamanten in der Hand hielt, nahm ihrem Vetter den Goldbarren ab, um ihn genauer zu betrachten.

Tim dagegen ließ das alles ziemlich kalt. Er hatte in den letzten Minuten eine Maus beobachtet, die in einer Ecke der Turmplattform herumlief. Doch plötzlich verlor er das Interesse an dem kleinen Wesen, spitzte die Ohren und öffnete sein Maul, um loszubellen.

Zu spät! Er war so damit beschäftigt gewesen, die Maus zu beobachten, dass er nicht bemerkt hatte, wie ein Mann fast geräuschlos die Treppe heraufgeklettert war, und nun hatte der Neuankömmling die Plattform erreicht.

Die vier Kinder erstarrten vor Schreck – sie hatten hier niemanden erwartet und Tim hätte sie normalerweise lange im Voraus gewarnt. Der Mann seinerseits blieb ebenfalls wie angewurzelt stehen und starrte auf das Bild, das sich ihm bot.

Ein Blick genügte, und die Kinder begriffen, dass dies Peters entfernter Vetter Justus sein musste! Er war etwa so groß wie Julius und sehr dünn und drahtig. Stechend schwarze Augen lagen unter buschigen Brauen und gaben seinem Gesicht einen verschlagenen Ausdruck. Nun standen die Kinder also doch, trotz all ihrer Vorsichtsmaßnahmen, ihrem Gegner gegenüber – und das im ungünstigsten Moment, gerade als sie den Schatz des alten Herrn Darcy entdeckt hatten!

Was Justus sah – oder zumindest meinte, das zu sehen –, war eine Gruppe aus drei Jungs in Jeans, einem kleinen Mädchen mit schönem blondem Haar und einem Mischling. Er konnte sich nicht vorstellen, dass diese Gruppe Probleme machen würde! Er lächelte und Anne bemerkte, dass er gelbe, spitze Zähne hatte. Sie hatte ihn immer für das schwarze Schaf in Peters Familie gehalten, aber diese Zähne ließen ihn eher wie einen Wolf aussehen.

Dann bemerkte sie noch etwas. Justus hatte eine Pistole in der Hand!

Er hielt sie auf die Kinder gerichtet und kam einen Schritt näher.

»Also schön!«, blaffte er. »Ihr könnt diese Goldbarren und Edelsteine hier für mich reintun!« Und er warf den Kindern eine Leinentasche vor die Füße.

»Ich hatte also Recht mit meiner Vermutung«, fügte er mit einem fiesen, hämischen Grinsen hinzu. »Ich wusste, dass ihr mich schließlich zu Darcys Schatz führen würdet.«

Die Fünf Freunde rührten sich noch immer nicht. Tim wartete nur darauf, dass Georg ihm den Befehl gab, und er hätte den Mann angesprungen – aber Justus hatte eine Pistole und Georg wollte ihren geliebten Hund nicht in Gefahr bringen.

»Macht schon!«, sagte Justus. »Steht nicht so rum! Tut das Zeug in meine Tasche!«

Anne fing vor Angst ganz schnell zu atmen an. Julius und Richard warfen sich verstohlene Blicke zu, während sie überlegten, was sie tun sollten. Wenn die Pistole nicht gewesen wäre, hätten sie den Eindringling mit Tims Hilfe schon längst erledigt.

Georg war die Erste, die überhaupt etwas tat. Sie handelte schnell und entschlossen. Bevor Justus begriff, was sie vorhatte, warf sie den Diamanten und den Barren in den Safe, schloss die kleine gepanzerte Tür und drehte schnell alle drei Knöpfe in die verschiedensten Richtungen, sodass die Kombination nicht mehr zu erkennen und der Safe fest verschlossen war.

Justus stand da und verfolgte die Aktion mit offenem Mund. »He – was ist denn in dich gefahren, Junge?«, stammelte er. Noch einer, der Georg auf den ersten Blick für einen Jungen hielt! »Ich hab nicht gesagt, du sollst den Safe zumachen! Ich will das ganze Zeug hier in der Tasche haben!«

Die Kinder sahen, wie die Wut in ihm hochstieg. Erst schoss ihm das Blut ins Gesicht, dann verschwand die Farbe wieder und ließ ihn ganz blass werden. Seine Stimme wurde laut und bebte vor Zorn.

»Öffne den Safe oder ich schieße!«

Georg überlegte blitzschnell. Sie war sicher, dass er

seine Pistole einsetzen würde, um zu versuchen, sie sich alle gefügig zu machen – er würde vielleicht sogar jemanden verletzen. Sie musste irgendwie Zeit gewinnen!

Sie warf den anderen einen warnenden Blick zu. Julius und Richard sahen sie an. Sie wussten wohl, wie gut Georgs Verstand im Notfall arbeitete – sehr oft schneller als ihrer! –, und gaben ihrer Kusine auch ohne Worte zu verstehen, dass sie sie in allem unterstützen würden. Anne hatte langsam ihre Selbstbeherrschung wieder gefunden. Das kleine Mädchen hatte ein liebevolles Gemüt und war normalerweise sehr zurückhaltend, aber die anderen wussten, dass sie erstaunlich tapfer sein konnte, wenn wirklich Gefahr drohte. Georg war sich sicher, dass sie auf Anne genauso zählen konnte wie auf die Jungs und den guten alten Tim.

Justus hatte immer noch seine Pistole auf sie gerichtet.

»Jetzt hör mal gut zu, mein Bürschchen«, sagte er. »Ich zähle jetzt bis drei. Wenn du den Safe nicht geöffnet hast, bevor ich damit fertig bin, schieß ich dir in die Wade, verstehst du? Das bringt dich nicht um, aber es wird höllisch wehtun! Okay, los geht's! Eins …«

Georg dachte blitzschnell nach. Sie sog jedes Detail von Justus' Erscheinung in sich auf: seine kleinen Augen, die sehr dicht zusammenstanden, die niedrige, fleckige Stirn, fast wie bei einem Affen – nein, er sah nicht besonders intelligent aus!

Und er kann wirklich nicht besonders helle sein, dachte Georg, sonst wäre ihm klar, dass er so viel Gold nicht in einer ganz normalen Leinentasche wegtragen kann! In dem Safe liegen bestimmt einhundert Goldbarren – die würden seine Tasche sofort reißen lassen. Selbst wenn sie hält, glaube ich nicht, dass so ein kleiner Mann ein so großes Gewicht schleppen kann.

»Zwei!«, zählte Justus.

Und außerdem, fügte Georg in Gedanken hinzu, will er, dass ich auch die Diamanten und Smaragde zu den Goldbarren dazutue. Das ist wirklich eine dämliche Idee! Mit den Diamanten würde es gehen – Diamanten sind sehr hart. Aber Smaragde sind ganz anders. Sie bekommen leicht Kratzer und Sprünge. Ja, unser Freund Justus ist ziemlich dumm.

»Dr...«, begann Justus.

Georg hob eine Hand. Sie hatte entschieden, dass sie – wenn Justus so dumm war, wie sie dachte – versuchen konnte, ihn zu bluffen, um ihn zu erschrecken.

»Halt!«, sagte sie. »Es gibt etwas, das Sie wissen sollten. Meine Freunde kennen die Kombination des Safes nicht – ich bin der Einzige, der sie kennt, und ich werde sie niemandem verraten. Und wenn Sie auf mich schießen, wird mein Hund Ihnen die Kehle durchbeißen, bevor Sie auch auf ihn feuern können.«

Georgs Waghalsigkeit verschlug den anderen den Atem – und auch Justus war wie vor den Kopf geschlagen. Niemals hätte er erwartet, dass diese Kinder auch nur den leisesten Widerstand leisten würden!

Er zögerte, unsicher, was er als Nächstes tun sollte, und sein Arm mit der Pistole zitterte leicht.

In diesem Moment entschloss sich Anne, ihrer Kusine zu helfen!

Triumph und Niederlage

Anne tat so, als bekäme sie Todesangst, sie griff sich ans Herz und fing plötzlich an, herumzutaumeln und »O Gott, o Gott – ich fühl mich so schlecht – o, was soll ich nur tun?« vor sich hin zu stammeln.

Sie zog Justus' Aufmerksamkeit auf sich und genau das war ihre Absicht. Für einen Moment achtete er nicht mehr auf Georg – und mit einem Satz fiel ihm Georg in den Arm und krallte sich fest. Justus ließ die Pistole fallen. Jetzt sprangen auch Julius und Richard gemeinsam auf ihren Gegner zu und versuchten, ihn zu überwältigen. Was Tim anging, so nahm er sich ein Beispiel an Georg und schlug seine Zähne mit großer Lust in Justus' Bein!

Doch Justus erholte sich schnell und verteidigte sich mit heftigen Schlägen. Seine Wut gab ihm größere Kräfte, als man es bei seiner geringen Körpergröße erwartet hätte. Er ließ seine Arme wie die Räder einer Windmühle kreisen. Eine seiner Fäuste traf Richard an der Schulter und warf ihn zu Boden. Justus schüttelte Georg und Julius, die ihn immer noch umklammerten,

ab. Die beiden verloren das Gleichgewicht und Justus nutzte die Chance und rannte zur Treppe. Er gab Tim einen Tritt, der dem armen Hund den Atem raubte, und floh.

Die Fünf Freunde brauchten einige Zeit, bis sie alle ihre Sinne wieder beisammenhatten. Als sie endlich die Verfolgung aufnahmen, hatte Justus schon den Fuß des Turmes erreicht.

Tim stürzte wütend bellend hinter ihm her. Er wollte Rache! Auch die vier Kinder rannten, so schnell sie konnten, die Treppe hinunter.

Die Jagd ging quer durch den kleinen Wald. Justus brach krachend durch Büsche, lief Zickzack zwischen den Bäumen und tat alles ihm nur Mögliche, um die Kinder abzuhängen. Doch falls er gedacht hatte, er könnte Tim entkommen, dann hatte er sich zu früh gefreut!

Die vier Kinder hatten Justus gerade aus den Augen verloren, da hörten sie ihn einen Schmerzensschrei ausstoßen: »Aaaaaaah!« Gleich darauf sahen sie Justus aus dem Dickicht herausschießen – Tim fest in seinen Hosenboden verbissen!

Das war ein so komischer Anblick, dass Julius, Richard, Anne und Georg laut loslachen mussten.

»Braver Hund, Tim!«, rief Georg. »Pack ihn, alter Junge!«

Als er die Kinder auf sich zulaufen sah, machte Justus einen letzten, verzweifelten Versuch, Tim abzuschütteln. Diesmal gelang es ihm und er rannte wieder los – genau wie eins von den Kaninchen, die Tim so gern jagte! Justus vergaß dabei, auf den Boden zu sehen. Er stolperte über eine Baumwurzel und stürzte lang hin. Im Fallen stieß er mit dem Kopf gegen einen Baumstamm und schlug sich damit selbst k. o.!

Die Fünf Freunde verloren keine Zeit. Richard und Georg trugen neuerdings immer ihre Lassos bei sich, damit sie überall üben konnten – und ihr neues Hobby kam ihnen jetzt sehr gelegen. Sie hakten die aufgerollten Seile aus ihren Gürteln und fesselten Justus damit. Anne und Tim sahen begeistert zu. Julius dagegen rannte währenddessen zum Turm zurück, um Justus' Pistole zu holen und sicherzugehen, dass der Safe gut verschlossen war.

Als er wieder da war, hielten die Kinder Kriegsrat.

»Justus wacht gleich wieder auf, aber er ist immer noch zu benebelt, als dass er mit uns zur Polizei laufen könnte«, stellte Richard fest. »Und wenn ihn die Leute gefesselt durch Felsenburg gehen sehen, dann geht das

Gerede los. Wir wissen, dass Peter das auf keinen Fall möchte – schließlich gehört Justus zu seiner Familie, auch wenn er nur ein entfernter Verwandter ist.«

»Du hast Recht«, sagte Georg. »Wir werden ihn nicht durchs Dorf schleifen – wir lassen ihn hier. Er ist gut gefesselt und kann uns nicht entwischen. Wir gehen allein zur Polizei und sagen ihr nur, dass wir auf Darcys Grundstück einen Einbrecher entdeckt haben.«

»Gute Idee«, pflichtete Anne ihr bei. »Ich bin sicher, Peter würde das auch besser finden.«

»Und Peters fabelhafte Erbschaft brauchen wir auch nicht zu erwähnen«, ergänzte Julius. »Also kommt, lasst uns gehen!«

Die vier Kinder gingen zu ihren Fahrrädern und radelten davon, so schnell sie konnten. Der Leiter der Polizeistation von Felsenburg kannte Georg und die anderen sehr gut. Er hörte sich an, was die Kinder zu berichten hatten, und fuhr dann direkt mit einem Polizeiauto und einem seiner Männer zum Haus Schönfeld. Er war sogar so nett, den Mannschaftswagen zu nehmen, in den auch die Kinder passten, damit auch sie mitfahren konnten.

Doch in Schönfeld wartete eine große Enttäuschung auf sie. Als sie die Stelle erreichten, an der sie ihren Gefangenen zurückgelassen hatten, war niemand mehr da. Nur die beiden Lassos lagen noch auf der Wiese herum. Justus war verschwunden.

»Wir haben die Knoten doch so fest gebunden und er hat sich trotzdem befreien können«, sagte Richard enttäuscht.

Georg war jetzt wütend auf sich. Sie war stolz darauf, dass sie immer an alles dachte, aber dieses eine Mal war sie nachlässig gewesen, und sie war sich dessen bewusst.

»Ich hätte hier bleiben und ihn zusammen mit Tim bewachen sollen«, meinte sie gequält. »O wie blöd von mir! Ich wette, der Bursche ist jetzt schon meilenweit entfernt!«

Der einzige Beweis für die Existenz ihres »Einbrechers« war die Pistole, mit der er sie bedroht hatte. Julius übergab sie dem Polizisten. Dann fuhren sie alle los, um Peter Darcy im Krankenhaus zu besuchen.

Peter staunte nicht schlecht, als der Polizist ihm berichtete: »Diese Kinder haben einen Einbrecher auf Ihrem Grundstück entdeckt.« Richard aber gestikulierte hinter dem Rücken des Polizisten, und Peter begriff, dass dies nur die offizielle Version der Geschichte war. Also erklärte er sich bereit, Anzeige zu erstatten, obwohl der Polizist keine großen Hoffnungen hatte, dass sie den angeblichen Einbrecher fassen würden.

Nachdem der Polizist gegangen war, erzählten die Kinder ihrem Freund, was wirklich geschehen war – ihr ganzes Abenteuer. Peter wusste kaum, ob er über das Vorgefallene entsetzt oder erfreut sein sollte.

»Das ist ja fantastisch!«, rief er. »Ihr seid wirklich Spitze, Kinder! Ihr habt tatsächlich den Safe gefunden und ihn geöffnet. Ich bin euch zu tiefem Dank verpflichtet, weil ihr mein Erbe entdeckt habt. Aber ich mag gar nicht an die Gefahr denken, in der ihr euch befandet, als ihr es mit Justus aufgenommen habt. Ihr dürft auf keinen Fall noch einmal nach Schönfeld zurück. Ich will nicht, dass ihr wieder in so eine gefährliche Situation geratet.«

»Das ist aber dumm!«, erwiderte Georg bestimmt. »Hast du uns darum gebeten, diese Angelegenheit aufzuklären, weil du im Krankenhaus liegst und dich nicht selbst darum kümmern kannst, oder nicht? Okay, wir haben gesagt, wir kümmern uns drum, und jetzt werden wir die Sache auch zu Ende bringen.«

»Wir können das Haus nicht einfach aus den Augen lassen, verstehst du«, legte Julius nach. Selbst er war diesmal mit Georg einer Meinung. »Vergiss nicht, Justus weiß genau, wo der Schatz ist, und ich bin sicher, dass er in der Lage ist, den Safe in der Zisterne zu knacken.«

»Na, dann ist die Antwort doch ganz einfach«, meinte Peter kurz entschlossen. »Ich setze mich noch einmal mit der Polizei in Verbindung und erzähle ihr alles.«

»O nein!«, rief Richard. »Ich glaube, das lässt du lieber bleiben – sobald die Leute von deinem Schatz erfahren, werden alle über dich herfallen: Journalisten, Leute, die dich anbetteln …«

»Und der Fall wird natürlich auch andere Diebe anlocken«, unterbrach Anne ihren Bruder. »Peter, du hast uns selbst gesagt, dass wir niemandem verraten sollen, dass es diesen Schatz gibt.«

»Aber jetzt haben sich die Umstände geändert.«

»Nein, das haben sie nicht!«, hielt Georg dagegen. »Hör zu, wir brauchen den Schatz nur in Sicherheit zu bringen. Dann werden wir auch nicht mehr in Gefahr sein. Ich glaube kaum, dass Justus sofort zum Turm zurückkehrt – er wird wahrscheinlich die Nacht abwarten, bevor er etwas unternimmt. Und bis dahin haben wir deinen Schatz schon aus dem Turm geholt! Wenn mein Vater nach Hause kommt, werden wir ihm alles erzählen, und er wird zur Bank gehen und ein Schließfach mieten. Dann wirst du dir keine Sorgen mehr zu machen brauchen.«

Schließlich hatten die Kinder Peter überredet.

»Aber wo wollt ihr das Gold und die Juwelen verstecken, bis Herr Kirrin zurück ist?«, fragte er.

»Ach, daran habe ich schon gedacht«, antwortete Julius. »Wir haben in unserer Garage im Felsenhaus einen Handwagen, den man am Fahrrad festmachen kann. Den werden wir nehmen, um die Goldbarren zu uns nach Hause zu bringen. Und sobald es dunkel ist, vergraben wir sie im Garten. Da sind sie in Sicherheit, bis Onkel Quentin zurück ist.«

»Und ich weiß, was wir mit den Diamanten und Smaragden machen«, sagte Anne. »Wir können sie in meinem Puppenhaus verstecken. Kein Einbrecher würde jemals auf den Gedanken kommen, dort nach ihnen zu suchen.«

Peter stimmte diesem Plan zu, und die Kinder beschlossen, dass es am besten sei, ihn sofort in die Tat umzusetzen.

»Es wäre nur schade, wenn wir zu spät zum Abendessen kommen«, meinte Richard noch. Er wusste, dass er ein großes Opfer würde bringen müssen, denn Johanna war eine fabelhafte Köchin und wollte heute

Abend Richards Lieblingsspeise, Würstchen im Blätterteig, zubereiten!

Peter machte noch immer einen etwas besorgten Eindruck, als er seine jungen Freunde verabschiedete. Er war von Natur aus ein aktiver junger Mann und mochte es gar nicht, an ein Krankenhausbett gefesselt zu sein, während andere Menschen sich um seine Probleme kümmerten. Fast bereute er es, dass er die Fünf Freunde die Schatzsuche überhaupt hatte beginnen lassen!

»Je früher der Inhalt des Safes aus dem Turm kommt, desto besser«, beruhigte er sich selbst. »Wenigstens werden diese tapferen Kinder dann außer Gefahr sein.«

Während Peter so vor sich hin grübelte und wünschte, dass sein Knöchel sich mit dem Gesundwerden beeilen möge, rannten die Kinder zur Polizeistation, wo sie ihre Fahrräder stehen gelassen hatten. Dann fuhren sie, so schnell sie konnten, zum Felsenhaus, um den Handwagen zu holen, und machten sich auf den Weg nach Haus Schönfeld.

Diesmal warfen sie immer wieder einen Blick zurück, um sicherzugehen, dass ihnen niemand folgte. Sie trauten Peters entferntem Vetter Justus nicht über den Weg!

»Gott sei Dank!«, sagte Richard, als sie vor dem Gartentor von Haus Schönfeld abgestiegen waren und er sich noch einmal umgesehen hatte. Sie konnten die Straße hinter sich gut überblicken und es war nicht eine Menschenseele zu sehen. »Es ist uns niemand gefolgt.«

Und damit hatte er Recht. Gefolgt war den Fünf Freunden nach Schönfeld niemand.

Aber jemand war vor ihnen da gewesen!

Sie erreichten die Turmplattform – und sahen in den offen stehenden, leeren Safe! Der Dieb hatte wohl Dynamit benutzt, um die Tür aufzusprengen. Die Kinder wussten sofort, wer das angerichtet hatte!

»Verdammt!«, rief Richard. »Hölle, Hagel und Granaten!«

Normalerweise wies Julius seinen Bruder zurecht, wenn er mal fluchte – aber Richards Bemerkung passte nur zu gut auf die Situation.

»Granaten stimmt«, versuchte Georg tapfer einen Witz. »Da hast du was Wahres gesagt, Richard. Seht euch das nur an!«

Julius lief an der Zisterne entlang und sog die Luft ein. »Ich glaube, die Explosion ist noch gar nicht so lange her«, sagte er. »Ich kann das Pulver immer noch riechen. Also ist der Diebstahl erst vor kurzem geschehen.«

»O dieser schreckliche Justus!«, rief Anne – es klang für ihre Verhältnisse ungewöhnlich ärgerlich. »Er war schneller als wir!«

»Ich fürchte, das ist mein Fehler«, sagte Richard. »Ich hab Peter überredet, die Polizei nicht herzuschicken. Die hätte Justus vielleicht auf frischer Tat ertappt.«

Tim schien genug von diesem Gespräch zu haben. Er bellte: »Wuff! Wuff!« Dann rannte er zur Treppe.

»Tim hat Recht«, sagte Georg und folgte ihm. »Es ist sinnlos, hier herumzustehen und darüber zu diskutieren, wessen Fehler es ist! Wir müssen unseren Fehler wieder gutmachen, indem wir die Polizei informieren.«

Zuerst besuchten sie natürlich Peter im Krankenhaus, denn er musste ja wissen, was vorgefallen war. Die Kinder waren sehr niedergeschlagen, als sie ihm von ihrem Reinfall erzählten. Doch Peter Darcy gehörte nicht zu den Menschen, die sich lange aufregen. Er ließ die Krankenschwester ein Telefon an sein Bett bringen, rief gleich die Polizeistation an und bat, man möge vorbeikommen und eine Aussage von ihm protokollieren.

Diesmal erzählte er der Polizei die ganze Geschichte und gab eine Beschreibung von Justus. Die Polizei mobilisierte sofort alle Kräfte. Straßensperren wurden errichtet und Bahnhöfe, Häfen und Flughäfen benachrichtigt.

»Meine Herren!«, meinte Anne, beeindruckt von so viel polizeilicher Aktivität. »Wenn sie ihn so nicht finden, finden sie ihn nie!«

Unglücklicherweise behielt sie Recht. Man fand ihn nicht! Es schien, als sei Justus mitsamt dem Schatz vom Erdboden verschluckt worden.

Einige Tage vergingen. Peters Knöchel heilte zusehends. Der gebrochene Knochen wuchs wieder richtig zusammen, und alles wäre gut gewesen – wenn er nicht das großartige Erbe verloren hätte, das ihm sein Großvater hinterlassen hatte.

»Na ja«, meinte er philosophisch zu den Kindern, »Geld ist nicht alles, bei weitem nicht. Viel schlimmer, als das Gold zu verlieren, wäre es gewesen, wenn Justus euch etwas angetan hätte.«

Aber die Kinder waren keineswegs so zufrieden, dass sie es dabei belassen hätten. Sie hielten Kriegsrat und kamen zu ganz anderen Schlüssen.

»Justus konnte sich ja denken, dass die Polizei hinter ihm her sein würde, sobald man den Diebstahl entdeckte«, sagte Richard. »Wenn sie ihn bis jetzt noch nicht geschnappt haben, heißt das vielleicht, dass er auch noch nicht versucht hat zu fliehen. Wenn ihr mich fragt, versteckt sich der Bursche hier irgendwo in der Nähe.«

Georg war mit ihrem Vetter einer Meinung. »Und er wird vielleicht so lange nicht aus seinem Versteck kommen«, fügte sie hinzu, »bis Gras über die Geschichte gewachsen ist ...«

»... und die Polizei nicht mehr so scharf aufpasst«, beendete Julius ihren Satz.

»Also, wenn wir ihn fangen wollen, müssen wir sofort handeln«, fuhr Richard fort, der nie so schnell aufgab. »Wir müssen hinter ihm her!«

»Hört, hört!«, mischte Anne sich ein. »Und wie müssen wir hinter ihm her, Richard?«

»Da könnt ihr auch eine Nadel im Heuhaufen suchen«, sagte Peter. »Ich glaube, es hat wirklich keinen Sinn mehr. Aber es ist nett, dass ihr euch so viele Gedanken um meine Erbschaft macht.«

Doch Georg war nicht so leicht zu entmutigen, ebenso wenig wie ihr Vetter Richard. Gegen alle Wahrscheinlichkeit hoffte sie, dass sie irgendwo eine Spur finden würden.

Und sie hatte Recht, denn plötzlich zeigte sich eine Spur!

Es war Markttag in Felsenburg, ein schöner, sonniger Tag, und die Kinder machten wieder einmal Einkäufe für Johanna. Es würde nun nicht mehr lange dauern, bis Tante Fanny und Onkel Quentin wieder nach Hause kamen, und Johanna wollte ihnen eine wohl gefüllte Speisekammer hinterlassen. Die Fünf Freunde gingen über den Markt, von Stand zu Stand, und kauften alles ein, was auf Johannas langer Liste stand: Obst, Gemüse, Butter und Eier. Tim hatte seinen Spaß an den guten Gerüchen überall und begrüßte alle Hunde, die er kannte.

Plötzlich blieb Anne wie angewurzelt stehen. »Das gibt's doch nicht«, flüsterte sie. »Seht ihr den Mann da drüben, neben dem Teestand? Mit dem Bauchladen voller Postkarten?«

»Ja«, sagte Richard. »Was ist denn mit ihm? Im Sommer sind hier doch immer Verkäufer, die Postkarten verkaufen – in Felsenburg verbringen viele Leute ihren Sommerurlaub.«

»Das meine ich nicht«, gab seine Schwester zurück. »Findet ihr nicht, dass er aussieht wie Justus?«

Georg und die Jungs sahen sich den Postkartenverkäufer genauer an. Er war gerade damit beschäftigt, einer Frau Wechselgeld herauszugeben, und sie konnten ihn im Profil betrachten. Er war klein, dünn und drahtig wie Justus, aber sein Haar war viel kürzer geschnitten und er trug einen großen Oberlippenbart.

»Na ja, er sieht ihm schon ein bisschen ähnlich«, flüsterte Julius.

Da geschahen zwei Dinge. Der Mann drehte sich in die Richtung der Kinder. Sie konnten sich gerade noch rechtzeitig hinter einem der Stände verstecken. Und dann kam Tim, der einen sehr interessanten Fleischerstand auf der anderen Seite des Marktplatzes inspiziert hatte, zu Georg zurück, blieb unterwegs neben dem Postkartenverkäufer stehen und knurrte und bleckte die Zähne!

»Seht ihr?!«, zischte Anne. »Tim erkennt ihn auch wieder!«

Georg pfiff leise. Tim hörte es und kam zu ihr. Zum Glück schien der Mann nichts bemerkt zu haben. Er war zu einer Gruppe Touristen, die aus einem Bus ausgestiegen waren, weitergegangen und bot ihnen seine Postkarten an.

Richard war begeistert!

»Er ist es! Er ist es wirklich!«, jubelte er überglücklich. »Ich muss schon sagen, Justus ist doch schlau, findet ihr nicht? Er hat sich perfekt verkleidet! Er wusste, dass er diesen Teil des Landes nicht so einfach verlassen konnte – und er kann natürlich noch nicht anfangen, das Gold und die Juwelen zu verkaufen, also muss er von irgendetwas anderem leben. Wer würde einen Postkartenverkäufer in einem Badeort verdächtigen?«

»Dann lasst uns jetzt die Polizei alarmieren«, schlug Anne vor.

»Die Polizei alarmieren?«, erwiderte Georg. »Anne, das können wir nicht tun – der entwischt uns vielleicht, während wir auf der Wache sind. Nein, wir müssen ihm folgen und ihn möglichst selbst fangen. Wir sind schließlich zu fünft! Aber zuerst müssen wir herausfinden, wohin er geht, wenn er den Markt verlässt.«

Neue Entwicklungen

Der »Postkartenverkäufer« ahnte nicht, dass fünf Augenpaare jede seiner Bewegungen beobachteten. Er fuhr fast eine Stunde lang fort, den Passanten seine Ware anzubieten. Dann begannen die Marktleute, ihre Stände abzubauen, die Kunden gingen nach Hause, und Justus verschloss seinen Bauchladen mit einem Deckel. Es sah ganz danach aus, als wollte auch er den Marktplatz verlassen.

»Wir müssen ihm folgen, ohne dass er uns sieht«, flüsterte Georg den anderen zu.

Auch Tim schärfte sie ein, dass er ganz leise sein müsse. Der kluge Hund verstand sie sofort und folgte den Kindern schweigend, doch seine gesträubten Nackenhaare zeigten, dass er bereit war, den Mann anzugreifen, sobald ihm Georg den Befehl dazu gab.

Zuerst war es ganz einfach, den »Postkartenverkäufer« zu verfolgen. Es waren noch genügend Leute auf der Straße und die Kinder konnten sich unauffällig unter sie mischen. Doch dann wurden es immer weniger – und Justus verließ Felsenburg und ging die Landstraße entlang. Die Fünf Freunde mussten nun äußerst vorsichtig sein, damit er sie nicht bemerkte. Sie versuchten, im Schatten der Bäume und Büsche am Straßenrand zu bleiben, und huschten von Deckung zu Deckung. Einmal drehte sich Justus um. Die Fünf Freunde mussten in den Graben neben der Straße springen und sich flach hinlegen. Zum Glück war es Sommer und der Graben trocken.

Schließlich nahm Justus eine Abzweigung, und die Kinder sahen, wie er auf eine alte, verfallene Hütte zuging, die etwas von der Straße entfernt lag.

Die Fünf Freunde sahen, wie er die Tür öffnete. Sie schien noch nicht einmal verschlossen zu sein.

»Wenn er da lebt, könnt ihr wetten, dass er den Schatz woanders versteckt hat«, flüsterte Julius. »In diese Bruchbude kann doch jeder einbrechen – das geht wie nix!«

»Das zeigt nur, wie schlau Justus ist«, flüsterte Richard zurück. »Sein Versteck sieht aus wie eine leere und unbewohnte Hütte, die bald zusammenfällt, und es ist sehr einsam hier.«

Georg sagte nichts. Sie konzentrierte sich auf die wirklich wichtige Frage: Wo hatte Justus das Erbe von Peter Darcy versteckt?

»Also, jetzt wissen wir, wo sein Unterschlupf ist. Nun müssen wir ihn nur noch verhaften lassen«, sagte sie zu den anderen. »Ihr lauft zur Polizeistation! Ich bleibe mit Tim hier und passe auf – wir wollen nicht zweimal denselben Fehler machen und Justus wieder entwischen lassen.«

Julius, Richard und Anne radelten wie die Weltmeister zurück nach Felsenburg. Als sie die Polizeistation erreicht hatten, ging alles sehr schnell. Die Polizisten verloren keine Zeit – sie sprangen sofort in ein Polizeiauto, fuhren zu der verlassenen Hütte und umstellten sie. Justus wurde verhaftet, bevor er begriff, wie ihm geschah.

»Sie werden uns doch über alles informieren, was er Ihnen erzählt, nicht wahr?«, fragte Georg den Inspektor besorgt.

»Das tue ich bestimmt, Fräulein Kirrin. Versprochen!«, sagte der Einsatzleiter lächelnd. »Das sind wir euch Kindern schuldig.«

Und er hielt sein Versprechen schon am nächsten Morgen, als Georg und die anderen bei der Polizeistation vorbeischauten, um zu hören, ob es etwas Neues gab.

»Wir haben den Vetter eures Freundes ins Gefängnis

der nächsten Stadt gebracht«, erklärte er ihnen. »Er sitzt wegen Überfalls, illegalen Waffenbesitzes und Einbruchs in Untersuchungshaft. Eine ganz hübsche Liste! Die Kollegen in der Stadt haben ihn verhört, aber sie haben nicht viel aus ihm rausbekommen. Er kann nicht leugnen, den Safe des alten Darcy gesprengt zu haben, weil er seine Fingerabdrücke auf der Panzertür hinterlassen hat. Aber er weigert sich zu sagen, wo er das gestohlene Gold und die Juwelen versteckt hat.«

»Seine Hütte haben Sie sicherlich schon durchsucht, nicht wahr?«, fragte Anne.

»Das haben wir allerdings schon getan, mein Fräulein«, antwortete der Polizist lächelnd. »Das war unsere allererste Aktion! Aber wir haben nichts gefunden, obwohl wir sogar die Dielen herausgerissen und den Grund weit um die Hütte herum aufgegraben haben.«

Den Kindern war die Enttäuschung anzusehen.

»Aber habt keine Sorge«, sagte der nette Polizist. »Früher oder später machen wir das Eigentum eures Freundes ausfindig. Das ist nur eine Frage der Zeit.«

Die Kinder machten sich auf den Weg zu Peter. Am Abend zuvor hatte man sie außerhalb der Besuchszeit hereingelassen, damit sie ihm von Justus' Verhaftung berichten konnten, und er hatte ihnen herzlich zu ihrem Erfolg gratuliert. Jetzt wünschten sie sich, sie hätten bessere Neuigkeiten für ihn. Aber er sah ganz fröhlich aus. Seinem Knöchel ging es viel besser und er konnte schon auf Krücken herumlaufen. Er sprach davon, das Krankenhaus zu verlassen und in Haus Schönfeld einzuziehen, wenn die Ärzte meinten, er könne es riskieren.

Die Kinder verstanden gut, warum er das wollte, aber offensichtlich musste jemand bei ihm im Haus sein und auf ihn aufpassen, solange er noch Krücken brauchte. Als sie der lieben alten Johanna davon erzählten, sagte sie, ihre Kusine Marlies, die auch in Felsenburg wohne, könne vielleicht helfen. Und bald war alles arrangiert! Marlies sagte, sie freue sich, Peter den Haushalt zu führen, wenn er aus dem Krankenhaus entlassen werde. Noch am selben Nachmittag gaben ihr die Kinder die Schlüssel von Haus Schönfeld und sie machte sich an einen gründlichen Frühjahrsputz – oder vielmehr Sommerputz, denn es war ja schon Mitte August.

»Der Arzt meint, ich kann am Montag nach Hause!«, verkündete Peter den Kindern. »Das Personal hier im Krankenhaus war sehr nett, aber ich bin doch froh, in Schönfeld einzuziehen. Ich habe schöne Erinnerungen daran, wie ich als kleiner Junge dort bei meinem Großvater zu Besuch war.«

Der nächste Tag war ein Sonntag, und die Fünf Freunde fuhren noch einmal zu Justus' Hütte, um zu sehen, ob sie nicht doch eine Spur des Schatzes finden konnten. Sie gaben nicht auf! Aber so gründlich sie auch die Hütte selbst und das Unterholz dahinter durchsuchten, sie hatten doch nicht mehr Glück als die Polizei. Sie fanden absolut nichts!

Am Montag halfen sie Peter Darcy bei seinem Umzug. Marlies hatte das Haus hell und freundlich für ihn herausgeputzt, und während sie seine Sachen auspackte, redeten Peter und die Kinder wieder einmal über den verlorenen Schatz.

»Er muss doch irgendwo sein«, sagte Georg. »Und ich bin fest entschlossen, ihn zu finden!«

Die anderen dachten genauso. Und so begaben sie sich am Nachmittag noch einmal zu Justus' Hütte. Sie glaubten, wenn sie nur weitersuchten, könnten sie vielleicht doch etwas finden – obwohl Peter selbst keine große Hoffnung hatte und meinte, er würde sein Eigentum nie zurückbekommen.

»Wenn ich ein Einbrecher wäre«, sagte Georg nachdenklich, »würde ich meine Beute mit Sicherheit in meiner Nähe haben wollen – an irgendeiner Stelle, wo ich sie im Auge behalten und mich diebisch über sie freuen kann.«

»Was wir brauchen, ist ein Bulldozer«, seufzte Richard düster. »Dann könnten wir den Boden kilometerweit um die Hütte herum aufgraben.«

»Ein Bulldozer?«, sagte Julius lachend. »Warum nicht auch eine Armee Holzfäller, wo du gerade dabei bist, Richard? Die könnten dann jeden Baum des Wäldchens umhauen. Denn wir wissen doch genau, dass der Schatz in einem der Wipfel versteckt ist.«

»Ich glaube, wir finden das Versteck schneller, wenn wir eine Nadel in eine Landkarte stechen«, meinte Anne.

»Na, dann mach das mal, steck Nadeln in eine Karte, wenn du meinst, das bringt uns weiter!«, lachte Richard seine Schwester aus.

»O, hört auf rumzukaspern, alberner Haufen!«, fuhr Georg dazwischen. »Hier stehen wir, und was wir …«

Plötzlich hielt sie inne. Die Kinder hatten die einsame Stelle erreicht, wo Justus' Hütte stand – aber zu ihrer Überraschung hörten sie Stimmen in dem heruntergekommenen Gebäude. Tim fing an zu knurren, und

Georg befahl ihm schnell, still zu sein. Gefolgt von den anderen, schlich Georg zu einem der Sprossenfenster, von dem mehrere Scheiben zerbrochen waren.

In der Hütte entdeckte sie zwei Männer, die mit großem Elan alles durchsuchten!

Sie waren sich offensichtlich so sicher, allein zu sein, dass sie es nicht für nötig hielten, leise zu sprechen. »Is doch zum Verrücktwerden!«, rief einer. »Nix zu finden! Die Bullen sind wohl vor uns da gewesen. So 'n Pech!«

»Stimmt«, gab ihm der andere Recht. »Sieht uns ähnlich, dass wir erst heut Morgen von Justus' Verhaftung gehört haben! Osse, hättst du gedacht, dass der mal so 'n Fang macht?!«

Der Mann, der mit Osse angeredet worden war, schüttelte den Kopf. »Das is 'n ganz Schlauer!«, fügte er hinzu. »Gute Kumpel sind wir, wir drei, ham wir gedacht, was? Aber hat er auch nur ein Wort zu uns gesagt von seinem Plan? Der nich! Austricksen wollte er uns, der kleine Scheißer! Alles für sich behalten wollte er!«

»Genau!«, stimmte der andere zu. »Haut einfach ab – ohne Vorwarnung!«

»Na, da war die Polizei doch schon hinter ihm her, Fred«, sagte Osse.

Der Mann mit Namen Fred, ein bulliger, stark be-haarter Typ, der fast wie ein Gorilla aussah, kniete auf dem Boden und untersuchte die Bohlen. Doch nun richtete er sich auf.

»Aua! Tut dem Rücken nich gut, dieses Rumgekrie-che auf dem Boden! Wir verschwenden unsere Zeit, Osse. Justus hat die Beute woanders versteckt.«

»Wir ham einfach kein Glück! Wär so nett gewesen, gerade jetzt seinen Fang in die Finger zu kriegen!«

Julius winkte den anderen und die Fünf Freunde schlichen leise zu dem Wäldchen hinter der Hütte. Dort gingen sie in Deckung.

»Wir hätten nichts Interessantes mehr zu hören be-kommen, wenn wir noch geblieben wären«, erklärte Julius. »Und je länger wir geblieben wären, desto grö-ßer wäre das Risiko geworden, dass sie uns entdecken. Seht mal – da kommen sie aus der Hütte!«

Und richtig, da kamen Osse und Fred aus der Hütte und gingen zur Landstraße und weiter Richtung Fel-senburg.

»Oje«, seufzte Anne. »Ich finde das überhaupt nicht lustig! Peters Schatz ist verschwunden, und obwohl Justus verhaftet worden ist, sind jetzt außer uns auch noch diese beiden Männer hinter ihm her.«

Anne hatte Recht – die Aussichten waren schlechter geworden. Jetzt ging es nicht mehr nur darum, den Schatz zu suchen. Von nun an mussten sich die Fünf Freunde auch vor diesen beiden zwielichtigen Gestalten in Acht nehmen, die offensichtlich mit Justus schon ein paar krumme Dinger gedreht hatten.

Als die Kinder Peter erzählten, was sie gesehen hatten, versuchte er alles, um sie davon zu überzeugen, die Schatzsuche aufzugeben. Aber er erreichte nichts!

»Aufgeben?«, sagte Georg schockiert. »Die Fünf Freunde geben niemals auf! Komme, was wolle, wir werden diesen Schatz für dich zurückholen!«

»Georg, das ist sehr nett von euch, aber ich denke, ihr schafft es nicht, und mir wäre es wirklich lieber, wenn ihr es nicht weiter versucht«, sagte der junge Mann bestimmt. »Ihr begebt euch nur unnötig in Gefahr. Sobald ich wieder richtig laufen kann, werde ich die Sache selbst in die Hand nehmen.«

»Aber im Moment brauchst du noch Krücken, also kannst du noch nicht richtig laufen«, stellte Richard klar. »Und wir können nach dem Schatz suchen! Ich meine, du kannst uns nicht daran hindern, oder?«

Peter musste zugeben, dass Richard damit Recht hatte.

»Aber ihr werdet vorsichtig sein, versprecht ihr das?«, bat er besorgt.

»Natürlich werden wir das!«, versprach Georg. Peter sah sie unsicher an und sie fügte unschuldig hinzu: »Wir sind immer vorsichtig! Ich besonders! Und ich habe gute Einfälle. Ich glaube, ich habe gerade wieder einen.«

Wieder auf Schatzsuche

Georgs Geistesblitz kam bei den anderen nicht so gut an. Ihre Intuition sagte ihr – behauptete sie –, dass der Schatz wirklich in der Umgebung von Justus' Hütte sei, und sie bestand darauf, die folgenden drei Tage mit den anderen immer wieder dorthin zurückzukehren.

»Er muss einfach irgendwo hier sein«, sagte sie.

Sie versuchten aber dennoch, das Versprechen, das sie Peter gegeben hatten, zu halten. Sie hatten das Gefühl, dass Fred und Osse wieder kommen würden, und deshalb ließen sie Tim Wache halten, während sie suchten. Er sollte sie warnen, wenn sich ein Fremder näherte.

Und Tim, der ein ausgezeichneter Wachhund war, zeigte sich seiner Aufgabe völlig gewachsen. Die Kinder waren gerade dabei, ein paar hohle Baumstämme zu untersuchen, als er anschlug. Sie hatten gerade noch Zeit, sich im Unterholz zu verstecken, bevor Osse und Fred zwischen den Bäumen auftauchten. Die beiden Männer hatten Spitzhacken dabei und hackten damit hier und da den Boden auf. Sie schienen aber nicht besonders methodisch vorzugehen. Und immer wieder stießen sie wütende Verwünschungen aus, in denen »dieser hinterhältige Justus« die Hauptperson war.

»Sie suchen völlig planlos«, flüsterte Richard verächtlich. »Es wäre ein Wunder, wenn sie den Schatz fänden.«

»Ja – und es wäre gar nicht fair. Aber das Leben ist eben nicht immer fair«, sagte Julius.

Doch Anne und Georg hatten schnell herausgefunden, dass es eine ganz einfache Erklärung für das unsinnige Verhalten der Männer gab: Sie hatten etwas zu viel getrunken – vielleicht um sich Mut für die Fortsetzung der harten Sucharbeit zu machen. Und der Alkohol bewirkte, dass sie sich nun so dumm und missgelaunt benahmen.

Am Morgen des vierten Tages standen die Kinder Fred und Osse trotz aller Vorsichtsmaßnahmen schließlich doch von Angesicht zu Angesicht gegenüber. Es war nicht Tims Schuld gewesen. Der gute Hund hatte jemanden auf der Straße entdeckt und rannte bellend auf ihn los. Doch der Mann, den er gesehen hatte, war ein völlig unschuldiger Passant. Während Tim auf ihn zu-

jagte, fanden Fred und Osse, die eine Abkürzung durch das Wäldchen genommen hatten, die Kinder damit beschäftigt, wieder einmal die Umgebung der Hütte zu untersuchen. Die beiden Männer schöpften sofort Verdacht.

»He, was macht ihr Kinder denn hier?«, fragte Osse mit schwerer Zunge, was den Kindern sofort verriet, dass er wieder getrunken hatte.

»Spioniert uns nach, was?«, fügte Fred hinzu.

Georgs graue Zellen liefen schon auf Hochtouren! Sie blickte überrascht auf.

»Ach, ich verstehe!«, sagte sie lachend. »Sie sind unsere Konkurrenz, oder? Sie nehmen wohl auch an der Schatzsuche teil.«

Julius, Richard und Anne sahen ihre Kusine erstaunt an. War Georg völlig verrückt geworden?

Osse nahm eine drohende Haltung ein und ging einen Schritt auf Georg zu.

»Hast du ›Schatz‹ gesagt, Bürschchen?«, fragte er streng und packte Georg bei den Schultern. »Also weißt du, wo er ist, was?«

Georg sah ihn so unschuldig wie möglich an.

»Natürlich nicht!«, gab sie zur Antwort. »Wenn wir das wüssten, würden wir ihn doch nicht suchen. Können Sie mir bitte sagen, ob Sie hier irgendwo Konfetti gesehen haben? Die Veranstalter der Schatzsuche haben gesagt, sie hätten den Weg zum Schatz mit Konfetti markiert. Wenn Sie etwas gesehen haben, wäre es sehr nett, wenn Sie's uns verrieten. Es wäre kein Problem, denn diese Schatzsuche ist eigentlich nicht für Erwachsene – und es würde uns wirklich sehr helfen!«

Fred zog die Augenbrauen hoch und grunzte: »Was faselt der Junge denn da?«

Inzwischen hatte Richard begriffen, was für eine tolle Nummer Georg hinlegte! Er nahm den Faden auf und meldete sich nun auch zu Wort.

»Sie redet von der Schatzsuche des Jugendklubs Felsenburg. Der Schatz ist ein brandneues Fahrrad. Sie verstehen wohl, warum wir so dahinter her sind.«

Osse war plötzlich sehr erleichtert und brach in schallendes Gelächter aus. Doch dann wurde er wieder ernst.

»Okay, Kinder, ihr verschwindet jetzt hier!«, sagte er und winkte befehlend mit der Hand. »Wir haben genug von euch! Eine Schatzsuche – haha!« Er begann wieder zu lachen. »Das ist ein guter Witz!«

Die Kinder und Tim liefen los, so schnell sie konnten. Aber so leicht waren sie nicht zu verjagen! Am

Nachmittag desselben Tages kehrten sie zur Hütte zurück.

»Es hat keinen Sinn, da zu suchen, wo diese Idioten mit ihren Spitzhacken rumgebuddelt haben«, entschied Julius. »Lasst es uns weiter von der Hütte weg versuchen. Wir haben uns den Teil des Waldes dort drüben bisher noch nicht so richtig angesehen.«

Und dieses Mal war das Glück auf der Seite der Kinder! Es war Georg, die die entscheidende Entdeckung machte. Plötzlich sah sie am Fuß einer großen Eiche einen Moosteppich, der auf merkwürdige Art vertrocknet war. Die gelbe Moosfläche bildete ein großes, eindeutig zu erkennendes Rechteck.

»Hoppla! Kommt mal alle her und seht euch das an!«, rief sie.

Julius, Richard, Anne und Tim rannten zu ihr.

»Mannomann! Hier hat sicher jemand was vergraben«, sagte Julius. »Und dann hat er das Moos wieder draufgelegt – aber es hat seit Ewigkeiten keinen Tropfen geregnet. Deshalb ist das Moos ausgetrocknet.«

»Ob der Schatz wohl da drunter liegt?«, flüsterte Anne.

»Das werden wir erst wissen, wenn wir gegraben haben«, meinte Richard. »Ich schlage vor, wir kommen heute Abend zurück, dann werden uns die beiden Säufer wohl nicht stören. Wie wird Peter sich freuen, wenn wir hier wirklich den Schatz finden!«

»Verteile das Fell des Bären nicht, bevor er erlegt ist«, warnte Julius seinen Bruder. Und da ihm gerade nach Sprichwörtern zumute war, fügte er noch hinzu: »Man soll den Tag nicht vor dem Abend loben«, und duckte sich, um Richards angedeutetem Faustschlag auszuweichen.

Also kamen die Fünf Freunde am Abend in den Wald zurück, bewaffnet mit Spaten und Spitzhacken. Sie machten sich sofort an die Arbeit, und es dauerte nicht lange, da traf Richards Spitzhacke auf einen metallenen Gegenstand.

»He!«, riefen die anderen. »Was ist es?«

Der Gegenstand entpuppte sich als eine schwere eiserne Kassette. Den Kindern gelang es, das Vorhängeschloss mit den Werkzeugen, die sie mitgebracht hatten, aufzubrechen – und als sie den Deckel lüfteten, schrien sie alle vor Freude auf!

»Die Goldbarren!«, rief Anne glücklich. »Da sind sie tatsächlich!«

»Und die Edelsteine!«, sagte Richard, indem er eine von sechs kleinen Schachteln öffnete, die zwischen den

275

Goldbarren verborgen waren. »Sieh nur, diese Schachtel ist voller Diamanten!«

»Und diese voller Smaragde«, ergänzte Georg, die eine andere Schachtel geöffnet hatte. »Sie sind alle sorgfältig in Watte gepackt – na, wenigstens das hat Justus gut gemacht!«

Julius war der Erste, dem der Gedanke an die technischen Schwierigkeiten kam, vor denen sie jetzt standen. »Hört mal, wir können diese Goldbarren nicht einfach mitnehmen«, sagte er. »Sie sind zu schwer. Wir müssen sie hier lassen – und Peter kann die Polizei bitten, vorbeizukommen und sie mit einem Transporter abzuholen. Aber wir können die Edelsteine mitnehmen. Die lassen sich leicht tragen.«

Also steckten die Kinder die Schachteln in ihre Taschen und bedeckten die eiserne Kassette wieder mit Erde. Sie waren damit noch nicht fertig, da hörten sie Tim bellen.

»Wir müssen uns beeilen!«, sagte Julius. »Da kommt jemand!«

Doch obwohl sie die Spaten durch die Erde fliegen ließen, waren sie nicht schnell genug! Sie schaufelten immer noch Erde zurück, als Osse und Fred sich vor ihnen aufbauten und sie drohend ansahen.

»Oho!«, sagte Osse. »Grabt wohl nach 'm Fahrrad, was? Das Märchen kaufen wir euch aber nicht ab!«

Georg überlegte blitzschnell – und plötzlich fiel ihr ein, wie sie Osse und Fred doch noch auf eine falsche Fährte locken konnte. Was auch immer geschah, die beiden Männer durften nicht auf die Idee kommen, dass die Kinder gerade dabei waren, die Kassette wieder zu vergraben, nachdem sie sie geöffnet hatten! Georg musste sie glauben machen, dass die Fünf Freunde gerade eben erst mit dem Ausgraben begonnen hatten. Und um die Geschichte, die sie gleich erzählen wollte, glaubhafter zu machen, entschied sie sich dafür, das Märchen von der Schatzsuche fortzusetzen.

»Also, irgendwie graben wir schon nach dem Fahrrad«, sagte sie mit ihrem freundlichsten Lächeln. »Wissen Sie, wir müssen eine Blechbüchse ausgraben, in der ein Zettel liegt, auf dem steht, dass derjenige, der mit diesem Zettel zum Jugendklub zurückkommt, das neue Fahrrad bekommt. Das ist der erste Preis der großen Schatzsuche in diesem Jahr, verstehen Sie?«

Richard kam ihr zu Hilfe. »Sie wollen uns doch nicht daran hindern, es zu gewinnen?«, sagte er und klang sehr besorgt. »Ich meine, was können Sie denn mit einem Kinderfahrrad anfangen?«

Doch Osse kam die Sache immer noch verdächtig vor. »Ihr Gören bleibt genau da, wo ihr jetzt steht!«, sagte er. »Fred, lass sie nicht aus den Augen. Ich werd mal 'n bisschen graben.«

»Sie haben kein Recht, uns den Zettel für das Fahrrad zu stehlen!«, meldete sich Julius mit nörgelnder Stimme. »Es ist für meine kleine Schwester hier – wenigstens wollen wir es für sie gewinnen, klar? Sie braucht das neue Fahrrad ganz dringend! Stimmt's, Anne?!«

»O ja!«, seufzte Anne pathetisch.

Tim hätte sich am liebsten auf die Männer gestürzt, aber Georg war sich bewusst, dass die Situation für die Fünf Freunde nicht günstig war, und sie zischte ihrem Hund zu, er solle sich still verhalten.

Es dauerte nicht lange und Osse hatte die eiserne Kassette wieder ausgegraben. Zum Glück war er darüber so erfreut, dass er gar nicht merkte, dass das Vorhängeschloss aufgebrochen worden war. Er und Fred jubelten vor Freude, als sie die Kassette öffneten und das Gold entdeckten. Anne dachte, nun sei ein guter Moment, ihren Teil zu der Komödie beizutragen, die die Fünf Freunde vor den beiden Männern spielten.

»Wie schade«, sagte sie und klang sehr enttäuscht. »Das ist ja gar nicht die Büchse mit dem Schatz.«

Die beiden Männer brüllten vor Lachen. Doch plötzlich wurden sie still und sahen die Kinder so merkwürdig an, dass es denen kalt über den Rücken lief.

»Hm – bevor wir das Gold einsacken, sollten wir vielleicht diese neugierigen Gören loswerden«, murmelte Fred.

Die rettenden Lassos

»Na, 's wird schon nich so schwer sein, sie aus dem Weg zu schaffen«, meinte Osse. »Wir müssen sie nur aufhängen – und das Seil dafür haben sie uns freundlicherweise auch schon mitgebracht.«

Er wies auf die Lassos, die Richard und Georg aufgerollt am Gürtel trugen. Fred und Osse ließen die Kinder sich zu zweit Rücken an Rücken stellen und fesselten jedes Paar mit einem Lasso aneinander.

Schließlich wurde auch noch Tim mit dem Halsband an das Seil, mit dem Julius und Anne gefesselt waren, gebunden, und als der Hund anfing zu bellen, sagte Fred drohend: »Lass das sein oder ich schlag dir mit dieser Hacke den Schädel ein!«

Georg hätte ihn dafür umbringen können, aber sie befahl Tim lieber, ruhig zu bleiben. Die Fünf Freunde waren nun völlig hilflos! Sie mussten ruhig stehen bleiben und zusehen, wie die beiden Männer die eiserne Kassette ganz ausgruben.

»Das Gold is da, aber stand inner Zeitung nich auch was von Edelsteinen?«, fragte Osse plötzlich.

»Hast Recht«, antwortete Fred. »Aber die sind nich dabei, also wird sie dieser verdammte Justus wohl woanders versteckt haben, um auf Nummer Sicher zu gehen.«

»Wieder Pech gehabt!«, sagte Osse säuerlich.

»Nu freu dich doch mal, Kumpel!«, meinte Fred. »Hier haben wir doch genug, um den Rest unserer Tage im Luxus zu schwelgen!«

»Okay ... aber wir müssen das Zeug erst noch wegbringen und es hat ein ziemliches Gewicht. Geh und hol den Transporter von der Straße. Ich kümmer mich inzwischen um die Gören.«

Georg und die anderen fühlten wieder einen kalten Schauer über ihren Rücken laufen. Sie hatten gedacht, dass sie nur gefesselt würden – die Aussicht, dass Osse sich um sie »kümmern« wollte, gefiel ihnen gar nicht. Natürlich waren sie Zeugen und konnten die beiden Männer in große Schwierigkeiten bringen – aber wollten die sie deshalb tatsächlich umbringen?

So schlimm kam es dann aber doch nicht. Während Fred den Transporter holte, brachte Osse die Kinder zur Hütte. Sie konnten nur ganz kleine, schlurfende Schritte machen, denn ihre Knöchel waren zusammengebunden. Als sie endlich in der Hütte waren, befahl

Osse ihnen, sich auf den Boden zu legen, und band die Knoten noch fester.

»Ihr werdet hier wie gute, brave Kinder liegen bleiben, bis jemand kommt und euch befreit. Und ihr könnt von Glück sagen, wenn das passiert, bevor ihr verhungert seid!«

Die Kinder fanden die nächsten Minuten gar nicht komisch. Osse ging raus und schloss die Tür hinter sich. Dann hörten sie, wie Fred mit dem Transporter heranfuhr, und sie begriffen, dass er und Osse nun die Goldbarren aufluden.

Aber das Schlimmste sollte noch kommen! Anstatt mit ihrer Beute gleich wegzufahren, kamen die Männer zurück in die Hütte, griffen sich ein paar alte Planken, die in einer Ecke herumlagen, und gingen damit wieder zur Tür hinaus.

»Hol 'n Hammer und 'n paar Nägel – sind im Werkzeugkasten im Auto«, sagte Osse zu seinem Komplizen. Dann hob er seine Stimme, damit die Kinder ihn verstanden, und sagte zu ihnen: »Wir werden die Tür und die Fenster mit Brettern vernageln! Man kann nicht vorsichtig genug sein, oder? Wir wolln doch nich, dass ihr zu schnell abhaut!«

Die Hammerschläge klangen den Kindern laut und

unheildrohend in den Ohren. Sie dachten daran, dass die alte Johanna wahrscheinlich erst am nächsten Morgen bemerken würde, dass sie nicht nach Hause gekommen waren. Dann würde sie Kontakt mit Peter Darcy aufnehmen und zweifellos würden die beiden dann die Polizei alarmieren und ihr von der Schatzsuche bei der Hütte erzählen – aber zu diesem Zeitpunkt würden Osse, Fred und das Gold schon weit weg sein. Die Polizei fahndete ja noch nicht nach Justus' alten Komplizen! Würde man jemals wieder etwas von ihnen und ihrer Beute sehen? Die Fünf Freunde hatten das Gefühl, genau in dem Moment versagt zu haben, als sie schon beinahe Peters Besitz zurückerobert hatten! Das Einzige, was sie etwas aufheiterte, war der Gedanke an die Schachteln mit den Juwelen, die sie in ihren Taschen hatten.

Vor der Hütte heulte der Motor des Transporters auf. Die Kinder konnten hören, wie er langsam in der Ferne verschwand. Es wurde still. Die Nacht brach herein und in der Hütte wurde es stockfinster.

Die arme kleine Anne weinte leise. Tim dagegen erstickte fast bei seinen Versuchen, sich zu befreien. »Na, jetzt sitzen wir ganz schön in der Tinte«, murmelte Georg ärgerlich.

»Aber es gibt auch etwas Positives – unsere Freunde Fred und Osse haben nicht daran gedacht, uns zu durchsuchen«, bemerkte Richard.

»Das stimmt«, sagte Julius. »Wir können Peter wenigstens die Diamanten und Smaragde zurückgeben. Man könnte sagen, wir haben es nur halb verpatzt.«

»Ja«, ließ sich Anne kläglich hören, »aber wir sind hier trotzdem gefangen.«

Plötzlich hörten sie ein scharfes, reißendes Geräusch und ein Japsen von Tim. Der arme Hund hatte so heftig mit dem Seil gekämpft, dass sein Halsband zerrissen war. Er verlor das Gleichgewicht und streckte alle viere von sich.

»He, gut gemacht, Tim!«, rief Georg aus. Sie freute sich sehr, als ihr treuer Freund sich berappelte und zu ihr kam, um ihr das Gesicht zu lecken. »Hört mal alle her – Tim ist frei. Tim, jetzt musst du uns helfen freizukommen.«

Sie und Richard waren so eng aneinander gefesselt, dass sie kaum Luft holen konnten – es war höchste Zeit, dass Tim ihnen zu Hilfe kam. Zum Glück hatte er gute, starke Zähne, und er brauchte nicht lange, um zu verstehen, was sein Frauchen von ihm wollte. Sie musste ihm nur befehlen: »Beiß, Tim! Braver Hund!

Beiß!«, und er nahm das Stück Seil, das sie ihm so dicht wie möglich vors Maul hielt, zwischen die Zähne. Den Trick hatte sie mit Tim trainiert, und er gab nun, da es wirklich drauf ankam, sein Bestes!

Faser für Faser biss er das Seil durch und endlich riss es entzwei. Danach brauchten Georg und Richard nicht mehr lange, um sich vom Rest ihrer Fesseln zu befreien. Georg gab Tim einen dicken, herzhaften Dankeschön-Kuss auf die Nase und beeilte sich dann, gemeinsam mit Richard Julius und Anne loszubinden.

Bald standen die Kinder wieder in der Hütte. »Wenn es nur nicht so dunkel wäre, dann könnten wir vielleicht einen Weg finden, um hier rauszukommen«, sagte Julius.

Und plötzlich flutete, wie eine Antwort auf seinen Wunsch, silbernes Licht in die Hütte! Einen Moment lang waren die Kinder sprachlos – dann begann Georg zu lachen und deutete zum Dach hinauf. Es hatte ein großes Loch, und der Mond, der gerade hinter einer Wolke hervorgekommen war, schien hindurch, als wollte er sich die jungen Gefangenen aus der Nähe ansehen.

»Na bitte, du wolltest Licht – und da hast du es, Ju!«, sagte Georg. »Und außerdem zeigt uns der Mond einen Fluchtweg. Ist das nicht nett von ihm?!«

»Du hast Recht«, sagte Julius. »Wir können durchs Dach raus.«

»Aber wie denn?«, fragte Anne zweifelnd. »Das sieht ganz schön hoch aus.«

»Wir nehmen einfach unsere Lassos!«, rief Richard.

Er knotete die beiden Seile zusammen. Dann warf er gekonnt ein Ende des doppelt langen Seils über einen der Balken, die in das Loch im Dach ragten.

Georg konnte sich ein Lachen nicht verkneifen. »Ich

muss schon sagen – Fred und Osse sind nicht so schlau, wie sie dachten«, sagte sie. »Sie haben sich um Tür und Fenster gekümmert, aber das Dach vergessen. Also, dann wollen wir mal hinauf! Das ist so ähnlich wie damals, als wir aus dem Abteil des umgestürzten Zuges geklettert sind – Übung haben wir also.«

Georg kletterte als Erste das Seil hinauf. Als sie auf dem Dach angekommen war, zog sie Tim zu sich hoch. Richard war der Nächste und dann kam Anne. Sie hatte ein bisschen Angst, aber Julius blieb unten stehen und versprach, sie notfalls aufzufangen. Julius selbst kam als Letzter das Seil hinaufgeklettert.

Das Lasso war genauso nützlich, um sich vom Dach abzuseilen. Sie banden es um einen Balken am Ende des Daches und kletterten daran hinunter. Danach brachte es Richard auch noch fertig, das Lasso vom Ende des Balkens loszuschlenkern. Es fiel zur Erde und Richard rollte es sauber auf – Georg und er wollten ihre guten Lassos schließlich nicht verlieren.

Der ganze Ausbruch war sehr rasch vonstatten gegangen. Die Fünf Freunde verloren keine Zeit und machten sich, so schnell sie konnten, zum Haus Schönfeld auf. Als sie das Anwesen erreicht hatten, fielen sie mehr von ihren Fahrrädern, als dass sie abstiegen, und klingelten laut und lange an der Haustür.

Marlies, die gerade eingeschlafen war, kam gähnend herbei und öffnete die Tür. »Was Johanna sich wohl dabei denkt?«, brummelte sie. »Was für eine Idee, euch Kinder zu dieser nachtschlafenden Zeit draußen herumfahren zu lassen.«

Peter Darcy kam mit einem besorgten Gesichtsausdruck aus seinem Zimmer, im Pyjama und auf Krücken. Der hellte sich aber auf, als er die Kinder gesund und munter vor sich stehen sah.

»Ehrlich, ihr habt mir vielleicht einen Schrecken eingejagt!«, sagte er. »Den ganzen Abend habt ihr nichts von euch hören und sehen lassen. Ich dachte schon, es wäre etwas Schreckliches passiert.«

»Es ist auch etwas Schreckliches passiert«, gestand Julius. »Oder zumindest etwas halb Schreckliches. Aber hier ist erst mal die gute Nachricht. Schau – deine Edelsteine!«

Und vor Peters erstaunten und zunehmend freudestrahlenden Augen breiteten die Kinder die Diamanten und Smaragde aus. Dann erzählten sie ihm das ganze Abenteuer. Peter begann, ihnen für alles zu danken, was sie für ihn getan hatten, aber Georg wehrte ab.

»Peter, mein Vater wird morgen wieder zurück sein«, unterbrach sie ihn. »Ich werde ihn bitten, nach Schönfeld zu kommen und dich zu besuchen, und er wird dich sicher im Auto zur Bank fahren. Dann brauchst du nur ein Schließfach zu mieten und deine Edelsteine werden absolut sicher sein. Was die Goldbarren angeht ...«

Nun war Peter an der Reihe zu unterbrechen. »Was die Goldbarren angeht, ist es Sache der Polizei, sie zu finden!«, sagte er nachdrücklich. »Ihr vier habt jetzt wirklich genug getan – ihr fünf, meine ich natürlich, ihr und Tim. Ich mag gar nicht an euer letztes Abenteuer denken. Diese beiden Männer hätten euch noch viel übler mitspielen können. Ich verbiete euch strengstens, euch noch mal in so eine Gefahr zu begeben!«

Peter war ganz blass geworden. Der Gedanke an die Gefahren, die die Kinder für ihn auf sich genommen hatten, erschreckte ihn und regte ihn sichtlich auf. Anne schenkte ihm ihr nettestes Lächeln.

»Mach dir keine Sorgen um uns, Peter«, bat sie ihn. »Wie du schon gesagt hast ...«

» ... ist es wirklich Sache der Polizei, die Männer zu finden und dafür zu sorgen, dass sie dein Gold rausrücken«, beendete Richard ihren Satz.

»Genau!«

Etwas später, als sie zum Felsenhaus zurückfuhren, sagte Georg ärgerlich zu Richard und Anne: »Was hat euch nur geritten, Peter zu versprechen, dass wir aufgeben? Ich für meinen Teil habe nicht die Absicht, so etwas zu tun. Ich werde weitermachen, bis der Fall gelöst ist – und ich merke schon, wie mir langsam eine Idee kommt.«

Georg kamen eigentlich ständig Ideen – und nicht nur langsam! Aber bevor sie den anderen ihren Geistesblitz mitteilen konnte, protestierte Richard: »Ich habe nie gesagt, dass wir aufgeben!« Er lachte. »Ich habe vor Peter nur so getan als ob, damit er sich abregt. Sonst wäre er noch Amok gelaufen und hätte Onkel Quentin dazu gebracht, uns zu verbieten, den verschwundenen Goldbarren nachzuforschen. Und du weißt, wie Onkel Quentin sein kann, wenn wir ihm nicht gehorchen.«

»Na, dann ist es ja gut«, sagte Georg und grinste ihn an. »Ja, wenn ich jetzt darüber nachdenke, hast du eigentlich gar nichts versprochen. Gut gemacht!«

Julius sah etwas bedrückt drein. »Georg, was ist mit deiner Idee?«, begann er. »Worum geht's? Manchmal sind deine Einfälle ein bisschen – na ja, chaotisch.«

Die Kinder waren beim Felsenhaus angekommen

und stiegen von ihren Rädern ab. »Du wirst schon sehen, alles zu seiner Zeit«, sagte Georg und öffnete leise das Gartentor. »Ich erzähl's euch morgen früh. Im Moment ist es viel wichtiger hineinzukommen, ohne dass Johanna merkt, dass wir den ganzen Abend weg waren. Es ist wirklich schon spät. Ich könnte im Stehen einschlafen. Wie steht's mit dir, Tim?«

Der gute Hund bellte ganz leise zur Antwort. Er schien zu verstehen, dass er Johanna nicht wecken durfte.

Die Fünf Freunde schliefen tief bis zum nächsten Morgen und hatten zum Frühstück einen Bärenhunger. Johanna war sehr überrascht, als die Kinder sie um noch ein paar Portionen Würstchen, Pilze und Tomaten baten, und sie verputzten außerdem einen ganzen Laib Brot mit Butter und Honig. Mit einem wohligen Gefühl im Magen gingen sie nach draußen in den Garten.

»Also, nun lass mal deine Idee hören, Georg«, baten Julius, Richard und Anne.

Georg war jetzt bereit, sie ihnen zu erzählen. »Gut, hier ist sie!«, sagte das mutige Mädchen. »Ich schlage vor, dass wir uns in die Diebe hineinversetzen. Als sie gestern die Goldbarren mitgenommen haben, hatten sie, glaube ich, nur einen Gedanken: ihre Beute an einen sicheren Ort zu bringen und sich selbst irgendwo zu verstecken, bis das große Hallo vorüber ist.«

»Na, das ist doch klar«, meinte Julius.

»Schön. Wenn Osse und Fred auch nur einen Funken Verstand hätten, würden sie genau das tun. Aber wie wir wissen, haben sie nicht viel im Kopf! Erinnert ihr euch an ihr dämliches Verhalten? Und Menschen, die habgierig und dumm sind, tun wahrscheinlich etwas Unbedachtes.«

»Worauf willst du hinaus?«, fragte Richard seine Kusine.

»Darauf: Ich glaube, diese beiden Idioten werden irgendwo halten, um die Lage zu überdenken, und sie werden sich sagen, weil sie Justus' Gold gefunden haben, werden sie seine Edelsteine auch noch ganz leicht finden. Also werden sie zurückkommen und ihre Suche bei der Hütte fortsetzen – natürlich ganz vorsichtig – und dann …« Georg unterbrach sich und sah die anderen mit leuchtenden Augen an. »Und dann werden wir da sein und sie erwarten! Wir beobachten die Hütte, und wenn unsere Freunde wieder auftauchen, informieren wir die Polizei und lassen die Burschen verhaften. Alles klar?«

»Alles klar!«, gaben Julius, Richard und Anne im Chor zurück.

»Wuff!«, machte Tim, und zwar so laut, dass Johannas Kochtöpfe in der Küche wackelten.

Noch am selben Tag begannen die Fünf Freunde, die Hütte und deren Umgebung zu bewachen. Vielleicht würde es eine lange, nervenaufreibende Tätigkeit werden, aber sie waren entschlossen, nichts falsch zu machen – sie waren sogar bereit, dafür nicht mehr zum Strand und zum Schwimmen zu gehen, was sie sonst so gern taten.

Tante Fanny und Onkel Quentin waren etwas erstaunt, als sie von ihrer Reise zurückkehrten und die Kinder eine neue Lieblingsbeschäftigung hatten: picknicken! Jeden Morgen fuhren sie weg, nahmen einen Picknickkorb mit und blieben den ganzen Tag fort. Peter Darcy hatte einen Verdacht, aber die Kinder waren vorsichtig genug, ihn nicht wissen zu lassen, was sie wirklich vorhatten.

Jeden Abend nach dem Abendessen schlichen sie heimlich aus dem Haus, fuhren zu der Hütte und blieben dort, solange sie konnten. Wenn sie spät in der Nacht wieder nach Hause kamen, waren sie jedes Mal enttäuscht – drei Tage lang passierte nichts. Es war eine furchtbar öde Zeit und ihre gute Laune schwand zusehends. Julius, Richard und Anne kam langsam der Verdacht, dass die Idee ihrer Kusine diesmal vielleicht nicht so besonders gut gewesen war.

Doch endlich, am Nachmittag des vierten Tages, hörten die Kinder, wie Tim laut und warnend knurrte. Schnell versteckten sie sich am Rand des Wäldchens und sahen zwei Männer näher kommen. Zwei Männer, die auf den ersten Blick zerlumpte, wenig vertrauenswürdig aussehende Landstreicher zu sein schienen.

Doch als sie genauer hinsahen, schwanden den Kindern alle Zweifel: Die beiden Landstreicher waren Osse und Fred, die sich verkleidet hatten!

Fred und Osse – ausgetrickst

»Sie sind es«, flüsterte Georg triumphierend. »Ich hatte Recht!«

»Pst!«, machte Julius. »Sie sehen sich so vorsichtig um – jetzt ist nicht der Moment, uns zu verraten! O gut, sie gehen zur Hütte. Ich glaube, die wollen sie noch mal durchsuchen. Lasst uns die Polizei holen.«

Das war sicherlich das Vernünftigste. Osse und Fred waren damit beschäftigt, die Bretter, die sie selbst an die Tür genagelt hatten, wegzureißen. Was für eine Überraschung würde sie drinnen erwarten! Keine gefesselten Kinder mehr da – und sie würden sich nicht erklären können, wie die Fünf Freunde aus der verrammelten Hütte geflohen waren! Jetzt hatten sie die Bretter entfernt und betraten die Hütte …

»Gehn wir«, zischte Julius. »Die Gelegenheit ist günstig!« Die Kinder wollten sich gerade nach Felsenburg aufmachen, als Osse aus der Hütte kam und auf das Wäldchen zuging. Er kam dicht an den Kindern vorbei, die sich ins Unterholz duckten, und verschwand dann zwischen den Bäumen.

»Mist!«, entfuhr es Richard. »Sie haben sich getrennt. Damit haben wir nicht gerechnet – wenn wir jetzt zur Polizei gehen, kriegen die vielleicht nur einen von beiden.«

»Ja«, meinte Anne betrübt. »Schade, aber das war's dann wohl.«

»O nein, das war's nicht!«, sagte Georg bestimmt. »Wir müssen uns nur einen neuen Plan ausdenken, das ist alles, und zwar schnell! Inzwischen dürfen wir Osses Spur nicht verlieren. Tim, das ist deine Aufgabe. Folg dem Mann – und dass er dich nicht sieht! Folg ihm – folg ihm und versteck dich!«

Tim war wirklich ein außergewöhnlich kluger Hund. Sein Frauchen hatte ihn darauf trainiert, bestimmte Befehle zu verstehen und ihnen sofort zu gehorchen. Er wedelte mit dem Schwanz und rannte Osse unverzüglich hinterher.

»Eigentlich ist es ganz nützlich, dass sie sich getrennt haben«, flüsterte Georg den andern dreien zu. »Das Glück kommt uns zu Hilfe und wir sind vier gegen einen, gegen den einen armen, alten Fred. Er ahnt ja nichts.«

»Du meinst, wir sollen ihn alle zusammen angreifen?«, fragte Richard. »Und ihn überwältigen?«

»Ich denke, wir können es schaffen«, sagte Julius nachdenklich. Er war ein vorsichtiger Junge – aber er war auch sehr groß und stark für sein Alter und Georgs Plan schien gelingen zu können.

Die Kinder verließen den Wald und schlichen verstohlen zur Hütte hinüber. Von drinnen drang das Geräusch einer Spitzhacke zu ihnen heraus.

»Das ist gut«, flüsterte Anne. »Der Lärm wird das Geräusch unserer Schritte übertönen.«

Doch dann stießen die Kinder auf ein unerwartetes Hindernis. Als sie durch die Bretter vor einem der Fenster linsten, konnten sie erkennen, dass Fred mit einer Spitzhacke fleißig den Boden bearbeitete – aber er stand mit dem Gesicht genau zur Tür. Wenn sie ihn angreifen wollten, würde er sie kommen sehen, und die Spitzhacke in seiner Hand sah nach einer sehr gefährlichen Waffe aus.

Diesmal hatte Julius eine Idee. »Das Dach«, flüsterte er. »Das Loch im Dach. Da könnten wir rein.«

Richard half Georg bereits nach oben. Als sie sich aufs Dach gezogen hatte, band sie ihr Lasso an den Balken, den sie schon einmal benutzt hatten, und die anderen kletterten nacheinander zu ihr hinauf. Unter ihnen hackte Fred immer noch fleißig den Boden auf und pfiff dabei vor sich hin. Er hatte überhaupt nichts mitbekommen.

»Und jetzt?«, fragte Anne sanft.

Julius spähte durch das Loch im Dach hinab. »Das ist gar nicht so tief«, flüsterte er. »Ich schlage vor, wir springen alle gleichzeitig hinunter, direkt auf Freddy drauf – der bremst unseren Fall. Und lasst uns hoffen, dass Osse so weit weg ist, dass er Fred nicht schreien hört.«

»Nein – ich habe eine bessere Idee!«, meinte Georg. »Lasst uns Fred mit dem Lasso einfangen. Ich bin ziemlich sicher, dass ich ihn packen kann – und wenn ihr mir alle helft, können wir ihn hochziehen. Wie einen Fisch aus dem Wasser.«

»Gute Idee!«, sagte Richard. »Und falls du ihn nicht kriegst, können wir uns immer noch auf ihn drauffallen lassen, wenn wir schnell genug sind.«

Fred hörte plötzlich auf, seine Spitzhacke zu schwingen. Er stand genau unter den Kindern. Er legte die Spitzhacke weg und nahm ein großes, kariertes Taschentuch aus seiner Tasche, um sich den Schweiß vom Gesicht zu wischen.

»Das ist der richtige Moment!«, zischte Julius. »Los jetzt, Georg! Viel Glück!«

Georgs Lasso zischte durch das Loch im Dach in die Hütte hinab. Fred sah hoch – und die Kinder konnten das Erstaunen in seinem Gesicht erkennen, als er sie dort oben aufgereiht erblickte. In diesem Moment zog sich die Schlinge auch schon unter seinen Achselhöhlen und um seine Brust zu. Er versuchte, sich freizustrampeln, aber es war zwecklos! Das Lasso wurde noch enger und er konnte nichts dagegen tun. Oben auf dem Dach standen die vier Kinder und zogen aus Leibeskräften an dem Seil.

Freds Füße hoben vom Boden ab. Mit einer gemeinsamen Anstrengung schafften es die Kinder, ihn noch etwas höher in die Luft zu ziehen.

Aber er war ein schwerer Mann – und er begann jetzt, ernsthaft zu kämpfen. »Schnell!«, zischte Julius. »Bindet das Seil um den Balken!«

Einen Augenblick später baumelte Fred am Ende des Lassos, seine Brust fest in der Schlinge. Je mehr er sich wehrte, desto enger zog sich das Seil um ihn.

Richard musste lachen. »Ich würde das lassen, wenn ich Sie wäre, alter Knabe!«, riet er Fred. »Dieser Stall hier ist ziemlich baufällig – wenn Sie noch wilder strampeln, löst sich vielleicht der Balken, aber vielleicht kommt auch gleich das ganze Dach mit runter

und begräbt Sie unter sich. Also verhalten Sie sich lieber ruhig, bis wir wiederkommen. Und es hat keinen Sinn zu schreien, denn es ist niemand in der Nähe.«

Mithilfe von Richards Lasso kamen die Kinder wieder vom Dach herunter. Als sie festen Boden unter den Füßen hatten, hielten sie Kriegsrat.

»Was machen wir jetzt?«, fragte Anne die anderen drei.

»Das ist doch klar«, klärte Richard sie auf. »Du radelst los und erzählst der Polizei, was hier geschieht, Anne. Du führst sie zur Hütte und übergibst ihnen unseren hübsch verschnürten Fred.«

»Ich denke, Julius sollte so lange hier bleiben und den Gefangenen bewachen«, sagte Georg. »Wir wollen schließlich vermeiden, dass er flieht. Währenddessen werden Richard und ich Tim folgen und versuchen, Osse zu fangen.«

»O nein, das werdet ihr nicht!«, sagte Julius bestimmt. »Erstens könnt ihr beide allein Osse niemals überwältigen, auch nicht mit Tims Hilfe. Zweitens hängt Fred hier völlig hilflos am Strick. Der entkommt uns also nicht. Und wir können auch Annes Unterstützung brauchen, wenn wir Osse wirklich fangen wollen.«

Georg dachte blitzschnell nach. »Du hast wahrscheinlich Recht«, sagte sie. »Und bis Anne die Polizei alarmiert hat und die hier angekommen ist, könnte Osse uns entwischt sein und zur Hütte zurückkehren und seinen Komplizen befreien.«

»Du sagst es«, ließ Richard sich hören. »Also bleiben wir alle zusammen – jetzt aber vorwärts! Osse, wir kommen!«

Und die Kinder liefen in die Richtung los, in der Osse verschwunden war.

Nachdem sie etwa hundert Meter in das Wäldchen hineingelaufen waren, hielt Georg an und begann, wie eine Drossel zu pfeifen. Die anderen drei standen ganz still neben ihr und warteten, aber nichts geschah.

»Ich hoffe nur, dass wir in die richtige Richtung gehen«, murmelte Georg. »Na gut, weiter jetzt!«

Fünfzig Meter weiter hielt Georg wieder an, um zu pfeifen, aber sie bekam noch immer keine Antwort.

»Verflixt!«, sagte sie. »Osse kann zum Graben doch nicht so weit in den Wald hineingegangen sein! Lasst es uns mal da drüben versuchen.«

Die vier Kinder wechselten die Richtung und wandten sich nach rechts. Kurz darauf pfiff Georg zum dritten Mal. Und einen Augenblick später hörten sie ein

Geräusch im Unterholz und Tims Kopf kam zum Vorschein. Der gute Hund sprang an seinem Frauchen hoch und leckte ihr liebevoll über das ganze Gesicht, aber er gab keinen Ton von sich – denn er wusste, wenn er »im Dienst« war, musste er ganz leise sein. Georg streichelte ihn lächelnd.

»Da bist du ja, Tim! Guter Junge!«, lobte sie ihn. »Ich weiß, du hast genau das gemacht, was ich dir gesagt habe. Braver Hund! Gut – zeig uns den Weg! Voran, Tim! Voran!«

Tim drehte sich sofort um und verschwand zwischen den Bäumen. Julius, Georg, Richard und Anne folgten ihm schweigend. Nun aber bremste er sein Tempo. Er sah ab und zu zurück, um sicherzugehen, dass sie noch hinter ihm waren.

Es dauerte nicht lange, da blieb er stehen und hielt eine Pfote in die Höhe. Seine Ohren waren gespitzt. Genau in diesem Moment hörten die Kinder das Geräusch eines Werkzeugs, das den Boden aufwühlte.

Sie beugten sich vor und erblickten ihr Opfer! Da stand Osse, ohne Hemd, und schwang mit seinen muskulösen Armen eine Spitzhacke. Erdbrocken flogen durch die Gegend, sooft er den Boden traf.

Er grub im Schatten einer großen Eiche, nicht weit

weg von der, wo die Fünf Freunde die eiserne Kassette mit dem Gold und den Juwelen entdeckt hatten.

»Ich würde gern wissen, warum er gerade unter diesem Baum gräbt«, flüsterte Anne.

»Auf gut Glück, vermute ich«, meinte Richard. »Irgendwo muss er ja anfangen, oder?«

»Pst!«, machte Julius. »Redet nicht so viel.«

Georg kroch ein Stück zurück und winkte den anderen, ihr zu folgen. »Aber reden müssen wir trotzdem«, sagte sie. »Wir müssen einen Plan schmieden – also macht Vorschläge, aber leise. Ich glaube nicht, dass Osse uns da drüben hören kann.«

Die Kinder blieben einen Moment lang stehen.

»In Ordnung«, meinte Julius. »Einen Plan! Na, was schlägst du vor, Georg? Mir fällt nichts anderes ein, als uns gemeinsam auf ihn zu stürzen.«

»Das haben wir bei Fred auch schon gedacht«, erinnerte Richard seinen Bruder. »Aber Osse ist viel kräftiger als Fred. Hast du seine Muskeln gesehen? Ich hätte nicht gedacht, dass er so stark ist.«

»Hört mal«, sagte Georg. »Die einfachste Idee ist meistens die beste: Warum fangen wir ihn nicht mit dem Lasso, genau wie Fred?«

Julius sah seine Kusine ironisch an. »Aus dem einzigen Grund, weil wir gerade kein Dach und keinen Balken bei uns haben«, bemerkte er.

»Da hast du Recht«, antwortete Georg, ohne sich aus dem Konzept bringen zu lassen. »Wir haben keinen Balken, aber wir haben etwas Besseres!« Und sie zeigte auf den Baum, unter dem Osse immer noch heftig grub. »Ein Ast ist doch genauso gut, oder?«

»Georg, sei nicht blöd«, bat Julius sie. »Wir müssten uns dicht an Osse vorbeischleichen, um da hochzukommen.«

»Nicht unbedingt. Erst klettern wir auf den Baum hier neben uns, und dann gehen wir rüber auf den nächsten Baum und dann auf den nächsten, bis wir auf der großen Eiche über Osse ankommen.«

»Willst du als Trapezkünstlerin zum Zirkus gehen? Hör doch auf, Georg!«, sagte Julius.

»Nein, ehrlich, Ju, das könnte klappen!«, versicherte seine Kusine ihm. »Hier stehen nur Eichen, und die haben dicke Äste, die unter unserem Gewicht nicht brechen werden. Und sie stehen so dicht beieinander, dass ihre Äste völlig miteinander verwachsen sind. Keiner von uns hat Höhenangst und dieser Weg bringt uns so sicher zum Ziel wie jeder andere.«

»Aber wie wollen wir denn überhaupt da hochkommen?«, fragte Julius. Er hatte immer noch Zweifel. »Der niedrigste Ast dieser Eiche ist schon viel zu hoch, den erreichen wir nicht mal, wenn wir hochspringen.«

»Du vergisst Richards Lasso«, sagte Georg.

Richard gefiel der Einfall seiner Kusine. Er nahm sein Lasso und warf es – und kurz darauf kletterten er und Georg den Baum hinauf. Julius, Anne und Tim folgten ihnen nicht – sie blieben am Boden und hielten sich bereit einzugreifen, wenn Osse von dem Lasso gepackt wurde.

Und nun begannen Richard und Georg ihre zirkusreife Akrobatik! Es war schon ziemlich riskant. Aber sie waren beide gelenkig und durchtrainiert und brachten es fertig, ohne große Mühe von Ast zu Ast und dann von Baum zu Baum zu springen.

Anne hielt den Atem an. Georg und Richard verschwanden bald aus ihrem Blick, verborgen im Eichenlaub.

»Lass uns ein bisschen näher rangehen«, flüsterte Julius. »Je dichter wir an Osse dran sind, desto schneller können wir handeln, wenn es so weit ist.«

Tim folgte ihnen. Sie waren bis auf ein paar Meter an Osse herangekommen, als sich die Ereignisse plötzlich überstürzten!

Richard hatte einen Ast über Osse erreicht und wollte gerade sein Lasso werfen, als er ausrutschte.

Er stieß einen Schrei aus und fiel kopfüber vom Baum herunter!

Da erhoben sich noch mehr Schreie – von Georg, die noch immer oben im Baum verborgen war, von Julius und Anne, die hinter einem Busch versteckt standen und schockiert zusehen mussten, wie ihr Bruder vom Baum fiel, und von Osse selbst, als Richard zielsicher auf seinem Rücken landete! Dann kugelten beide über den Waldboden.

So viel zu Georgs genialem Plan. Es sah so aus, als sei nun alles verloren – aber das war es nicht, noch nicht …

Georg begriff, dass sie den Vorteil nutzen mussten, der sich ihnen dadurch bot, dass sie Osse überrascht hatten. Sie ließ sich hinunterfallen und landete genau in dem Augenblick auf Osses Schultern, als dieser sich aufrichten wollte. Julius und Anne kamen schon herbeigelaufen, um den beiden anderen zu helfen. Tim schließlich bellte, als ob er ein Kriegsgeheul anstimmen wollte! Dann schlug er mit Genuss seine Zähne in Osses Bein. Richard war durch seinen Fall etwas aus dem Konzept gebracht worden, aber nur für einen Moment, dann sprang auch er auf Osse los.

Doch Osse war ein großer, starker Mann. Er teilte ein paar Schläge aus, schüttelte die Kinder ab und beugte sich vor, um seine Spitzhacke aufzuheben. Sie würde in seinen großen Händen zu einer furchtbaren Waffe werden!

Aber Tim ließ ihm nicht die Zeit, sie zu benutzen! Gerade als Osse sich niederbeugte und dem Hund dabei seinen Rücken zukehrte, sprang Tim los. Er bekam Osses Hosenbund zu fassen und riss mit aller Macht daran. Osse trug keinen Gürtel, und Tim zog so heftig, dass alle Knöpfe der Hose absprangen. Die Hose fiel und Osses rosa Unterhose kam zum Vorschein.

Das war so komisch, dass Anne lachen musste. Osse seinerseits griff automatisch nach der Hose, um sie wieder hochzuziehen, und vergaß darüber völlig die Spitzhacke. Seine wütenden Blicke trafen die Kinder. Die fanden, sie hätten in ihrem Leben noch nie etwas Komischeres gesehen: so einen großen Mann in so einer peinlichen Situation!

Georg nutzte die günstige Gelegenheit und handelte rasch. Sie ergriff die Spitzhacke. Und Tim setzte seinen Angriff fort, stolz auf das, was er gerade geleistet hatte. Der arme Osse! Er wusste nicht, was er noch tun sollte. Er hielt seine Hose mit einer Hand fest und versuchte, sich mit der anderen gegen Tim zu verteidigen. Georg hielt ihn mit der Spitzhacke in Schach. Und Julius, Richard und Anne hatten sich mit dicken Ästen bewaffnet und sahen sehr bedrohlich aus.

»Ich glaube, Sie sollten endlich aufgeben«, erklärte Georg dem Dieb. »Bleiben Sie ruhig stehen und lassen Sie sich fesseln – oder ich befehle meinem Hund, Hackfleisch aus Ihnen zu machen!«

Sie ließ die Spitzhacke in der Luft kreisen und sah wild entschlossen aus – also entschied sich Osse dafür, ihr zu gehorchen. Er ergab sich, und die Jungs hatten ihn mit Richards Lasso gefesselt, bevor er auch nur Pieps sagen konnte.

Die Polizisten von Felsenburg trauten ihren Augen kaum, als die Fünf Freunde an diesem Abend mit zwei gefesselten Gefangenen erschienen. Osse und Fred wurden ihnen feierlich übergeben. Und es dauerte nicht lange, bis die beiden der Polizei erzählten, wo sie die Goldbarren versteckt hatten – in einer nicht mehr benutzten, einsam gelegenen Scheune.

Die Nacht war schon angebrochen, als Julius, Richard, Georg und Anne an der Tür von Haus Schönfeld läuteten.

»Ihr schon wieder?«, fragte Marlies.

»Ja – aber diesmal haben wir nur gute Neuigkeiten«, sagte Richard. »Peter!«, brüllte er. »Peter! Wo steckst du?«

Peter kam, so schnell er konnte, die Treppe herunter, gestützt auf einen Stock, denn die Krücken brauchte er schon nicht mehr. Georg erzählte ihm den ganzen letzten Teil des Abenteuers und das glückliche Ende und die Augen des jungen Mannes füllten sich mit Tränen.

»Ich wusste von Anfang an, dass ihr ganz, ganz tolle Kinder seid!«, war alles, was er sagen konnte.

Die vier hatten das Gefühl, dass sie das nicht so stehen lassen sollten, aber Tim bellte ein klares »Wuff!«, und das bedeutete offensichtlich: »Stimmt!«

Fünf Freunde
suchen den verschollenen Goldschatz

Aus dem Englischen von Jürgen Lassig

Rückkehr zum Margarethenhof

»Ich bin sicher, dass wir hier in den Bergen genauso toll Ferien machen können wie in Felsenburg! Weißt du noch, was wir letztes Mal alles auf dem Margarethenhof von Frau Hansen erlebt haben?«

Georg – sie hieß eigentlich Georgina, aber alle mussten sie Georg nennen – sah ihren Vetter Julius mit einem Gesichtsausdruck an, der deutlich besagte, dass sie ganz anderer Meinung war. Sie war am Meer geboren und aufgewachsen, und sie liebte es, zu schwimmen und mit dem Boot hinaus aufs Meer zu rudern; daher war sie überhaupt nicht begeistert, als ihre Eltern ankündigten, dass sie »alle gemeinsam« drei oder vier Wochen in Margarethenstein verbringen würden – in einem Dorf hoch oben in den Bergen! »Alle« bedeutete, dass auch Georgs Vettern Julius und Richard und deren Schwester Anne mit dabei waren, die wie üblich mit ihnen die Sommerferien verbrachten. Tante Fanny und Onkel Quentin – also Georgs Eltern – freuten sich jedes Mal, wenn ihre Neffen und ihre Nichte bei ihnen waren.

Ja, Georg erinnerte sich noch gut an die Wochen, die sie auf dem Margarethenhof bei der alten Frau Hansen verbracht hatten. Die Hälfte der Zeit mussten sie im Haus bleiben, weil sie alle erkältet waren. Und natürlich erinnerte sie sich auch noch an die aufregenden Abenteuer! Aber das wollte sie Julius gegenüber nicht so schnell zugeben.

»Kann sein ...«, murmelte Georg daher nur, »aber was sollen wir denn unternehmen? Letztes Mal waren wir im Winter hier und konnten wenigstens rodeln, Schi laufen und Schneeballschlachten machen. All das können wir im Sommer vergessen – entweder ist es unangenehm heiß, oder es ist so kalt, dass man immer nur Wollsachen anziehen muss. Ich wünschte, wir hätten nicht herkommen müssen.«

»Ach, lass doch den Kopf nicht gleich hängen, Georg«, sagte Anne mit ihrer sanften Stimme. »Wir werden viel unternehmen – bestimmt!«

Aber Georg schien davon nicht so überzeugt zu sein. Sie war elf, hatte dunkle, gelockte Haare, die sie kurz trug wie ein Junge. Ihre strahlenden Augen und die flinken Bewegungen zeigten, dass sie voller Energie war. Ihre jüngere Kusine Anne war ganz anders. Sie hatte hübsche blonde Haare und blaue Augen. Sie war ein ruhiges Mädchen, das nur selten widersprach.

Julius war mit seinen dreizehn Jahren der Älteste und zudem der Vernünftigste und Verantwortungsbewussteste. Er lächelte seiner kleinen Schwester zu. Genau wie Anne war auch er blond. Für sein Alter war er ziemlich groß.

»Natürlich können wir hier viel unternehmen!«, sprudelte es aus ihm heraus. »Genauso viel wie im Felsenhaus, wollen wir wetten?«

Das Felsenhaus war Georgs Zuhause – es lag in der Felsenbucht. Georg hatte sogar eine eigene Insel, die Felseninsel, die nicht weit von der Bucht und ihrem Zuhause entfernt aus dem Meer ragte. Nur wenige Mädchen können von sich behaupten, dass ihnen eine eigene Insel gehört; daher war es auch nicht verwunderlich, dass Georg nur ungern in die Berge gereist war.

Richard stimmte seinem Bruder zu und nickte. Er war genauso alt wie Georg, und da er auch dunkle Haare hatte, sahen sich die beiden ziemlich ähnlich. Und das umso mehr, als Georg sich auch oft wie ein Junge benahm – sie wünschte sich, sie wäre als Junge zur Welt gekommen statt als Mädchen.

»Julius hat Recht!«, sagte Richard bestimmt. »Und das Wichtigste ist doch für uns Fünf Freunde, dass wir die Ferien zusammen verbringen, oder etwa nicht?«

Als Richard sie daran erinnerte, hellte sich Georgs Miene mit einem Mal auf. Stimmt, das war mit Sicherheit das Wichtigste! Die Fünf Freunde – das waren die vier Kinder und Georgs Hund Tim. Georg und ihr Hund waren unzertrennliche Gefährten.

Sie drehte sich zu ihrem Hund um. »Was meinst du, Tim?«, fragte sie.

»Wuff!«, bellte Tim und wedelte mit dem Schwanz.

»Bitte, da hast du's!«, rief Richard lachend. »Ihm gefällt es ausgezeichnet hier. Jetzt, wo er sich mit Hermanns Hütehunden angefreundet hat.« Hermann war Bauer und der Sohn von Frau Hansen. Als die Kinder das letzte Mal auf dem Margarethenhof zu Besuch waren, kamen Tim und die Hütehunde zuerst nicht besonders gut miteinander aus, aber die acht Hunde hatten sehr mutig einige üble Ganoven gestellt, die heimlich Erz geschürft hatten und ihren Schatz dann auf einem unterirdischen Fluss zum Meer schmuggeln wollten. Seitdem waren die Hunde gute Freunde.

»Tim rechnet bestimmt schon fest damit, dass wir wieder so ein spannendes Abenteuer erleben wie damals im Winter«, fügte Richard hinzu. »Irgendwie scheinen wir die Abenteuer anzuziehen – und er weiß das!«

»Hm, Abenteuer oder nicht – wer kann uns schon

garantieren, dass etwas Spannendes passiert ...«, sagte Julius nachdenklich. »Ich denke, wir sollten uns schon mal was anderes ausdenken, womit wir unsere Zeit verbringen können.«

Sie waren erst gestern angekommen, und sie hatten noch keine Zeit gehabt, die Umgebung zu erkunden. Im Sommer war die Landschaft wie verwandelt.

Der Grund dafür, dass sie alle nach Margarethenstein kommen mussten, war Onkel Quentins unersättlicher Forscherdrang. Er war nämlich völlig überarbeitet, worauf ihm der Arzt totale Ruhe verordnet hatte – Ferien weit weg von zu Hause, sodass er nicht in Versuchung kommen konnte, sich in seinem Zimmer zu verschanzen und seinen wissenschaftlichen Arbeiten nachzugehen. Tante Fanny war sofort der Margarethenhof eingefallen. Sie wusste, dass die alte Frau Hansen zur Ferienzeit Zimmer im Bauernhaus vermietete, denn die Kinder waren hier schon einmal allein zu Besuch gewesen. Margarethenstein war ein ausgesprochen ruhiger und friedlicher Ort, sodass es Onkel Quentin hier sicher gut gehen würde – und zum Glück hatte Frau Hansen genau zum gewünschten Zeitraum für sie alle die benötigten Zimmer frei.

»So, Kinder«, hatte Tante Fanny Georg und den drei Geschwistern bei der Ankunft erklärt, »ich weiß, ihr werdet alle zusammen viel Spaß miteinander haben. Ich möchte so viel Zeit wie möglich mit deinem Vater verbringen, Georg – er soll sich in die Sonne setzen und ausspannen oder ein paar kurze, ruhige Spaziergänge machen. Wenn ich nicht immer auf ihn aufpasse, dann wird er sich garantiert wieder in seine Bücher vertiefen. Und genau das hat der Arzt verboten!«

Die Kinder mussten grinsen, denn sie wussten, dass Onkel Quentin darauf bestanden hatte, einen schweren Koffer, randvoll mit Büchern und Papieren gepackt, mitzunehmen.

»Ihr könnt also machen, was immer ihr wollt«, fuhr Tante Fanny fort. »Das Einzige, worum ich euch bitten möchte, ist, dass ihr rechtzeitig zu den Mahlzeiten da seid, um der lieben Frau Hansen keine Mühe zu machen. Und dass ihr keinen Unfug anstellt!«

»Als ob wir jemals Unfug getrieben hätten!«, erwiderte Georg entrüstet.

»Ehm!«, räusperte sich ihr Vater. Offensichtlich war er ganz anderer Meinung. »Julius, ich möchte, dass du auf die anderen aufpasst. Du bist der Älteste. Ich weiß, auf dich kann ich mich verlassen.«

Julius war sich der Verantwortung als Ältester der Fünf Freunde durchaus bewusst und er nahm sie sehr ernst, das hatte Onkel Quentin richtig bemerkt. Anne machte ihrem großen Bruder nie Schwierigkeiten – aber Georg konnte sehr impulsiv sein und hatte eine Vorliebe für spontane Aktionen, und Richard heckte gern Streiche aus, daher hatte Julius oft seine liebe Mühe mit den beiden.

Die Kinder fanden Julius' Vorschlag gut. Sie ließen sich auf dem Rasen in Frau Hansens hübschem, kleinem Garten nieder und beratschlagten, was sie in ihren Ferien machen konnten. Den Garten schützte eine Steinmauer vor den Winden aus den Bergen. Julius zog einen Bus-Fahrplan aus der Tasche.

»Es gibt viele Buslinien«, erklärte er den anderen. »Wir können also einige schöne Ausflüge zu den Sehenswürdigkeiten machen – und falls wir nicht so weit fahren wollen, haben wir ja immer noch unsere Fahrräder. Die nähere Umgebung lässt sich gut mit dem Rad erkunden oder zu Fuß – dort, wo die Berge zu steil sind.«

»Dann werden wir, glaub ich, ganz schön oft zu Fuß gehen müssen«, sagte Georg spitz. »Es wimmelt hier doch nur so von steilen Bergen! Und das heißt, kräftig in die Pedalen zu treten, um raufzukommen.«

»Das heißt aber auch, dass wir sehr leicht wieder herunterkommen«, stellte Richard fest.

»Schon gut«, beschwichtigte Julius die beiden, »Margarethenstein ist jedenfalls ein idealer Ausgangspunkt für Erkundungsausflüge.«

»Genau – und außerdem ist Frau Hansen auch eine supergute Köchin«, fügte Richard hinzu und verdrehte verzückt die Augen. Er musste an all die leckeren Mahlzeiten denken, die Frau Hansen für sie gekocht hatte, als sie das letzte Mal auf ihrem Hof waren.

»Richard! Denkst du gerade an Apfelkuchen?«, zog Georg ihn auf. Die Kinder wussten, dass Richard für sein Leben gern aß – es fehlte nicht viel und man hätte ihn verfressen nennen können!

Die vier Kinder lachten. Sie standen auf, wischten Gras und Blätter von der Kleidung und beschlossen, dass sie nach dem Mittagessen als Erstes ins nahe gelegene Dorf Margarethenstein fahren würden. Bei ihrem ersten Ferienaufenthalt auf dem Hansen-Hof hatten sie nicht viel von Margarethenstein gesehen, da sie die meiste Zeit in den Bergen oberhalb des Hofes Schi gelaufen waren.

Das Mittagessen erfüllte Richards Erwartungen aufs Beste und wurde tatsächlich zum Abschluss mit Frau Hansens berühmtem Apfelkuchen gekrönt! Sofort nach dem Essen fuhren sie mit den Rädern davon. Georgs Hund Tim war darüber hoch erfreut, endlich konnte er wieder rennen! Er hetzte neben Georg her und jagte immer wieder ins Moor rechts und links der Straße.

»Er vermisst seine geliebten Kaninchen. Sicher denkt er, sie sind in den Bergen leichter zu fangen als auf der Felseninsel!«, rief Richard den anderen zu, und alle lachten.

Beinahe den ganzen Weg zum Dorf ging es bergab. Margarethenstein war ein hübscher, kleiner Ort mit einer Kirche, zwei Läden und einigen niedrigen weißen Bauernhäusern mit grauen Schieferdächern. Um den Ort herum erstreckten sich in sanften Wellen die grünen Hügel, aber wenn man den Blick hob, konnte man die Hochmoore und darüber das felsige Gebirge sehen. Die Fünf Freunde liefen ein Stück durchs Dorf, dann hatten sie Durst. Es gab ein kleines Café im Ort, mit Tischen und Stühlen davor, und da schönes Wetter war, beschlossen die Kinder, sich draußen an einen der Tische zu setzen.

»Hoffentlich haben sie hier Limo«, sagte Georg zu den anderen.

Tim legte sich zu ihren Füßen unter den Tisch. Kurz darauf kam eine junge Bedienung aus dem Café und lächelte die Kinder an. »Hallo!«, sagte sie mit ihrem schönen, weichen Akzent. »Was kann ich für euch tun?« Und sie sah dabei Julius an, denn er war der Älteste.

Die Kinder kannten diesen Akzent schon von ihrem vorigen Aufenthalt in den Bergen. Damals konnten sie die kleine Elli, die nur den hiesigen Dialekt sprach, bei der ersten Begegnung kaum verstehen. Julius bestellte Limo für jeden und eine Schüssel Wasser für Tim, dem die Zunge weit heraushing. Das Mädchen sagte, dass sie auch Nusstorte hätten, gerade frisch in der Eisenform gebacken. Die Eisenform, erklärte sie den erstaunten Gästen, sei eine runde, schwere Eisenplatte, eine Art Pfanne, und die Kuchen würden darin auf der

Herdplatte gebacken. Die Kinder bestellten je ein Stück Torte. Die mussten sie probieren! Und es stellte sich heraus, dass sie ausgesprochen lecker war, mit vielen Korinthen und besonderen Gewürzen.

Die freundliche Bedienung blieb eine Weile bei den Kindern stehen und unterhielt sich mit ihnen. »Seid ihr zum ersten Mal hier?«, fragte sie.

»Nein, wir waren schon einmal in Margarethenstein«, erklärte Georg. »Wir haben damals auf dem Margarethenhof gewohnt – genau wie jetzt. Aber letztes Mal war es Winter und wir haben nicht viel von der Umgebung gesehen. Sagen Sie, gibt es hier in der Nähe irgendetwas Interessantes, das wir uns ansehen sollten?«

»Hm, ja, das ist nicht einfach, lasst mich mal überlegen«, sagte das Mädchen und dachte nach. »Es gibt einige ganz schöne Wanderwege – und wenn ihr Sagen und alte Geschichten mögt, davon gibt's hier auch 'ne Menge!«, fügte sie lachend hinzu.

»Oh, ich liebe Sagen und Legenden!«, rief Anne.

»Na, dann wird dir die Legende vom Klipphorn gefallen«, sagte das Mädchen.

»Erzählen Sie sie uns bitte!«, bat Anne inständig, aber gerade in dem Augenblick kamen andere Gäste und setzten sich an einen der Nebentische. Das Mädchen hob die Schultern und sagte: »Ich muss meine Arbeit machen, tut mir Leid.«

Aber als sie Annes flehenden Blick sah, dachte sie einen Moment lang nach, beugte sich zu den Kindern und sagte: »Passt mal auf, ihr solltet die alte Frau Brandner besuchen. Sie kennt alle Geschichten hier aus der Gegend, die alte Brandner ... Sie ist die älteste Frau hier im Dorf, ja wirklich. Und sie freut sich, wenn sie von so jungen, neugierigen Fremden wie euch Besuch bekommt, denen sie ihre Geschichten erzählen kann. Sagt ihr, Doris schickt euch!«

Und Doris erklärte den Kindern, wo Frau Brandner wohnte. Dann nahm sie schnell die Bestellung der neuen Gäste entgegen.

Die Kinder tranken ihre Limo und aßen ihre Tortenstücke, bezahlten, schwangen sich auf die Räder und fuhren die Dorfstraße hinunter, an deren Ende Frau Brandner wohnte. Die Fünf Freunde waren schon sehr gespannt und konnten es kaum erwarten, die Legende vom Klipphorn zu hören!

Die Legende vom Klipphorn

Die Kinder trafen die alte Frau vor der Tür ihres Häuschens an. Sie saß auf einer Bank in der Sonne und stützte sich mit beiden Händen auf den Knauf eines großen Stockes. Sie war offensichtlich schon sehr alt, das konnten die vier sofort sehen. Aber sie lächelte, so als würde sie sich über ihren Besuch freuen. Julius erklärte höflich, warum sie gekommen seien, und die alte Frau Brandner lächelte sie erneut an.

»Na, das ist ja schön, dass ich so jungen Besuch bekomme«, sagte sie. »Ihr wollt also die Legende vom Klipphorn hören? Kommt mal näher heran, so – ganz nahe, ihr Lieben. Ich werde euch die Geschichte erzählen.«

Georg und Anne setzten sich auf die Bank neben die alte Frau und die Jungen kletterten auf die niedrige Mauer gegenüber.

»Es war einmal ...«, fing Frau Brandner an, und Georg musste sich sehr zusammenreißen, um nicht vor Enttäuschung herauszuplatzen. Sie befürchtete, die Alte würde ihnen irgendeines dieser üblichen langweiligen Märchen erzählen, eines, das sie sowieso schon in- und auswendig kannten. Aber sie hatte sich geirrt! Schon kurze Zeit später leuchteten ihre Augen, und sie war bemüht, ja kein Wort zu verpassen. Denn es war tatsächlich eine faszinierende Geschichte!

Um den Berg rankte sich eine seltsame Legende, erzählte die alte Frau Brandner ihren jungen Zuhörern. Diese Legende war in dem Dorf Klipp am Fuße des Klipphorns im Laufe der Jahrhunderte von Generation zu Generation weitergegeben worden. Sie erklärte, dass der Name »Klipp« im Dialekt einfach die Abkürzung für »Felsenklippe« war und die Form des Berges wiedergab. »Es ist der Berg, den ihr dort drüben seht«, sagte Frau Brandner. Und sie zeigte auf eine Spitze, die sich über einem sanft ansteigenden Gebirgshang erhob. Es war ganz in der Nähe der Berge, wo der Margarethenhof lag.

»Ja, und das Dorf heißt genauso, eben Klipp«, fuhr sie fort. »Nun, ihr Lieben, ihr könnt es mir glauben oder nicht, aber die Leute aus dem Dorf haben immer steif und fest behauptet, dass der Berg innen hohl sei.«

»Hohl?«, fragte Anne überrascht. »Wenn das stimmt, dann ist der Berg nicht besonders stabil, oder? Man könnte ja beim Raufklettern einbrechen, oder etwa nicht?«

Die alte Frau musste lachen.

»Das kommt darauf an«, sagte sie. »Wenn die Fels-
schicht unter dir stark genug ist, mein Kind, dann
würdest du nicht einbrechen. Aber eigentlich ist damit
nicht gemeint, dass der Berg völlig hohl ist; er hat innen Löcher, weißt du, Höhlen und Tunnel – er ist
durchlöchert wie ein Schweizer Käse, verstehst du?«

Die Kinder mussten bei diesem Vergleich grinsen,
aber sie wussten, was die alte Frau Brandner meinte.

»Es wird aber auch behauptet, der Berg sei im Inneren regelrecht ausgehöhlt«, fuhr sie fort. »Ja, sie sagen,
es gäbe dort ein verschollenes Tal, in dem einst Menschen lebten, die von weit her gekommen waren – niemand weiß genau woher –, und dieses Volk wurde mit
einem Mal ausgelöscht, als ob es diese Menschen nie
gegeben hätte … durch ein Unglück! Ja, so wahr ich
hier sitze!«

Die Alte hielt inne, als ob sie sehen wollte, welchen
Eindruck die Geschichte auf ihre Zuhörer machte.
Julius hatte höflich zugehört, aber sein Interesse an der
Legende hielt sich in Grenzen. Er war zu realistisch
veranlagt, um derartige Märchen zu glauben.

Anne hingegen hatte fasziniert zugehört. Wenn sie
ehrlich war, glaubte sie eigentlich nicht wirklich, dass
Frau Brandners Geschichte den Tatsachen entsprach,

aber sie hätte sie doch gern geglaubt. Anne liebte Märchen und im Alltag träumte sie manchmal gern vor sich hin.

Richard war mehr an den Reaktionen seiner Freunde interessiert als an der Geschichte selbst. Georgs Gesicht sprach Bände, während sie zuhörte. Ihre Augen und ihr Gesichtsausdruck zeigten genau, was sie dachte, als sie die Legende vom Klipphorn hörte. Man kann in ihrem Gesicht wie in einem Buch lesen, wunderte sich Richard.

Georg dachte, dass in jeder Legende ein Funken Wahrheit steckt und dass es sicherlich spannend wäre, aus dem Wust des Hinzugedichteten die Körnchen Wahrheit in dieser Erzählung herauszupicken.

»Glauben Sie, dass die Legende wahr ist?«, fragte Georg die alte Frau plötzlich.

Frau Brandner war überrascht. Sie dachte einen Moment lang nach, dann schüttelte sie den Kopf. »Oje, mein Kind, das weiß ich doch nicht«, sagte sie. »Ich nehme aber an, dass das alles gelogen ist, ja, ja!«

»Ja, das denke ich auch«, erwiderte Georg.

»Andererseits könnte es auch stimmen«, fuhr die alte Frau fort, »dass es einmal Leute gab, die in dem Berg Zuflucht gesucht haben …«

»Falls er wirklich hohl ist«, stellte Richard fest.

»Kann sein, Kinder, kann sein«, sagte Frau Brandner geheimnisvoll. »Es könnte dort ein Tal gegeben haben, sicherlich – vielleicht ist es immer noch da.«

»Okay, wenn das so ist«, sagte Julius bestimmt, »warum hat es dann noch niemand gefunden? Ich kann mir vorstellen, dass inzwischen eine Menge Leute danach gesucht haben …«

»Ja, natürlich! Aber vielleicht ist durch das Unglück, von dem in der Legende die Rede ist, der Weg zum Tal versperrt worden. Wer weiß das schon, mein Junge.«

Georg faszinierte die Geschichte immer mehr. Sie beugte sich vor. »Wissen Sie, was für ein Unglück es war?«, wollte sie wissen. »War es vielleicht eine seismische Störung?«

»Eine was?«, fragte Frau Brandner mit großen Augen. Sie kannte das Fremdwort nicht.

»Nun, eine Art kleines Erdbeben – oder ein Erdstoß!«

Die alte Frau sah das Mädchen prüfend an. Sie schien überrascht, aber ihr Blick drückte auch Bewunderung aus. »Wie kommst du denn darauf, Kindchen? Denn genau das glaube ich auch! Es hat in dieser Gegend schon einige Erdstöße gegeben, ja, das stimmt. Fast überall im Land, und sie waren ziemlich schlimm, wie ich gehört habe. Nun, im Dorf Klipp hat es allein in den letzten einhundertfünfzig Jahren drei Erdstöße gegeben. Aber wie bist du darauf gekommen?«, wollte sie wissen. Sie ließ Georg dabei nicht aus den Augen.

Georg lachte. »Das ist nicht so schwierig«, sagte sie. »Wenn der Eingang zu diesem verschollenen Tal durch Felsbrocken oder Erde verschüttet worden ist, dann ist es doch nur wahrscheinlich, dass das nach einem Erdrutsch passiert sein muss – und zu Erdrutschen kommt es oft nach Erdbeben.«

»Klasse! Eine brillante Schlussfolgerung!«, sagte Richard ironisch. Er bewunderte seine Kusine, aber das wollte er nicht zugeben – außerdem nutzte er jede Gelegenheit, sie aufzuziehen.

Doch Georg reagierte gar nicht auf Richards Bemerkung, sie war jetzt Feuer und Flamme! Und auch Julius fing langsam an, Interesse an der Sache zu entwickeln.

»Na gut«, sagte er nachdenklich. »Wenn es hier in der Gegend stärkere Erdstöße gegeben hat, dann wird die Legende vom verschwundenen Volk etwas wahrscheinlicher.«

Die vier stellten der alten Frau Brandner noch viele Fragen. Sie wollten Einzelheiten wissen – zum Beispiel, wann es passiert ist –, aber die alte Frau konnte ihnen nicht sehr viel mehr sagen.

»Ach ja, früher hätte ich eure Fragen vielleicht beantworten können«, meinte sie traurig. »Aber in den letzten zwei Jahren ist mein Gedächtnis immer schlechter geworden, o ja, und es ist schon sehr lange her, seit ich die Geschichte zum letzten Mal jemandem erzählt habe, ja … leider. Warum versucht ihr es nicht an einem der nächsten Tage in Klipp, Kinder? Fragt einfach mal den Müller – er unterhält sich auch sehr gern mit Touristen. Ja, er kann euch bestimmt mehr sagen als ich. Sein Großvater ist letztes Jahr gestorben und der war der beste Geschichtenerzähler weit und breit!«

Die Kinder dankten der alten Frau Brandner und verabschiedeten sich. Kaum waren sie wieder auf dem Margarethenhof angekommen, setzten sie sich im Garten zusammen und berieten. Georg war begeistert von dem, was sie gehört hatten.

»Ich bin sicher, dass die Legende einen wahren Kern hat«, schwärmte sie. »Und da es hier in den Bergen noch keinen Fall für uns gibt und uns auch noch nichts Besonderes eingefallen ist, was wir machen könnten – warum versuchen wir nicht, herauszufinden, was wirklich hinter der Geschichte steckt? Das würde doch unsere Ferien ein bisschen in Schwung bringen, findet ihr nicht auch?«

Richard musste grinsen. »Ja, warum eigentlich nicht?«, sagte er zu seiner Kusine. »Es klingt ein bisschen wie der Titel eines Abenteuerromans: ›Die Fünf Freunde und das verschollene Tal‹. Oder: ›Die Fünf Freunde auf den Spuren des verschwundenen Volkes‹.«

»Georg, glaubst du, dass wir wirklich etwas herausbekommen könnten?«, fragte Anne aufgeregt.

»Aber klar!«, sagte Georg. »Genau wie Richard schon sagte. Und was meinst du, Julius?«

»Hm – wir können es ja versuchen«, sagte der vorsichtig. »Aber ich an eurer Stelle würde es mehr als Spiel betrachten! Ich würde mir nicht allzu große Hoffnungen machen. Überleg doch mal, Georg – wie viele Leute gibt es wohl, die, wie wir, die Sache spannend finden. Die hätten doch schon seit Jahren immer wieder nachgeforscht. Und bestimmt haben auch richtige Profis versucht, hinter das Geheimnis des Klipphorns zu kommen … Archäologen und Anthropologen und so weiter.«

»Sie haben eben kein Glück gehabt«, stellte Richard nüchtern fest. »Denn wenn sie etwas erfahren hätten, dann wäre es ja heute kein Geheimnis mehr, oder etwa nicht?«

»Mir ist es egal, ob wir es als Spiel betrachten oder

nicht. Ich glaube, es würde einfach Spaß machen«, sagte Georg. »Denn erstens würden wir diesen Landstrich besser kennen lernen – und zweitens könnten wir bei unseren Nachforschungen auf nützliche Hinweise stoßen. Nun, stimmt ihr mir alle zu?«

»Okay«, sagte Julius ruhig.

»O ja!«, rief Anne.

Richard nickte eifrig.

»Wuff!«, ließ sich Tim laut vernehmen, damit er nicht vergessen wurde.

»Gut«, sagte Georg mit einem zufriedenen Unterton in der Stimme. »Dann fangen wir morgen also mit den Nachforschungen an! Heute ist es dafür zu spät. Außerdem, glaub ich, hat Frau Hansen gerade gerufen.«

So war es: Die alte Frau Hansen war in der Küchentür, die zum Garten führte, erschienen und erklärte den Kindern, wo sie in den Hügeln eine Stelle mit wilden Erdbeeren finden würden. Und sie versprach ihnen einen ganz besonderen Pudding, wenn sie genügend Erdbeeren mitbringen würden. Die Kinder fanden es eine großartige Idee, wilde Erdbeeren zu pflücken – und zu essen, natürlich! Aber sie hielten sich sehr zurück und aßen beim Ernten nicht zu viele. Es war tatsächlich eine ergiebige Stelle voller Walderdbeerpflanzen mit unzähligen Früchten – das Ernten der kleinen Beeren erwies sich allerdings als ein ziemlich mühsamer Job.

Georg sammelte konzentriert und systematisch die kleinen roten Walderdbeeren, und langsam füllte sich ihr Korb mit den hübschen Früchten, aber mit den Gedanken war sie weit, weit weg – und sie war sehr aufgeregt!

Morgen fangen wir mit den Nachforschungen an, überlegte sie. Wer weiß, vielleicht wird es ein echtes Abenteuer! Oder wir enthüllen ein Stück von dieser geheimnisvollen Geschichte, entdecken etwas, das niemand vor uns herausgefunden hat.

Bevor die Kinder an diesem Abend zu Bett gingen, liefen sie noch einmal hinaus in den Garten und sahen zum Klipphorn. Der Berg zeichnete sich dunkel gegen den blauen Nachthimmel voller blinkender Sterne ab.

»Seht doch, die vielen Sterne«, sagte Anne nachdenklich mit leiser Stimme. »Vielleicht haben die Leute aus dem verschollenen Tal auch immer zu diesen Sternen hinaufgeschaut und geträumt. Und vielleicht haben die Sterne zugesehen, wie die Leute hergekommen sind – und dann auf geheimnisvolle Art verschwanden.«

»Ja, schade, dass sie nicht sprechen können«, sagte

Richard nüchtern und machte sich über seine sentimentale kleine Schwester lustig.

»Morgen werden wir mehr erfahren, da bin ich sicher«, sagte Georg. »Wir müssen nur weiter überall herumfragen, dann werden wir bestimmt viele neue Einzelheiten der Legende aufschnappen.«

»Aber jetzt sollten wir uns erst noch etwas ausruhen«, schlug Julius vor. »Los, ab in die Betten! Wir haben morgen ein ganz schönes Stück mit dem Fahrrad vor uns – und meist geht's bergauf!«

Am nächsten Morgen standen die Kinder früh auf. Sie hatten die gute Frau Hansen gebeten, ihnen Brote für ein Picknick zu machen, und natürlich hatte sie den Kindern große Essenspakete hingestellt, die sie mitnehmen konnten. Sie wollten den ganzen Tag auf dem Berg verbringen.

Der Weg dorthin war zu anstrengend für Tim – nach einigen Kilometern setzte Georg ihn in ihren Fahrradkorb. Da saß er nun und sah großartig aus, wie ein König in der Kutsche!

Die Fahrt nach Klipp war schweißtreibend, aber schön. Die Kinder hatten sehr gute Laune, als sie dort ankamen. Das Dorf war noch etwas kleiner als Margarethenstein, und so fanden die Fünf Freunde ohne

Schwierigkeiten den Müller, von dem die alte Frau Brandner gesprochen hatte. Es stellte sich heraus, dass der Müller eigentlich ein Bäcker war. Er lebte in der alten Mühle, in der früher das Getreide zu Mehl gemahlen wurde, und hieß daher im Dorf »Dai, der Müller«. In der Auslage hatte er einige köstliche, gezuckerte Korinthenbrötchen und Julius kaufte welche fürs Picknick. Beim Bezahlen erklärte er, was sie nach Klipp geführt hatte.

»Ah, die alte Brandner hat euch also geschickt«, sagte Dai lachend. »Und ihr wollt wissen, was es mit der Legende vom Klipphorn auf sich hat, richtig?«

»Ja, genau!«, versicherte ihm Georg eifrig. »Die Legende kennen wir in groben Zügen, aber wir wüssten gern noch mehr Einzelheiten.«

»Oh, tut mir Leid, aber ich hab keine Zeit zum Geschichtenerzählen! Ich muss backen, weißt du … Aber vielleicht kann Jenny, meine Tochter … Sie hat die Geschichten mindestens hundertmal von ihrem Urgroßvater gehört. Jenny!«, rief er.

Ein dunkelhaariges, kleines Mädchen von etwa zwölf Jahren kam in den Laden. Sie und die Fünf Freunde verstanden sich auf Anhieb. Georg und die anderen waren erleichtert, dass sie nicht wie Elli nur Dialekt, dafür aber mit dem wunderschönen Akzent dieser Gegend sprach. »Ihr redet jetzt besser draußen weiter«, sagte Dai, der Müller. So viele Kinder in seinem Bäckerladen, das war ihm doch zu viel! »Ich muss arbeiten.«

Anne hatte eine gute Idee. Sie lud Jenny ein, mit ihnen zu picknicken – dann hätten sie genügend Zeit füreinander. Jenny und Dai fanden die Idee auch sehr gut und Dai schenkte den Kindern ein Früchtebrot, frisch aus dem Ofen.

»Kommt mit!«, rief Jenny ihren neuen Freunden zu. »Ich kenne einen guten Platz, wo wir super picknicken können. Es ist eine Wiese am Fuß des Berges.«

Es war wirklich ein schöner Platz für ein Picknick. Über ihnen sangen die Vögel am Himmel und von den Hügeln her hörten sie das ferne Blöken der Schafe. Die Kinder setzten sich ins Gras und aßen, was sie mitgebracht hatten: Frau Hansens Butterbrote, die gezuckerten Korinthenbrötchen und das Früchtebrot – und Jenny hatte noch einen kleinen Korb mit reifen roten und gelben Stachelbeeren mitgenommen. Es gab also genug für alle – und es war köstlich!

»Das war gut!«, rief Richard und ließ sich mit einem Seufzer nach hinten fallen, um gleich wieder hochzuschnellen. »Jetzt musst du uns von den geheimnisvollen Leuten aus dem verschollenen Tal erzählen, Jenny.

Gibt es kein Geschichtsbuch über diese Gegend hier, aus dem wir etwas erfahren können?«

»Nein, das glaube ich nicht«, antwortete Jenny. »Ur-großvater hat oft gesagt, dass die Legende immer nur mündlich überliefert und so von einer Generation zur nächsten weitergegeben wurde.«

»Und was waren das für Leute im Tal?«, wollte Georg wissen. »Das hat uns bis jetzt noch niemand sagen können.«

»Anscheinend waren sie dunkler als die anderen Menschen hier«, erzählte Jenny. »Daher wurden sie auch ›das ›Dunkle Volk‹ genannt. Es wird berichtet, dass sie eine dunkle Hautfarbe hatten und schwarze Haare, fast so wie Roma und Sinti.«

»Gut, jetzt wissen wir, wie sie ausgesehen haben sollen«, sagte Georg. »Aber was haben sie gemacht, wie haben sie gelebt? Waren sie Jäger oder Bauern? Oder was?«

Jenny fing an zu lachen. »Wenn man dir so zuhört, Georg, könnte man fast glauben, dass es sie wirklich gegeben hat! Aber das ist überhaupt nicht sicher.«

»Aber wenn durch die Legende überliefert ist, wie sie aussahen, könnte ja auch etwas darüber bekannt sein, wie sie gelebt haben«, entgegnete Richard. Das war doch logisch!

Jenny dachte einen Moment nach. »Soweit ich mich erinnern kann, hat Urgroßvater immer gesagt, dass man nur sehr wenig von ihnen weiß, aber natürlich gingen sie auf die Jagd …«

»Das mussten sie wohl, sie mussten ja etwas essen!«, unterbrach Georg sie ungeduldig. »Wir reden über eine Zeit vor hunderten von Jahren, denk ich, als der größte Teil dieser Gegend noch aus Wäldern bestand. Da muss es doch viel Wild gegeben haben.«

Jenny sah Tim versonnen zu, wie er das letzte Stück Früchtebrot verschlang. Dann wandte sie sich lächelnd an Georg. »Dein Hund erinnert mich an eine Geschichte über das ›Dunkle Volk‹«, sagte sie.

Alle warteten gespannt und hielten den Atem an.

»Es wird behauptet, sie hielten sich Hunde, die niemals bellten«, sagte Jenny in die Stille. »Was hältst du davon, Tim?«

»Wuff!«, machte Tim ablehnend.

Die vier wussten nicht recht, was sie davon halten sollten. »Hunde, die nicht bellen?«, fragte Richard. »Das ist doch Blödsinn! Warum sollten sie denn nicht bellen?«

»Ich weiß es nicht«, erwiderte Jenny. »Ich erzähle euch nur, was die Legende sagt.«

»Aber alle Jagdhunde bellen doch, wenn sie hinter

Beute her sind. Oder wenn sie den Jägern zeigen wollen, dass sie etwas aufgestöbert haben.«

»Schon, aber vielleicht waren diese Hunde anders«, entgegnete Jenny.

Georg starrte in die Luft; ihr Blick zeigte, dass sie ganz weit weg war. »Ihre Hunde bellten also nicht«, sagte sie wie zu sich selbst. »Okay, das ist ein merkwürdiges Detail ... Aber es bringt uns im Moment nicht weiter. Jenny, erzähl doch bitte, was du noch über das ›Dunkle Volk‹ weißt.«

»Wartet mal, also ihr Anführer war ...«

»Ein König?«, vermutete Richard und war wieder ganz bei der Sache.

»Nein, eine Königin! Sie hieß Zulma.«

»Mann!«, sagte Richard. »Das klingt ja orientalisch.«

»Halt den Mund, Richard!«, fuhr Georg ihn an. »Und unterbrich Jenny nicht immer!«

»Es könnte doch stimmen, wenn sie Teil eines Sinti-Stammes gewesen sind«, sagte Julius nachdenklich. »Zigeuner, wie die Roma und Sinti oft abwertend genannt wurden, hatten manchmal Königinnen. Und ich hab mal in einem Buch gelesen, dass der Name Sinti aus der nordwestindischen Region Sindh kommt. Ursprünglich stammen Zigeuner aus Indien und ihre romanische Sprache ist aus dem Hindi entstanden.«

»Meine Güte, was du alles weißt!«, sagte Jenny bewundernd.

»Es ist doch im Moment egal, was *er* weiß, Jenny. Erzähl uns lieber, was *du* weißt!«, bat Georg ungeduldig.

»Gut: Nach der Legende wurde ihre Siedlung im Tal und auch das Tal selbst Temulka genannt.«

»Temulka«, wiederholte Richard. »Was soll das denn heißen?«

Jenny zuckte mit den Schultern.

»Ist das alles? Weißt du nicht mehr?«, fragte Julius. Langsam fing er an, trotz seiner anfänglichen Skepsis, Gefallen an der Geschichte zu finden.

»Doch, natürlich«, sagte Jenny mit einem spitzbübischen Grinsen. »Das Beste habe ich für zuletzt aufgehoben. Man sagt, das ›Dunkle Volk‹ konnte Gold herstellen!«

Die Suche nach den Höhlen

»Sie konnten Gold machen?«, wiederholte Georg überrascht.

»Ja, sie wussten, wie man Gold herstellt. Urgroßvater sagte, sie beteten eine goldene Statue ihrer Königin
an, denn Zulma konnte Krankheiten heilen.«

Die Kinder hingen jetzt an Jennys Lippen. »Ich muss
schon sagen«, bemerkte Julius, »diese Geschichte wird
immer spannender – und auch immer unwahrschein-
licher!«

Georg stand auf und ging nachdenklich auf und ab.
Zum Vergnügen aller sprang auch Tim auf und lief
hinter Georg her und machte auch jedes Mal kehrt,
wenn Georg umdrehte. Das Ganze sah sehr witzig aus.

»Wir dürfen nicht vergessen, es ist nur eine Legende«, sagte Georg schließlich. »Das bedeutet, dass nicht
unbedingt alles, was Jenny uns erzählt, auch wahr sein
muss – aber es muss auch nicht unbedingt falsch sein.
Wir müssen die verschiedenen Teile der Geschichte
einzeln untersuchen. Auf der einen Seite haben wir die
Fakten, auf der anderen die pure Fantasie! Aber wenn

ihr meine Meinung hören wollt – ich bin sicher, es hat das ›Dunkle Volk‹ gegeben.«

»Ich auch!«, pflichtete Anne ihr bei und setzte für einen Moment ihre Limoflasche ab.

»Ist das wirklich alles, was du weißt, Jenny?«, fragte Richard.

»Ja – aber ich kenne den besten Weg, wie ihr auf das Klipphorn kommt, falls ihr den Berg erkunden wollt«, sagte Jenny.

»Das ist ja prima!«, rief Georg sofort. »Wir sollten uns dort mal ein bisschen umsehen.«

Die Kinder packten die Reste und die Abfälle ihres Picknicks zusammen und versteckten die Fahrräder hinter ein paar Büschen.

Dann zogen sie los.

Jenny führte sie auf einem Schafspfad quer über die Wiese hinein in die Berge. Die Kinder schwatzten fröhlich miteinander, während sie den Pfad entlanggingen; sie mussten ihm nur folgen und das war leicht. Anne pflückte ab und zu wilde Blumen am Wegrand. Tim versuchte immer wieder, Libellen zu fangen. Er rannte hinter jedem kleinen Tier her, das er sah. Doch die Hasen, Murmeltiere, Feldmäuse und viele andere entwischten ihm alle!

Eigentlich gab es außer dem herrlichen Landschaftspanorama nicht besonders viel zu sehen. Links erstreckten sich sanfte Hügel, bis sie in Wiesen und Moorgebiete übergingen. Und rechts vom Weg stieg das Gelände steil an. Zum Teil bestand es aus blankem Felsgestein, teilweise war es mit kurzem Gras und dornigen, kleinen Büschen überwachsen.

»Diesen Hang sollten wir uns genauer ansehen«, flüsterte Georg Anne und ihren Vettern zu. »Falls es wirklich ein Höhlental in diesem Berg gibt, dann sollten wir eigentlich irgendwo einen Zugang entdecken –

auch wenn er mit Erde bedeckt oder hinter Felsen versteckt ist.«

Sie sprach sehr leise, denn Jenny sollte nicht erfahren, dass sie ernsthaft nach dem unterirdischen Tal
suchten – sie hätte ihre neuen Freunde bestimmt aus-
gelacht.

Also beschränkten sie sich zunächst einmal darauf,
den Berg ein bisschen besser kennen zu lernen. Und
als sie die Bergspitze erklommen hatten, genossen sie
die weite, wunderschöne Aussicht.

»Ist es nicht herrlich hier in den Bergen?«, rief Jenny
voller Stolz.

»Ja, sehr schön«, pflichtete Georg ihr bei, aber aus
Liebe zu ihrem Zuhause fügte sie schnell hinzu:
»Allerdings nicht so schön wie in Felsenburg!«

»Wau!«, stimmte Tim ihr zu. Er hatte langsam keine
Lust mehr, Berge zu besteigen.

»Wir sollten uns bald auf den Rückweg machen«,
sagte Julius mit einem Blick auf seine Uhr. »Es ist besser, wenn wir unsere Fahrräder nicht zu lange dort unten unbewacht liegen lassen. Wie haben sie nicht abge-
sperrt.«

»Vielleicht bei euch in eurer Felsenbucht – aber hier
klaut niemand!«, sagte Jenny empört. »Die Leute hier
sind ehrlich!«

»Kann sein«, erwiderte Richard lachend, »aber wenn dieses gesamte ›Dunkle Volk‹ verschwindet, könnte das ja auch mit unseren Rädern passieren!«

Sie lachten und redeten und stiegen den Berg wieder hinab, Tim immer an ihrer Seite. Alles in allem, dachten die Fünf Freunde, war ihr erster Erkundungstag recht erfolgreich gewesen.

Als sie an diesem Abend auf dem Margarethenhof ankamen, waren sie wunderbar müde von all der frischen Luft, die sie den ganzen Tag genossen hatten. Sie stolperten die steile Steintreppe hinauf, von der ihre beiden kleinen Zimmer abgingen, ließen sich in die Betten fallen und waren sofort eingeschlafen.

Am nächsten Tag versammelten sich die Fünf Freunde morgens im Garten und beratschlagten noch einmal, welche Ergebnisse die gestrige Expedition eigentlich gebracht hatte.

»Jenny ist eine große Hilfe gewesen«, stellte Georg fest. »Aber aus dem, was sie gesagt hat, schließe ich, dass es noch andere Leute geben muss, von denen wir noch viel mehr erfahren können.«

Julius schüttelte zweifelnd den Kopf. »Glaub ich nicht«, sagte er. »Wen könnten wir denn sonst noch fragen?«

»Keine Ahnung!« Richard zuckte mit den Schultern. »Ich weiß auch nicht recht, zu wem wir noch hingehen könnten.«

»Zum Lehrer!«, sagte Georg. »Zum Lehrer der Schule in Klipp. Er wird bestimmt etwas über die Geschichte dieser Gegend wissen, da bin ich sicher.«

»Es gibt in Klipp keine Schule«, erinnerte Anne ihre Kusine vorsichtig. »Erinnerst du dich nicht? Jenny hat uns doch erzählt, dass sie in Margarethenstein zur Schule gegangen ist. Und dass sie dort gerade die Grundschule beendet hat und dann nach den Ferien jeden Tag mit dem Bus in ihre neue Schule in die Stadt fahren muss.«

»Okay«, sagte Georg. »Das heißt, wir müssen nicht so weit fahren – der Lehrer in Margarethenstein kann unsere Fragen bestimmt auch beantworten.«

»Eines hast du vergessen«, stellte Richard fest. »Es sind Ferien! Wollen wir wetten, dass der Lehrer nicht zu Hause ist, sondern irgendwo weit weg Urlaub macht? Mit Sicherheit findet er das Leben hier in den Bergen langweilig, also fährt er dorthin, wo mehr los ist. Einfach, um mal etwas Abwechslung zu haben.«

»Mist! Daran hab ich nicht gedacht«, sagte Georg. »Na gut – aber wir sollten es jedenfalls versuchen. Wir können ja mal bei ihm klingeln.«

Die Fünf Freunde machten sich sofort auf den Weg. Es stellte sich heraus, dass es nicht besonders schwierig war, in Margarethenstein die Schule zu finden. Es war ein ziemlich neues Gebäude – und sie hatten Glück: Der Lehrer, Herr Williams, wohnte im Haus neben der Schule und er war zu Hause. Herr Williams war sehr freundlich und wäre nie darauf gekommen, dass die Kinder lediglich junge Touristen waren, die sich für die Geschichte dieser Region interessierten und einige Informationen haben wollten.

»Ich kann euch allerdings nicht viel über die Legende erzählen«, fing er an. »Ihr scheint die Hauptpunkte der Geschichte ja bereits zu kennen: die Hunde, die niemals bellten, die Tatsache, dass es sich bei diesem mysteriösen Volk um dunkelhäutige Menschen handelte und dass ihnen nachgesagt wurde, sie hätten das Geheimnis entdeckt, wie man Gold herstellt, und schließlich die Heilkräfte ihrer Königin Zulma. Ich kann dem daher nur ein einziges Detail hinzufügen: Der Name Temulka, den das ›Dunkle Volk‹ ihrer Ansiedlung im Tal im Berginneren gegeben haben soll, hat angeblich die Bedeutung ›rauschendes Wasser‹ gehabt.«

»Temulka – rauschendes Wasser«, wiederholte Julius langsam.

»Genau, und das deutet doch darauf hin, dass ein Fluss mit einer schnellen, kräftigen Strömung durch das verschwundene Tal geflossen sein muss. Ich denke, das ist die einzig vernünftige Erklärung.«

Georg und die anderen dankten Herrn Williams und mussten, als sie wieder auf der Dorfstraße standen, feststellen, dass sie nicht sehr viel klüger waren als zuvor.

»Ich glaube, wir werden nicht mehr herausfinden, wenn wir immer nur die Leute befragen«, sagte Richard. »Ich bin dafür, dass wir etwas unternehmen. Wir müssen endlich den Eingang zum geheimen Tal suchen!«

»Das wollte ich auch gerade sagen«, unterstützte Georg ihn. »Kommt, wir fahren schnell wieder nach Klipp.«

Aber Julius erinnerte sie daran, dass sie vorher noch verschiedene Dinge erledigen mussten: Tante Fanny und Onkel Quentin mussten Bescheid wissen, dass sie für den Rest des Tages unterwegs waren; sie mussten ihre Bergschuhe holen und Frau Hansen bitten, ihnen ein paar Brote für ein Picknick zu machen. Manchmal übersah Georg vor lauter Eifer einfach die kleinen, praktischen Nebensächlichkeiten, nur weil sie alles so schnell wie möglich und sofort ausführen wollte.

Es war nicht einmal eine Stunde vergangen, da fuhren die Kinder fröhlich auf ihren Rädern in Richtung Klipp. Tim thronte im Korb, seine Ohren flatterten lustig im Fahrtwind.

Nachdem die Fünf Freunde wieder bei »ihrer« Wiese angelangt waren, packten sie alles fürs Picknick aus – es war inzwischen Mittag geworden und sie waren sehr hungrig. Frau Hansen hatte ihnen diesmal statt Broten Hähnchenkeulen, hart gekochte Eier und Tomaten eingepackt. Und sie hatte auch Bananen und Äpfel und einen köstlichen, saftigen Ingwerkuchen dazugelegt.

Als sie gegessen und getrunken hatten und nachdem alles wieder verstaut war, versteckten sie ihre Räder im Gebüsch und stiegen den Schafspfad hinauf, der sie ins Gebirge führte.

Diesmal hatten sie weder Augen für die Blumen noch die Schmetterlinge oder gar die schöne Aussicht. Sie konzentrierten sich voll und ganz auf den steilen Felshang des Berges zu ihrer Rechten.

Sie waren ungefähr fünfhundert Meter den Hang hinaufgegangen, als Richard plötzlich stehen blieb und eine riesige Farnpflanze betrachtete. Es sah aus, als ob sie von einem großen Tier niedergetreten worden war – oder vielleicht von einem Menschen, der mitten durch den umliegenden Farnteppich gestampft war …

»Vielleicht waren es die Schafe?«, vermutete Anne.

»Sieht eher nach einem Menschen aus«, entgegnete Georg. »Schafe hätten bestimmt mehr Schaden angerichtet. Man kann zwar nicht gerade behaupten, dass der Unbekannte besonders vorsichtig vorgegangen ist, aber wenigstens hat er nicht alles niedergetrampelt. Ich möchte wissen, ob hier etwas versteckt ist.«

Während Georg redete, teilte sie die langen Farnwedel und sah dahinter nach. Dann stieß sie einen Freudenschrei aus.

»Hab ich's nicht gesagt! Hier ist eine Höhle!«

»Los – die müssen wir untersuchen!«, rief Richard voller Begeisterung.

Die Kinder hatten sich für ihre Expedition Jeans und Bergschuhe angezogen, gerade das Richtige, wie sich zeigen sollte. Denn jetzt mussten sie sich durch einen ziemlich engen, rauen Felsspalt zwängen, um in die Höhle zu gelangen.

»Vielleicht ist es ja der Weg zum verschwundenen Tal«, sagte Anne hoffnungsvoll.

»Glaub ich nicht, Anne«, erwiderte Julius. »Es war doch überhaupt kein Kunststück, diesen Eingang zu finden. Den hätte jeder andere auch entdeckt.«

»Und irgendjemand oder irgendetwas ist vor uns hier gewesen, so wie die Farne aussehen«, fügte Richard hinzu.

»Was viel wichtiger ist: Sie können noch nicht weit sein«, sagte Georg. Sie klang enttäuscht. »Ich vermute, es ist nur irgendeine kleine Höhle und wir landen in einer Sackgasse. Dennoch sollten wir der Sache nachgehen.«

Sie schaltete ihre Taschenlampe ein. Der Lichtstrahl beleuchtete die Wände – es war offensichtlich überhaupt nichts Geheimnisvolles an der Höhle! Julius und Richard suchten die gesamte Höhle nach einem Geheimgang ab, sie tasteten und klopften sogar die Felswände in der Hoffnung auf Hohlräume ab, aber sie fanden nichts.

Die Höhle war nur ein Loch im Berg, sie führte nirgendwohin.

»Oje, was für ein Jammer!«, seufzte Georg, nachdem auch sie jeden Quadratzentimeter der Höhle untersucht hatte. »Ich geb auf!«

Die Fünf Freunde kamen aus der dunklen Höhle wieder ans helle Tageslicht. Es war ein heißer Tag und gleißendes Sonnenlicht brannte vom Himmel. Ihre Augen brauchten eine Weile, bis sie sich wieder an das Licht gewöhnt hatten. Und genau in diesem Moment stießen sie mit zwei Typen zusammen, deren Silhouetten sie kaum erkennen konnten.

»Aber hallo, was ist das denn?!«, fragte eine heisere Stimme. »Ein paar Gören!«

»Was macht ihr denn hier, he?«, fragte die zweite Stimme und klang ebenso unfreundlich wie die erste.

Jetzt hatten sich die Augen der Kinder wieder ganz an das Sonnenlicht gewöhnt und die Fünf Freunde erkannten zwei große Gestalten – zwei Jugendliche. Sie trugen schmutzige Klamotten und mussten etwa achtzehn oder neunzehn sein. Sie wirkten alles andere als freundlich!

Ivor und Phil

Oje, denen möchte ich nicht im Dunkeln begegnen!, dachte Richard, und er war wirklich kein ängstlicher Junge.

Georg ging mutig auf die beiden Fremden zu.

»Guten Tag!«, sagte sie. Schon allein ihre Stimme war die reine Höflichkeit. »Was wir hier machen? Nun, ich schätze, dasselbe wie Sie. Wir gehen spazieren.«

Die Augen des größeren der beiden Jungen funkelten böse.

»Hast du gehört, was der Typ da gesagt hat, Ivor?«, fragte er seinen Begleiter. »Ganz schön frech, der Kleine, findest du nicht?!«

Es war ja nicht das erste Mal, dass Georg für einen Jungen gehalten wurde, und normalerweise hätte sie das auch erfreut – jetzt nahm sie davon jedoch kaum Notiz. Etwas im Verhalten der beiden Fremden flößte ihr eine gewisse Angst ein.

Tim schien es genauso zu gehen. Er stand dicht neben ihr und knurrte leise.

»Ich war nicht frech«, sagte Georg bestimmt. »Hab nur Ihre Frage beantwortet!«

»Redet auch ein bisschen viel«, sagte der Jugendliche, den der andere mit Ivor angesprochen hatte. »Was meinst du, Phil – wollen wir ihm das Singen mal etwas austreiben?«

Phil grinste böse.

»Wie wär's, wenn die anderen Kinder erst mal meine Frage beantworten! Also, was macht ihr hier?«

Julius sah ihm fest in die Augen. »Wir gehen spazieren – wie meine Kusine Georgina Ihnen bereits gesagt hat«, erwiderte er.

»Wir wollen auf das Klipphorn«, erklärte Anne; sie musste insgeheim ihre Angst vor den beiden Jugendlichen überwinden.

»Oh, dann ist das also gar kein Junge«, sagte Ivor und deutete mit einer Kopfbewegung auf Georg. »Ein Spaziergang, hä? Wir haben gesehen, wie ihr aus der Höhle gekommen seid. Ihr habt in der Höhle rumgeklopft und rumgeschnüffelt!«

»Na und!«, sagte Richard, der langsam genug von der ganzen Sache hatte. »Wir können doch herumlaufen, wo wir wollen!«

»Lasst uns vorbei«, fügte Georg hinzu.

»He, nun mal immer hübsch langsam!«, bellte Phil.

Er streckte den Arm aus, um sie daran zu hindern, den Pfad hinunterzugehen.

Aber er hatte nicht mit Tim gerechnet! Der gute Hund knurrte jetzt laut, bleckte die Zähne und seine Augen funkelten Ivor und Phil an. Er machte den Eindruck, als wollte er die beiden Burschen jeden Moment angreifen.

»Immer mit der Ruhe, okay!« Phil fuhr erschreckt zurück.

Sein Freund zog ihn am Ärmel. »Komm schon, lass uns abhauen! Ich mag diesen Köter nicht!«

»Gut, gut«, sagte Phil. »Okay, Kinder. Aber wehe, wenn ihr uns noch einmal über den Weg lauft!«

»Warum sollten wir«, murmelte Georg. Sie tätschelte Tim den Kopf, während die zwei üblen Gestalten in Richtung Klipp verschwanden.

»Unangenehme Typen«, stellte Richard fest.

»Hoffentlich treffen wir die nicht so bald wieder!«, rief Anne.

Julius überlegte. »Das waren keine Touristen«, sagte er. »Sie sprachen mit hiesigem Akzent. Wahrscheinlich wohnen sie hier irgendwo in der Nähe. Und wenn das der Fall ist, werden wir den beiden bestimmt noch einmal begegnen, wenn wir weiter nach dem verschwundenen Tal suchen.«

»Na, und wenn schon!«, sagte Georg. »Ich hab vor denen keine Angst! Das sind blöde Typen. Wenn sie uns etwas tun, dann macht der gute, alte Tim Hackfleisch aus ihnen. Die verschlingst du doch in einem Stück, nicht wahr, mein guter Tim!«

»Ich glaube, die sind viel zu zäh für Tim«, sagte Julius grinsend.

»Und außerdem holt er sich dabei nur eine Fleischvergiftung, der arme Hund«, fügte Richard hinzu.

Die Kinder mussten lachen und gleich fühlten sie sich wieder besser. Sie kletterten den Berg weiter hinauf – und bald hatten die Fünf Freunde Phil und Ivor vergessen.

Den ganzen Nachmittag lang durchstöberten sie die Gegend. Aber trotz aller Anstrengungen blieben sie ohne Erfolg. Sie fanden nichts Neues heraus. Obwohl sie den steilen Felshang rechts vom Weg gründlich nach Spuren absuchten, fiel ihnen nichts auch nur im Geringsten Verdächtiges auf.

Sie hatten die Gegend jedenfalls so sorgfältig abgesucht, dass sie den Berg noch nicht sehr weit hochgekommen waren, als es schon wieder Zeit wurde, umzukehren und zurückzufahren.

»Wir werden Jahre brauchen, bis wir die ganze Gegend hier durchkämmt haben«, meckerte Richard.

»Bis wir oben auf dem Berg sind, trag ich bestimmt schon einen langen weißen Bart!«

»Kann sein«, pflichtete ihm sein Bruder bei. »Und da ist noch etwas. Selbst wenn wir oben am Gipfel ankommen, werden wir nur den Bereich in der Nähe des Weges untersucht haben. Angenommen, es gibt wirklich einen Eingang zum Höhlental, dann kann er doch auch ganz woanders liegen. Er kann überall sein! Und es ist ein großer, hoher Berg.«

»Wollen wir nicht gleich die Nadel im Heuhaufen suchen?«, fragte Richard bitter.

»Seid doch nicht so pessimistisch!«, entgegnete Georg vorwurfsvoll. »Wenn es zu leicht geht, macht es doch gar keinen Spaß, findet ihr nicht auch?«

»Stimmt genau«, sagte Anne, und zur Überraschung der Jungen unterstützte sie ihre Kusine weiter: »Ich bin ganz sicher, dass wir finden werden, wonach wir suchen!«

Und die anderen hörten an ihrer Stimme, dass sie wirklich glaubte, was sie sagte. Anne war so von der Legende begeistert, dass sie sich ungeheuer danach sehnte, das Höhlental zu finden. Ihre Augen blitzten vor Abenteuerlust.

Richard musste lächeln. »Hauptsache, unsere Nachforschungen machen Spaß! Wenn es uns mehr Ärger und Schwierigkeiten bereitet, als die Sache wert ist, dann können wir ja jederzeit damit aufhören.«

Und genau das hätten die Kinder während der nächsten Tage am liebsten mehr als einmal getan: aufgehört!

Sie waren jeden Tag den Berg ein Stück höher geklettert, aber sie hatten nichts gefunden, und allen, außer Georg, ging die Sache langsam ziemlich auf die Nerven. Sie hätten ja stattdessen immer noch die wunderschönen, alten Schlösser besichtigen oder Busreisen zu den anderen interessanten Sehenswürdigkeiten der Umgebung unternehmen können.

Hinzu kam, dass sie Phil und Ivor noch zweimal begegneten. Und die beiden Jugendlichen verhielten sich dabei genauso merkwürdig und unfreundlich wie beim ersten Mal. Wieder drohten sie den Kindern. Georg und die anderen konnten sich keinen Reim darauf machen, warum die beiden ihnen gegenüber so feindselig waren. Es gab doch keinen ersichtlichen Grund!

»Vielleicht meinen sie, wir sind ihnen hier auf dem Klipphorn irgendwie im Weg?«, schlug Georg vor.

»Ich kann mir nicht vorstellen, warum«, sagte Richard. »Meine Güte, der Berg ist doch groß genug für uns alle!«

Es war jedenfalls nicht besonders erfreulich, zu wissen, dass diese beiden Kerle ihnen ihre Nachforschungen übel nahmen. Es kam den Kindern sogar so vor, als beobachteten die Burschen die Fünf Freunde aus der Ferne, um herauszubekommen, was sie vorhatten.

An einem der nächsten Nachmittage machten sich die Fünf Freunde erneut auf eine Erkundungstour zum Klipphorn. Inzwischen glaubten sie schon selbst nicht mehr daran, dass sie irgendetwas herausfinden würden. Nur Tim war wie immer guter Dinge. Er streunte umher, schnüffelte an Kaninchenbauten, jagte Libellen, von denen es in dieser schönen Gebirgslandschaft ungeheuer viele gab, oder rollte sich zufrieden im Gras.

Plötzlich sah Georg, wie der Hund aufsprang, die Schnauze in die Luft streckte und schnupperte – und im nächsten Moment mit vollem Tempo eine kleine Feldmaus verfolgte!

»Halt! Komm hierher, Tim!«, rief Georg ärgerlich. »Lass doch die arme kleine Maus in Ruhe!«

Aber ausnahmsweise hörte Tim diesmal nicht auf sein Frauchen. Er hielt seine Jagdbeute wohl für sehr gefährlich und sich selbst für sehr mutig. Jedenfalls jagte er immer weiter hinter der Maus her, die Nase stets auf dem Boden. Da tauchte die Maus in einem dichten, hohen Gebüsch unter und verschwand auf Nimmerwiedersehen. Tim sprang ihr nach und hinter ihm schloss sich das Gebüsch wieder. Man hörte noch das Rauschen der Blätter, dann war Stille.

»O nein!«, rief Richard ärgerlich. »Wo ist Tim denn jetzt schon wieder?«

Georg bog mit den Händen einige Zweige des Gebüschs auseinander und rief: »Tim! Tim, hierher!«

Und Tim antwortete! Aber sein Bellen klang seltsam gedämpft, so als wäre er sehr weit weg. Georg sah genauer hinter dem Gebüsch nach.

»Seht mal«, rief sie, »eine Höhle!«

Es gab keinen Zweifel, sie hatte einen Höhleneingang entdeckt, der vom Weg aus nicht zu sehen war. Die Blätter und Zweige des Gebüschs verdeckten den Eingang vollständig.

Schnell folgten Julius, Richard und Anne ihrer Kusine in die Höhle.

»Hurra!«, rief Richard. »Das ist ja eine tolle Höhle! Und viel größer als das kleine Ding, das wir neulich gefunden haben. Ich wette, der Eingang zum verschollenen Tal ist ...«

»Ich würde nicht zu viel darauf wetten«, unterbrach Georg ihn. »Sieh mal, wie stark das Gras niedergetrampelt ist. Man kann noch die Fußspuren sehen. Diese Höhle ist anscheinend ziemlich bekannt.«

»Seht doch!«, rief Anne plötzlich.

Ihre Augen hatten sich langsam an das Dämmerlicht gewöhnt, und sie zeigte auf eine Reihe von Gegenständen, die entweder von der Felsendecke herabhingen oder auf dem Höhlenboden herumstanden. Richard hockte sich nieder, um zu sehen, was es war.

»Fallen … Schlingen! Und getrocknete Kaninchenfelle! Hier in dieser Ecke liegt noch ein Stapel Felle!«

»Sieht aus wie das Versteck eines Wilddiebs«, sagte Julius.

»Das erklärt alles!«, rief Georg mit einem triumphierenden Ton in der Stimme. »Ich habe mir schon so etwas gedacht. Deshalb wollten Ivor und Phil, dass wir hier aus der Gegend verschwinden! Sie hatten Angst, wir könnten herausfinden, was sie so treiben. Und wir könnten ihr Wilderer-Versteck finden.«

»Ich glaub, du hast Recht«, sagte Richard. »Die beiden sind bestimmt Wilddiebe.«

»Es kann aber auch jemand anders sein«, gab Julius zu bedenken. »Wir haben keine Beweise, dass Ivor und Phil diese Fallen gelegt haben.«

Den Beweis sollten sie allerdings bald erhalten!

Hinter den Kindern raschelten mit einem Mal die

Blätter. Julius drehte den Kopf. Anne stieß einen entsetzten Schrei aus! Ivor und Phil waren in die Höhle gekommen.

»Hab ich's nicht gesagt, diese Kids spionieren uns immer noch nach«, sagte Phil. »Hast es mir ja nicht geglaubt! Okay, jetzt gibt es wohl keinen Zweifel mehr, oder?«

Damit hatte er sich verraten! Was die Kinder anging, so hatten die keinen Zweifel mehr, dass die beiden Wilddiebe waren. Ivor ging auf sie zu und sah Furcht einflößend aus.

»Überlegt euch gut, was ihr macht! Nichts da mit Zur-Polizei-Gehen und so. Verstanden?!«, sagte er mit einer scharfen, rauen Stimme. »Wenn ihr auch nur ein Wort zu jemandem sagt und uns verratet, werdet ihr es bitter bereuen! Ist das klar?!«

Georg konnte Tim nur mit Mühe zurückhalten. Sie sah die beiden wütend an.

»Wir haben nicht hinter euch herspioniert«, sagte sie. »So was machen wir nicht!«

»Und was treibt ihr dann hier, hä?«, fragte Phil.

»Wir machen Ferien. Hier in den Bergen, das ist alles«, antwortete Richard. »Wir wandern und klettern ein bisschen. Was gibt es denn daran auszusetzen?«

»Jetzt tut der Typ so, als ob er meine Frage nicht ver-

standen hat! Ich will wissen, was ihr hier – hier in der Höhle – macht!«

»Mein Hund ist hinter einer Maus hergerannt und wir sind ihm gefolgt«, erklärte Georg wahrheitsgemäß.

Phil und Ivor machten nicht gerade den Eindruck, als ob sie ihr glaubten. Anne fand, dass sie sehr gefährlich aussahen, und das machte sie unvorsichtig. »Ehrlich, meine Kusine sagt die Wahrheit!«, rief sie. »Wir haben die Höhle zufällig entdeckt – und es ist auch gar nicht die, die wir eigentlich suchen …«

»Anne! Halt den Mund!«, sagte Georg wütend.

Aber es war schon zu spät! Ivor und Phil sahen das kleine Mädchen interessiert an.

»Weiter!«, befahl Phil. »Welche sucht ihr denn eigentlich?«

Georg wollte Tim gerade loslassen, aber Ivor sah es noch rechtzeitig. Er holte in Sekundenschnelle ein scharfes Messer aus der Hosentasche.

»Wenn du die Bestie auf mich hetzt, mach ich sie kalt!«, drohte er.

Georg rührte sich nicht – und Anne redete und redete. Julius zuckte resigniert die Schultern, und Georg und Richard waren richtig sauer, als das arme kleine Mädchen den beiden Wilddieben erzählte, warum sie die Berge durchstreiften. Als sie mit ihrer Geschichte fertig war, brach Phil in schallendes Gelächter aus.

»Ihr seid auch zu dämlich! An diesen Mist vom ›Dunklen Volk‹ glaubt hier doch schon lange niemand mehr. Aber meinetwegen, sucht ruhig weiter nach diesem verschollenen Tal, wenn ihr Lust dazu habt. Aber ich warne euch noch einmal, sagt keiner Menschenseele, was wir hier machen. Und kommt uns ja nie wieder in die Quere. Raus jetzt, aber schnell!«

Die Kinder verließen das Versteck der Wilddiebe und gingen schweigend davon. Sie kochten vor Wut, waren aber doch froh, so leicht aus der Sache herausgekommen zu sein.

Phil und Ivor beobachteten, wie die Kinder den Hang hinunterkletterten. Dann sahen sie sich an.

»He – angenommen, da ist doch was dran an der Geschichte«, sagte Ivor nachdenklich. »Stell dir vor, es gibt die goldene Statue wirklich … Die Gören sind ja wild entschlossen, sie zu finden.«

»Dann sollen sie die Arbeit für uns machen, Ivor! Und wenn sie wirklich etwas finden, dann schalten wir uns ein und schnappen sie uns. In der Zwischenzeit lassen wir die Kinder nicht mehr aus den Augen.«

»Okay«, stimmte Ivor zu. »Das wäre doch 'n Witz, wenn sie uns zum Goldschatz führen würden!«

Hocherfreut von dieser Vorstellung, machten sich die beiden fröhlich an die Arbeit und bündelten ihre Kaninchenfelle.

Während der nächsten Tage suchten die Fünf Freunde unermüdlich weiter – und hatten nicht die leiseste Ahnung, dass sie beobachtet wurden.

Sie durchstöberten den ganzen Berg – hoch bis zur Spitze des Klipphorns –, aber zu ihrer großen Enttäuschung fanden sie nichts! An diesem Abend schlug Julius vor, das ganze Unternehmen aufzugeben; sie sollten sich stattdessen lieber etwas anderes ausdenken, was sie hier in Margarethenstein machen könnten.

»Lass uns den morgigen Tag abwarten«, sagte Georg. »Wir müssen noch einmal darüber schlafen, bevor wir uns entscheiden.«

Aber wie der Zufall so spielt, sie sollten in dieser Nacht nicht allzu viel Schlaf bekommen!

Alarm in der Nacht

Die Geschehnisse dieser Nacht veränderten die Ferien der Kinder nachhaltig.

Alle auf dem Margarethenhof schliefen friedlich, als sie zwischen vier und fünf Uhr morgens durch einen gewaltigen Stoß geweckt wurden. Er schleuderte die Kinder beinahe aus ihren Betten. Anne war sofort wach und schrie in Panik: »Georg! Oh, Georg, was ist denn jetzt los?!«

Georg sprang aus dem anderen Bett und versuchte, Licht zu machen, aber obwohl Frau Hansen seit dem letzten Besuch der Kinder Elektrizität im Haus hatte installieren lassen, funktionierte der Lichtschalter jetzt nicht. Es gab eine zweite seltsame Erschütterung und Anne stieß wieder einen Schrei aus.

»Ach du meine Güte!«, sagte Georg voller Ehrfurcht. »Ich glaub, das sind Erdstöße! Schnell, Anne, schnapp dir deine Kleider und dann müssen wir in den Garten. Wir dürfen auf keinen Fall im Haus bleiben.«

Tapfer überwand Anne ihre Panik und tat, was Georg ihr gesagt hatte. Im Haus waren jetzt viel Lärm und Stimmengewirr zu hören. Dann vernahmen die beiden Mädchen Schritte auf dem Flur. Tante Fanny und Onkel Quentin erschienen in der Tür zum Schlafzimmer der Mädchen. Sie hatten Taschenlampen bei sich.

»Georg! Anne!«, rief Tante Fanny. »Seid ihr in Ordnung? Schnell, kommt mit raus in den Garten! Die Jungen sind schon draußen! Schnell, schnell!«

»Wuff!«, machte Tim und rannte gehorsam zur Tür.

Die Nacht war erstaunlich warm. Kein Lüftchen rührte sich. Aber es kam ihnen vor, als schwankte die Erde die ganze Zeit leicht unter ihren Füßen.

»Am besten bleibt ihr mitten auf dem Rasen«, ordnete Onkel Quentin an. »Dort besteht keine Gefahr, dass wir von Trümmern getroffen werden, wenn das Haus einstürzt.«

»Oh, ich hoffe, es bleibt stehen!«, rief Tante Fanny. »Nicht auszudenken, wenn das Haus von Hermann und der armen Frau Hansen zerstört werden würde! Und all unsere Sachen sind auch noch drin!«

Georgs Interesse an diesem Ereignis war größer als ihre Angst. »Weißt du was, Vater, hätten wir es nicht neulich von der alten Frau Brandner gehört, ich hätte nie im Leben gedacht, dass es hier überhaupt Erdbeben gibt«, sagte sie.

»Nun, leider stimmt es, Georg«, sagte Onkel Quentin. »Aber normalerweise sind die Beben so schwach, dass niemand sie wahrnimmt. Hin und wieder gibt es einen Erdstoß oder eine Serie kleinerer Beben, die Schäden verursachen. Und ich habe gehört, dass dies in den letzten Jahrhunderten besonders in Margarethenstein einige Male der Fall war. Wie ihr vielleicht wisst, sind diese Gebirge hier vor grauer Vorzeit aus Vulkangestein entstanden. Als sich das Massiv damals bildete, geschah dies offenbar über einem Graben in der Erdkruste durch die tektonischen Verschiebungen der Kontinentalplatten. Und so etwas verursacht Erdbeben – oder die kleineren Erdstöße ...«

Ein leises, rumpelndes Geräusch, das aus dem Erdinneren zu kommen schien, unterbrach Onkel Quentins Ausführungen. »Legt euch alle auf den Boden!«, befahl er. »Das ist sicherer!«

Es gab keinen Zweifel: Die Erde unter ihren Füßen bebte. Und wie! Die Kinder und Tante Fanny warfen sich ins Gras, wie Onkel Quentin ihnen geraten hatte. Der Erdstoß dauerte nicht lange, aber Tim lief die ganze Zeit knurrend hin und her, als wollte er sagen, dass der Spuk endlich aufhören soll!

»So, so, so«, sagte Onkel Quentin und kam langsam wieder auf die Füße, als die Erdstöße nachließen. »Faszinierend! Wirklich faszinierend! Welch ein außerordentliches Glück, dass wir ausgerechnet jetzt in den Bergen sind. Das muss einer der heftigsten Erdstöße gewesen sein, der jemals hierzulande aufgezeichnet wurde.«

»Glück nennst du das?«, sagte Tante Fanny mit einem leichten Zweifel in der Stimme. Sie konnte die nüchterne wissenschaftliche Begeisterung ihres Mannes nicht teilen.

Die Bewohner des Margarethenhofes warteten noch eine Weile draußen im Garten, aber allem Anschein nach hatte sich die Erde wieder beruhigt. So beängstigend die Erdstöße auch gewesen waren, sie hatten das Bauernhaus glücklicherweise nicht ernsthaft beschädigt. Lediglich der Riss in der Außenwand am Südgiebel war etwas breiter geworden. Hermann untersuchte den Spalt und meinte, es wäre kein großes Problem, ihn zu reparieren.

Langsam brach der Tag an, und Onkel Quentin und Hermann Hansen beschlossen, ins Dorf hinunterzugehen und nachzusehen, ob jemand ihre Hilfe brauchte. »Vielleicht können wir uns ja nützlich machen«, meinte Onkel Quentin.

Die Kinder bestanden darauf, mitkommen zu dürfen. Es war äußerst unwahrscheinlich, dass sie wieder einschlafen konnten, wenn sie jetzt zurück ins Bett gingen. Also zogen sie sich an und machten sich mit Hermann und Onkel Quentin auf den Weg ins Dorf Margarethenstein. Einige Bauernhäuser waren leicht beschädigt – vereinzelt hatten sich die Schieferplatten von den Dächern gelöst und in einigen weiß getünchten Hausfassaden klafften Risse. Der kleine Kirchturm allerdings war teilweise eingestürzt, aber zum Glück war niemand verletzt worden. Natürlich gab es eine Reihe von Kratzern und Verstauchungen und die Kinder halfen der Bezirkskrankenschwester bei der Erste-Hilfe-Versorgung und beim Aufräumen. Bei ihrer Freundin Frau Brandner, der alten Geschichtenerzählerin, hatten während der Erdstöße die Küchenutensilien, die Töpfe und Pfannen auf den Regalen getanzt und waren zu Boden gefallen. Die Kinder räumten alles für die alte Frau Brandner wieder ein, da sie mit ihren rheumatischen Händen dies nicht so gut konnte. Tim war eigentlich keine große Hilfe, aber sobald er seine Angst vor dem Erdbeben überwunden hatte, machte ihn die ungewöhnliche Aufregung überall um ihn herum neugierig – er lief von einem Ort zum anderen und steckte überall seine Nase hinein!

Als sie im Dorf nicht mehr gebraucht wurden, gingen Onkel Quentin, Hermann Hansen und die Kinder wieder zurück zum Margarethenhof. Frau Hansen hatte für alle ein gigantisches, köstliches Frühstück zubereitet. Tante Fanny war Frau Hansen dabei zur Hand gegangen, massenhaft Speck und Eier und Würstchen zu braten. Es gab Butterbrote mit selbst gemachter Erdbeermarmelade und frische Milch für die Kinder und eine Kanne mit starkem Tee für die Erwachsenen.

»Das ist super lecker!«, sagte Richard und nahm sich zum zweiten Mal Eier und Schinken. »Nach einem Erdbeben schmeckt das Frühstück noch mal so gut, finde ich.«

»Na, vielen Dank, mein Junge. Mir schmeckt es auch ohne Beben«, sagte Hermann und zwinkerte Richard zu.

Die Aufregung um die Erdstöße hatte die Kinder völlig von ihren Erkundungsausflügen ins Gebirge abgebracht. Sie blieben den ganzen Tag über in der Nähe des Hofes – und zugegebenermaßen waren sie auch ein bisschen müde, nachdem sie so früh geweckt worden waren und dann bei den Aufräumungsarbeiten im Dorf geholfen hatten.

Am nächsten Tag schien das Leben jedoch wieder in normalen Bahnen zu verlaufen, und sie beschlossen, dass sie das Klipphorn noch ein letztes Mal besteigen wollten, bevor sie endgültig aufgeben würden. Doch als sie dort ankamen, wartete eine Überraschung auf sie!

Sie waren schon eine Zeit lang den Berg hochgekraxelt, als Tim, der vor ihnen hergesprungen war, plötzlich anhielt und zu bellen anfing.

»Ich glaube, er hat etwas gefunden«, sagte Georg. Sie rannte voraus, um den Hund einzuholen, und Julius, Richard und Anne liefen schnell hinter ihr her.

Als sie alle an der Stelle ankamen, stand Tim vollkommen still da. Er schnupperte an einem Spalt, der quer über den Weg verlief.

»Der kommt bestimmt vom Erdbeben«, sagte Anne.

»Der Graben ist gar nicht sehr tief«, stellte Richard fest, während er sich über den Spalt beugte. »Nicht tiefer als ein Straßengraben und nicht einmal halb so breit. Wir können einfach drüberspringen.«

»Halt mal – wir sind doch etwa auf der Höhe der kleinen Höhle, die wir vor ein paar Tagen gefunden haben, nicht wahr?«, stellte Julius fest. »Ja, ich bin mir ganz sicher. Ich erinnere mich an diese Stelle.«

»Ja, du hast Recht«, stimmte Georg ihm zu. »Mann, sieh mal, die Höhle ist verschwunden! Und der Riesenfarm, hinter dem der Höhleneingang versteckt war, ist auch weg.« Sie zeigte auf einen Haufen Geröll und Steine, der genau an der Stelle lag, wo sich noch vor ein paar Tagen der Höhleneingang befunden hatte. »Dann haben die Erdstöße also auch das Gebirge erschüttert«, schloss sie. Ihre Augen strahlten. »Kommt! Wir sehen mal nach!«

»Wir sehen wo nach?«, wollte Julius wissen.

»Na, was unter den Steinen ist. Man kann nie wissen.«

Im Nu hatten die Kinder einige Steine zur Seite geräumt – und sie sahen, dass sich die kleine Höhle verändert hatte. Sie war größer geworden!

»Wir gehen da besser nicht hinein«, sagte Julius, der immer sehr vorsichtig war. »Stellt euch vor, die Höhlendecke stürzt plötzlich ein! Das kann gefährlich werden.«

»Außerdem haben wir diese Höhle doch schon untersucht«, sagte Richard sichtlich gelangweilt.

Georg war allerdings, wie konnte es auch anders sein, bereits im Inneren der Höhle verschwunden – und im nächsten Augenblick hörten die Freunde, wie sie einen Triumphschrei ausstieß. Trotz Julius' Warnung rannten die anderen hinter Georg her und schließlich folgte auch Julius ihnen. Die Kinder fanden ihre Kusine im hinteren Teil der Höhle; Georg untersuchte gerade im Schein ihrer Taschenlampe einen breiten Spalt in der Felswand.

»Seht ihr das?«, fragte sie triumphierend. »Durch den Erdstoß hat sich eine Öffnung gebildet. Ich spüre einen Luftzug, der von dahinten kommt. Dies muss der Zugang zum verschwundenen Tal sein!«

Im nächsten Augenblick bahnten sich die Fünf Freunde einen Weg durch die Öffnung in der hinteren Höhlenwand: Angeführt wurde die Gruppe von Georg, die den anderen den Weg beleuchtete. Als sie losgegangen waren, hatte sie als Einzige daran gedacht, eine Taschenlampe mitzunehmen; doch unglücklicherweise wurden die Batterien von Minute zu Minute immer schwächer.

Der schmale Gang führte ein ganzes Stück lang aufwärts und war gerade so breit, dass sich die Kinder hindurchzwängen konnten – zum Glück waren die Fünf Freunde alle schlank! Zuerst mussten sie mühsam über herabgefallene Gesteinstrümmer steigen, aber nach ein paar Metern kamen sie besser voran.

»Offenbar hat es diesen Gang hier schon immer gegeben«, sagte Richard. »Nur der Einstieg war versperrt. Der Weg scheint direkt ins Innere des Berges zu führen.«

»Seid bloß vorsichtig!«, ermahnte Julius die anderen. »Wir haben keine Ahnung, wo der Gang endet. Und wir wissen nicht, was der Erdstoß hier alles angerichtet hat. Wir könnten jeden Moment in einen Abgrund stürzen. Oder Steinschlag kann auf uns niedergehen.«

»Vielleicht hast du Recht«, gab Georg zu. »Aber wir könnten genauso gut kurz davor sein, das verlorene Tal wieder zu finden – und die Geheimnisse des ›Dunklen Volkes‹ zu enträtseln!«

Fest entschlossen ging sie weiter. Georg hatte großes Vertrauen in Tims Instinkt; er würde sie bestimmt warnen, wenn irgendeine Gefahr auf die Kinder zukam, da war Georg sicher. Richard war genauso abenteuerlustig wie seine Kusine und er folgte ihr nur zu gern. Julius registrierte mit Sorge, dass das Licht der Taschenlampe immer schwächer wurde. Darum war es besonders wichtig, zusammenzubleiben. Anne hielt sich dicht hinter ihm. Sie mochte solche Unternehmungen überhaupt nicht – jetzt hatte sie Angst, sich die Knöchel zu verstauchen, wenn sie über einen Stein stolperte. In dem schmalen Gang lagen so viele herum.

Plötzlich gab Georgs Lampe ihren Geist auf.

»O nein«, stöhnten vier enttäuschte Stimmen im finsteren Berginnern.

Im Inneren des Berges

»Hab ich's nicht gesagt!«, machte sich Julius wichtig – die anderen fanden das allerdings nicht so passend.

»Verdammter Mist!« Georg schüttelte die Lampe. Das Licht ging zwar wieder an, aber es war sehr schwach. »Ich glaube, wir müssen umkehren. Die Batterien sind fast leer.«

Der Lichtschein der Taschenlampe war einmal stärker, im nächsten Moment wieder so schwach, dass die Kinder kaum etwas sehen konnten. Die jungen Höhlenforscher hasteten, so schnell sie konnten, den unterirdischen Gang entlang, um die Höhle möglichst rasch verlassen zu können. Sie schafften es und stolperten hinaus ans Tageslicht.

»Puhhh!«, machte Richard und gab einen tiefen Seufzer der Erleichterung von sich.

»Nächstes Mal nehmen wir neue Batterien mit«, sagte Julius. »Es hätte ganz schön gefährlich werden können, so ohne Licht.«

Georg sah nachdenklich zu dem Höhleneingang zurück. Tim machte es ihr nach. Er sah lustig aus mit dem schräg gestellten Kopf, genau wie sein geliebtes Frauchen.

»Hört mal, wir können das hier nicht so zurücklassen«, sagte Georg plötzlich. »Wenn jemand vorbeikommt und den Tunnel entdeckt! Der könnte vor uns zum verschwundenen Tal gelangen. Wie müssen den Höhleneingang tarnen – wir müssen die Steine wieder davor aufstapeln.«

»Stimmt«, meinte Julius. »Kommt, es dauert nicht lange, wenn alle mit anpacken.«

Mit vereinten Kräften war die Arbeit bald erledigt –

und wie es sich zeigen sollte: keine Minute zu früh! Die Kinder waren gerade fertig, als sie jemanden den Weg heraufkommen hörten.

Ivor und Phil tauchten auf. Sie waren vermutlich in derjenigen Höhle gewesen, die ihnen als Versteck für ihre Fallen und Felle diente.

»Na so was! Unsere neugierigen Gören schon wieder!«, sagte Phil. »Lauft ihr immer noch in der Gegend herum und seid hinter euren Spukgeschichten her?!«

»Hat euch wohl einen ganz schönen Schrecken eingejagt, neulich nachts!«, machte sich Ivor über sie lustig. »Dieser Erdstoß hat Margarethenstein richtig gut durchgeschüttelt, findet ihr nicht auch?«

Die Kinder schwiegen. Sie konnten diese unangenehmen, falschen Typen nicht ausstehen und sie wollten sich um nichts in der Welt auf deren Sticheleien einlassen.

Phil war allerdings von Natur aus streitsüchtig und ihr Schweigen machte ihn nur noch wütender. »Hat es euch die Sprache verschlagen? Könnt ihr nicht mal eine höfliche Frage beantworten?«

»Doch. Auf höfliche Fragen antworten wir«, sagte Georg kurz angebunden. »Wir haben der Polizei nichts gesagt, falls es das ist, was euch interessiert! Aber wir haben auch keine große Lust, uns mit euch zu unterhalten. Es ist also das Beste, ihr geht eurer Wege und lasst uns in Ruhe.«

Georg hatte viele gute Eigenschaften – wie zum Beispiel Ehrlichkeit, Mut und Großzügigkeit –, aber Takt gehörte mit Sicherheit nicht dazu.

Ihre Antwort brachte Phil richtig in Rage. Sein Gesicht lief vor Wut puterrot an, er ballte die Fäuste und schnarrte: »Ich hätte jetzt wirklich große Lust, dir eine ordentliche Tracht Prügel zu verpassen, mein Junge!«

»Das ist kein Junge! Hast du denn vergessen, dass sie ein Mädchen ist?«, sagte sein Freund Ivor und schüttelte sich vor Lachen. »Kleine Mädchen schlägst du doch nicht Phil, oder? Hahaha!«

Georg spürte langsam Wut in sich aufsteigen. Sie wollte gerade eine passende Antwort geben, als Julius besonnen dazwischenging.

»Hört auf zu streiten«, sagte er und hob die Hand zu einer beschwichtigenden Geste.

Doch dummerweise war seine Hand voll Erde. Phil bemerkte es sofort.

»Na, sieh mal einer an!«, sagte er und beachtete Georg nicht mehr. »Kann es sein, dass ihr Gören euch als Maulwürfe betätigt habt, hm? Ihr habt ja alle verdreckte Hände, na so was, ts, ts, ts! Habt ihr vielleicht etwas Neues entdeckt? Los, raus mit der Sprache! Was habt ihr gefunden! Na los, wird's bald!«

Georg kochte innerlich vor Wut: Sie war davon überzeugt, dass die beiden Wilderer die goldene Statue an sich reißen würden, vorausgesetzt, sie existierte wirklich. Phil sah Anne schon aufmunternd an. Er wusste, dass sie die Schwächste der Fünf Freunde war – schließlich hatte sie ihnen ja schon sehr nützliche Informationen gegeben. Die arme Anne zitterte vor Angst. Es sah so aus, als würde sie jeden Moment in Ohnmacht fallen.

Georg schoss das Blut in den Kopf. »Schluss jetzt!«, rief sie. »Verschwindet endlich, oder ihr werdet es bereuen – los, Tim, fass!«

Diesmal hatten Ivor und Phil keine Messer dabei. Sie waren völlig überrascht. Von einer Sekunde auf die andere wurden sie von einem wilden Wirbelwind angegriffen! Kaum hatte Georg ihrem Tim den Befehl gegeben, stürmte der auch schon auf die beiden Burschen zu und jagte in immer enger werdenden Kreisen schneller und schneller um die beiden herum, sodass alles, was sie von ihm sahen, das weit aufgerissene Maul, seine blitzenden Zähne und die blutunterlaufenen Augen waren. Tim biss den einen in die Wade, den anderen in den Knöchel, zerrte an einem Hemdenärmel und verbiss sich im nächsten Augenblick in ein Hosenbein. Er schien überall gleichzeitig zu sein!

Das war zu viel für die jungen Wilddiebe! Sie rannten, so schnell sie konnten, davon. Es war alles andere als ein triumphaler Rückzug – und Tim sorgte dafür, dass sie nicht stehen blieben, indem er laut bellend hinter ihnen herrannte. Georg musste so lachen, dass sie nur mit Mühe genug Luft holen konnte, um Tim zurückzurufen.

»Hierher, Tim – bei Fuß! Braver Hund! Gut gemacht, feiner Kerl!«

Sie gab ihm einen Keks als Belohnung. Anne und die Jungen umarmten den braven Hund. Doch trotz aller Erleichterung machte sich Julius noch Sorgen: Dies war die offizielle Kriegserklärung zwischen ihnen und den Wilderern! Wer weiß, was sie nun tun würden …

Am nächsten Tag kamen die Fünf Freunde zur Höhle zurück, ausgerüstet mit brandneuen Batterien in ihren Taschenlampen. Julius, der immer an alles dachte, hatte auch ein Stück Kreide und einen Knäuel Schnur mitgebracht.

»Der unterirdische Gang könnte sich irgendwo verzweigen«, erklärte er. »Für diesen Fall wollen wir doch nicht Gefahr laufen, dass wir uns verirren. Wir werden

Kreidestriche an die Wände zeichnen, damit wir den Rückweg wieder finden.«

»Wofür brauchst du die Schnur?«, wollte Anne wissen.

»Tja, falls das Ganze noch komplizierter wird. Wenn wir ein Schnurende an einem Stein oder einem Stück Felsen festbinden und das Knäuel während des Gehens abwickeln, dann können wir uns gar nicht verlaufen. Du kennst doch die Geschichte von Theseus und dem Minotaurus? Diese Sicherheitsvorkehrung ist sogar noch besser als die Kreidemarkierungen.«

»Wieso?«, fragte Anne.

»Weil man Licht braucht, um die Kreidestriche zu sehen – aber der Schnur kann man auch im Dunkeln folgen.«

»Aber wir haben doch unsere Taschenlampen dabei«, erwiderte das kleine Mädchen.

»Die könnten ausgehen.«

»Wir haben immerhin ganz neue Batterien. Die halten doch mehrere Stunden!«

»Trotzdem. Deine Lampe könnte kaputtgehen ... wenn du sie fallen lässt.«

»Da müssten wir vier uns ja alle gleichzeitig äußerst ungeschickt anstellen!«, sagte Richard lachend und stieß seinen Bruder in die Seite. »Komm, lass gut sein,

Julius – oder soll ich dich ab jetzt Theseus nennen? Jetzt übertreibst du aber ein bisschen.«

»Vorsicht ist die Mutter der Porzellankiste«, beharrte Julius. »Und je mehr Vorsichtsmaßnahmen man ergreift, desto besser!«

»Ja, ja, ich weiß schon, du bist jemand, der immer auf Nummer Sicher geht und am liebsten immer beides anzieht, einen Gürtel *und* Hosenträger«, sagte Richard, und diesmal musste sogar Julius mitlachen.

Währenddessen waren die Fünf Freunde bis zu der Stelle vorgedrungen, an der sie am Vortag umkehren mussten. Aber jetzt konnten sie weitergehen – dank des hellen Lichtscheins ihrer Taschenlampen. Und diesmal kamen sie in dem unterirdischen Tunnel sehr schnell voran. Der Boden war einigermaßen glatt und eben.

Georg führte die Gruppe an, und da sie, im Grunde genommen, ein recht vernünftiges Mädchen war, ging sie so vorsichtig, wie es sich Julius nicht besser wünschen konnte.

Aber ihr Herz raste!

Jeden Moment konnten sie jetzt auf etwas Aufregendes stoßen!

Plötzlich wurde der Gang vor ihr breiter.

»Seht doch! Eine andere Höhle!«, rief sie.

Julius, Richard, Anne und Tim schlossen schnell zu ihr auf. Sie waren in einer großen Höhle angekommen, die vermutlich vor Urzeiten von fließendem Wasser aus dem Fels herausgespült worden war.

»He, seht euch das an!« Richard ließ den Lichtstrahl seiner Taschenlampe über die Höhlenwand neben sich gleiten. »Da sind ja Bilder an der Wand!«

Georg sah sie sich staunend an. »Wahnsinn! Ja, das sind Höhlenmalereien!«

Die Bilder zeigten Männer mit einfachen Waffen, die Vögel und andere, größere Tiere jagten.

»Jäger«, sagte Anne. »Jäger mit ihren Hunden.«

»Und sie haben dunkle Gesichter«, stellte Richard erfreut fest.

»Mensch – könnte das nicht das ›Dunkle Volk‹ sein?« Julius war ausnahmsweise einmal richtig erschüttert. »Also … ich meine … dann ist das eine wirklich wichtige Entdeckung, die wir gerade gemacht haben.«

»Das ist fantastisch, Julius!«, rief Georg, ganz aus dem Häuschen. »Glaubst du nun immer noch, dass wir einem Phantom nachjagen, wenn wir das verschollene Tal suchen?«

»Moment, Moment«, beschwichtigte Julius seine Kusine, »diese Höhlenbilder müssen nicht unbedingt etwas mit dem ›Dunklen Volk‹ zu tun haben – sie können genauso gut aus einer ganz anderen Periode stammen. Onkel Quentin wüsste es bestimmt.«

»Okay. Auf alle Fälle beweisen die Malereien, dass diese Höhle bewohnt war und dass der Tunnel, der hierher führt, benutzt wurde«, sagte Georg.

»Wollen wir die Höhle nicht weiter erkunden?«, schlug Anne vor.

An den Wänden fanden sie noch sehr viel mehr Höhlenmalereien. Und es war alles riesig aufregend! Die Kinder machten auch noch eine andere Entdeckung – zwei weitere unterirdische Gänge mündeten in die Höhle, einer rechts von ihnen, ganz in der Nähe des Tunnels, durch den sie gerade gekommen waren, und ein anderer in der hinteren linken Ecke der Höhle.

Die Kinder sahen sich überrascht an.

»Hm, alle Wege führen zwar nach Rom, aber ich kann mir nicht vorstellen, dass alle unterirdischen Gänge zum verschollenen Tal führen«, sagte Georg. »Also, welchen Gang sollen wir nehmen?«

»Zuerst den einen und dann den anderen«, meinte Anne.

Aber Georg und Richard hatten es jetzt sehr eilig. »Wir müssen zwei Gruppen bilden«, sagte Georg. »Das verdoppelt unsere Erfolgschancen.«

Julius war sich da nicht so sicher, aber schließlich willigte er ein. Er und Anne bildeten die eine Gruppe, Richard, Georg und Tim die andere.

»Wir müssen eine feste Zeit ausmachen«, sagte Julius. »Jede Gruppe hat eine halbe Stunde Zeit, dann macht sie kehrt und wir treffen uns wieder hier, okay?«

Nachdem sich die Fünf Freunde darauf geeinigt hatten, gingen die beiden Gruppen in die vereinbarten Richtungen. Julius und Anne verschwanden im rechten Gang und Georg, Richard und Tim machten sich auf den Weg zum Tunnel am anderen Ende der Höhle.

Die zweite Gruppe wurde von Tim angeführt, der fröhlich mit dem Schwanz wedelte und vor den beiden Kindern herlief. »Das ist ein gutes Zeichen«, fand Georg. »Ich bin sicher, er hat eine Spur.«

Richard war sich nicht so sicher, aber immerhin machte es Hoffnung.

Und tatsächlich war es Tim, der als Erster zu ihrem nächsten großen Fund gelangte. Einige Schritte vor Georg wedelte er jetzt heftiger mit dem Schwanz – und kam in eine große Höhle, die an ein Wohnzimmer erinnerte. Diese Höhle war offensichtlich von Menschenhand aus dem Fels gehauen worden. Die Kinder stießen Freudenschreie aus, als sie sahen, was sie entdeckt hatten.

»Das ist der absolute Wahnsinn!«, brüllte Richard. »Georg, das sieht ja aus wie ein … wie eine Art Krypta oder so, findest du nicht auch? Sieh doch, da ist ein Steinaltar und da, die Steinbänke …!«

»Und dieses alte Tonzeug! Sieht aus wie Öllampen«, sagte Georg und lief zu den kleinen Gefäßen, die an verschiedenen Stellen des Raumes auf Vorsprüngen standen. Die beiden erforschten die Höhle und leuchteten mit ihren Lampen die Wände ab und stießen vor Freude – oder Überraschung – immer wieder Schreie aus, wenn sie etwas Neues, etwas Faszinierendes entdeckt hatten.

»Das ist der Beweis!«, rief Georg schließlich triumphierend. »Ob es das ›Dunkle Volk‹ war oder nicht – in diesen unterirdischen Höhlen lebten Menschen! Sie beteten hier irgendeinen Gott an, oder vielleicht auch mehrere Götter, und sie hinterließen Bilder ihres Alltags an den Wänden.«

»Wuff!«, kommentierte Tim das Ganze. Er war hinter dem Steinaltar verschwunden.

Richard und Georg liefen hin, um zu sehen, wo der Hund war …

… und standen mit einem Mal vor dem Eingang zu einer weiteren Höhle direkt hinter dem Steinaltar, der die Öffnung verdeckt hatte.

Richard sah auf seine Uhr. »Wir haben jetzt keine Zeit mehr, da hineinzugehen«, erklärte er seiner Kusine. »Die halbe Stunde ist fast um – wir müssen zurück zu Julius und Anne.«

Diese beiden warteten bereits ziemlich ungeduldig in der Höhle mit den Wandmalereien.

»Nichts!«, blaffte Julius gleich, als die anderen eintrafen. »Wir sind schon eine ganze Weile hier.«

»Ja«, sagte Anne und seufzte tief. »Und wir hatten auch nicht sehr viel länger Lust, auf euch und auf Tim zu warten.«

Julius beendete seinen Bericht darüber, was er und Anne entdeckt hatten; es war schnell erzählt, denn es war nicht viel. »Zuerst ging es ein Stück ziemlich steil bergauf, dann machte der Gang eine Kurve und kurz darauf endete der Weg vor einer Felswand. Also mussten wir umkehren.«

»Da hatten wir mehr Glück!«, frohlockte Georg und erzählte den beiden, was sie und Richard entdeckt hatten.

»Das ist ja großartig!«, rief Julius. »Das müssen wir uns sofort ansehen!«

Er und Anne folgten Richard und Georg, die nur zu gern mit »ihrer« Krypta prahlten. Diesmal war sogar Julius davon überzeugt, dass eine Gruppe von Menschen oder ein seit langer Zeit von der Erde verschwundener Stamm vor vielen Jahrhunderten in diesen Höhlen gelebt haben musste.

Am nächsten Tag bewaffneten sich die Kinder im Dorfladen von Margarethenstein mit neuen Batterien; sie gaben zurzeit ein Vermögen dafür aus, aber das war ihnen die Sache wert! Sie hatten beschlossen, weiterzuforschen und herauszufinden: Wohin führte die Öffnung hinter dem Steinaltar?

Begeistert machten sie sich auf den Weg zu ihrem geheimnisvollen neuen Abenteuer. Doch diesmal sollten die Dinge nicht ganz so glatt laufen ...

Ernste Schwierigkeiten

Zunächst trafen die Fünf Freunde gleich am Fuß des Klipphorns auf die beiden jungen Wilderer. Offenbar hatten sie den Kindern aufgelauert. Ivor säuberte sich mit der Spitze seines Messers die Fingernägel – und das hatten die mit Sicherheit auch nötig! Doch Georg und die anderen mochten dieses Messer überhaupt nicht. Phil hielt eine Reitpeitsche in Händen. Georg vermutete sofort, dass sie sich gegen Tim bewaffnet hatten; falls er sie heute wieder angreifen würde, hätte das für ihn diesmal wahrscheinlich schlimme Folgen.

»Komm her, Tim«, sagte Georg ruhig zu ihrem Hund. »Fuß! Bleib bei mir – braver Hund!«

Anne sah die beiden unangenehmen Gestalten an und bekam sofort Angst. Sie konnte ihre Furcht gelegentlich auch überwinden und ab und zu ausgesprochen mutig sein. Aber jetzt hatte sie nicht die leiseste Ahnung, was sie und Tim und die anderen tun sollten, und sie sah aus wie eine kleine Maus in der Falle.

Allerdings schien es diesmal, als hätten die jungen Wilddiebe überhaupt nicht die Absicht, die Forschergruppe zu behindern. Sie folgten den Fünf Freunden lediglich in einem gewissen Abstand, wobei sie sehr darauf bedacht zu sein schienen, dass sie die Kinder nicht aus den Augen verloren. Unter diesen Umständen können wir auf keinen Fall zu der Höhle gehen, dachte Georg.

Anne brach als Erste das bedrückende Schweigen, in das die Kinder verfallen waren. Und sie hatte auch eine clevere Idee! »Wo genau wachsen denn diese wilden Blumen, Georg?«, fragte sie ihre Kusine. »Ich meine die, die wir für Tante Fanny pflücken wollen. Ich sehe sie hier nirgendwo.«

Georg verstand sofort, auf welch geschickte Art Anne den Feind von der Spur ablenken wollte – indem sie eine neue Fährte auslegte, eine Spur aus Blumenduft!

»Das ist weiter oben«, antwortete Georg. »Viel weiter oben – dort wachsen jedenfalls die schönsten Blumen. Wir müssen noch ein ganzes Stück weit hochklettern.«

Also kletterten sie den Berg hinauf – und sie pflückten mehrere Stunden lang Blumen, lagen im Gras, sonnten sich, spielten mit Tim und liefen mit ihm um die Wette. Ivor und Phil sahen den Kindern von ihrem Beobachtungsposten aus zu und wirkten von Minute zu Minute gelangweilter und genervter.

Als die Fünf Freunde an diesem Abend nach Hause fuhren, sagte Georg: »Wir haben die beiden Idioten ganz schön an der Nase herumgeführt. Aber so kommen wir nicht recht weiter. Wenn sie uns künftig die ganze Zeit beobachten, können wir unsere Expedition vergessen. Es ist zum Aus-der-Haut-Fahren!«

Und ihre Wut wuchs am nächsten Tag und sie steigerte sich am Tag darauf sogar noch. Denn eines war jetzt sicher: Die beiden Wilddiebe legten es darauf an, die Fünf Freunde zu verfolgen, wenn auch nicht mehr ganz so offensichtlich wie am ersten Tag. Ihre unbeholfenen Versuche, die Kinder zu beschatten, zerrten bald an den Nerven aller.

»Wir werden die Sache aufgeben müssen, jedenfalls im Moment!«, sagte Julius empört.

»O nein, nein, nein!«, protestierte Georg. »Wir würden so viel Zeit verlieren – wir sind doch nicht die ganzen Ferien hier.« Sie klang so traurig, dass die anderen grinsen mussten – besonders weil sie noch vor gar nicht so langer Zeit um nichts in der Welt hierher kommen wollte! »Warum gehen wir nicht nachts zu den Höhlen?«

»Um Himmels willen! Tante Fanny und Onkel Quentin würden das nie erlauben!«, brach es aus Anne heraus.

»Wir müssen es ihnen ja nicht sagen«, lachte Richard. Er fand die Idee seiner Kusine hervorragend.

»Ich meine ja auch nicht die ganze Nacht lang – nur am Abend«, erklärte Georg. »Und natürlich würden wir nicht jeden Abend hingehen. Ich schlage vor, dass Julius seine Kamera und den Blitz mitnimmt und die wunderschönen Malereien fotografiert.«

Das war ausgesprochen schlitzohrig. Georg wusste nämlich genau, dass Julius dieser Versuchung nicht widerstehen konnte! Er hatte eine tolle neue Kamera und hatte auch schon davon gesprochen, dass er sie möglicherweise in die Höhlen mitnehmen wollte. Die Chance, dort bald fotografieren zu können, erleichterte ihm die Entscheidung, dem Plan seiner Kusine zuzustimmen.

Den Kindern war etwas mulmig zumute, als sie sich zu ihrer ersten Abendexpedition aufmachten. Ihnen war gar nicht wohl dabei, Tante Fanny und Onkel Quentin ausgetrickst zu haben. Anscheinend hatten sie sogar Tim mit ihrer Stimmung angesteckt – auch er war sehr unruhig.

Als die Fünf Freunde an dem Pfad angekommen waren, der hinauf zur Höhle führte, waren sie besonders wachsam. Höchstwahrscheinlich gingen Ivor und Phil nach Einbruch der Dunkelheit wildern! Die Kinder konnten ihnen also jeden Moment in die Arme laufen.

Zum Glück erreichten sie die Höhle mit den Wandmalereien ohne Zwischenfälle und Julius machte unzählige Fotos von Jägern und von einem Bild mit Musikern und Tänzern in fließenden Gewändern.

»Kommt jetzt, wir wollen die Höhlen erforschen!«, rief Georg.

Die Kinder verloren keine Zeit mehr; sie rannten durch den Gang, der zur Krypta-Höhle führte, und erreichten bald den Tunnel hinter dem Steinaltar. Julius hatte die Taschenlampen mit den neuen Batterien dabei, aber dennoch bestand er darauf, auch sein Schnurknäuel zum Einsatz zu bringen. Ihm war nicht wohl bei der Sache, aber er wusste nicht genau, warum. Vielleicht lag es daran, dass sie im Dunkeln hierher gekommen waren – und ohne die Erlaubnis von Tante Fanny und Onkel Quentin.

Die Kinder waren den Tunnel etwa zwanzig Meter entlanggegangen, als sie sich plötzlich an einer Stelle befanden, wo sich der Gang verzweigte. Er bildete mit dem Weg, auf dem sie gerade gekommen waren, ein Y.

»Wir müssen wieder in zwei Gruppen weitergehen. Wie beim letzten Mal«, schlug Richard vor.

»Nein«, sagte Julius. »Diesmal sollten wir besser zusammenbleiben.«

Georg hatte nichts dagegen einzuwenden und so gingen sie alle zusammen den rechten Tunnel weiter. Leider endete er schon nach einigen Metern in einer Sackgasse, also mussten sie umkehren und wieder zurückgehen. Jetzt betraten sie den linken Tunnel. Schweigend gingen sie Schritt für Schritt weiter. Julius' Unbehagen wurde mit jeder Minute größer.

»Wenn Onkel Quentin herausbekommt, dass wir nicht in unseren Betten liegen ...«, sagte er gerade – da schnitt ihm ein Ausruf von Georg das Wort ab.

»O nein!«, rief Georg. »Auch eine Sackgasse!«

Sie hatte die Gruppe der Kinder angeführt und war mit einem Mal an einer steinernen Wand angelangt. Die Kinder starrten enttäuscht auf die glatte Fläche, die sich vor ihnen erhob.

»Das war's also«, seufzte Richard. »Hier kommen wir nicht weiter. Das ist das Ende unseres tollen Abenteuers.«

»Wollen wir nicht nach Hause und ins Bett gehen?«, schlug Anne vor.

»Nach Hause!«, protestierte Georg. »Noch nicht! Ich glaub einfach nicht, dass der Gang hier endet. Wir haben Beweise dafür, dass in diesen Höhlen unter dem

Gebirge Menschen gelebt haben. Aber wir haben bis jetzt vermutlich erst sehr wenige ihrer Gänge und Höhlen entdeckt. Es muss noch viel mehr geben! Und das verschollene Tal haben wir auch noch nicht gefunden – also den Ort, an dem das ›Dunkle Volk‹ aller Wahrscheinlichkeit nach gelebt hat.«

Georg hörte mit einem Mal auf zu sprechen. Ihre Kusine Anne benahm sich so merkwürdig! Sie hörte gar nicht zu – als sei ihre Aufmerksamkeit von etwas anderem angezogen worden. Und Tim, der neben dem kleinen Mädchen stand, hatte die Ohren aufgestellt und schien auch auf etwas zu lauschen.

»Was ist los, Anne?«, fragte Richard.

»Psst«, flüsterte Anne. »Kommt mal her und horcht an der Steinplatte. Hört ihr das merkwürdige Geräusch?«

»Na klar!«, rief Julius. »Ein dumpfes Rauschen.«

»Wie fließendes Wasser«, ergänzte Georg.

»Das muss es sein!«, rief Richard. »Das rauschende Wasser! Erinnert ihr euch? Das Tal und die Siedlung wurden beide ›Temulka‹ genannt – und das bedeutet ›rauschendes Wasser‹.«

»Dann befindet sich das verschollene Tal hinter dieser Wand«, stellte Georg ruhig fest. Sie war sich ihrer Sache jetzt ganz sicher.

Selbst Julius war schon halbwegs überzeugt. Nur die steinerne Wand war ihnen immer noch im Weg, und sie hatten keine Möglichkeit, an ihr vorbeizukommen.

Die Wand bestand aus einer massiven, glatten Steinplatte, und es war ganz klar, dass vier Kinder und ein Hund überhaupt keine Chance hatten, diese Wand zu überwinden.

Was sollten sie tun? Sie mussten umkehren und zurück zum Margarethenhof gehen …

Am nächsten Morgen wachten sie sehr viel später auf als gewöhnlich. Sie hatten ein ziemlich schlechtes Gewissen, weil sie letzte Nacht ohne Erlaubnis weggegangen waren, und die Müdigkeit steckte ihnen noch in den Knochen. Die Kinder kamen überein, die Expedition an diesem Abend nicht fortzusetzen.

Es regnete fast den ganzen Tag und Nebel hing zwischen den Bergen bis in die Täler hinab. Zum Glück hatten die Kinder viele Spiele und Bücher mitgenommen. So verbrachten sie den Tag ruhig im Haus und versuchten, sich darüber klar zu werden, wie es mit ihren Erkundungen weitergehen sollte. Sollten sie die Erwachsenen einweihen? Eine Gruppe erfahrener Arbeiter konnte die Wand sicher durchbrechen. Und dann mussten sie sich auch nicht länger vor Ivor und Phil fürchten.

Julius und Anne waren der Meinung, dass dies die beste Lösung sei. Richard war noch unentschieden. Und Georg war – natürlich! – dagegen.

»Wir sollten selbst noch einen letzten Versuch unternehmen«, sagte sie. »Wir müssen die Steinplatte noch einmal ganz genau untersuchen. Erinnert euch doch mal – die Platte ist spiegelglatt. Und sie versperrt den Weg ins Tal. Die Vorstellung, dass sie drehbar – also so etwas wie eine Schwingtür – sein könnte, geht mir nicht mehr aus dem Kopf. Wenn wir nur an der richtigen Stelle drücken, können wir sie vielleicht öffnen.«

Nach einer langen Diskussion überredete Georg die anderen, am nächsten Tag einen letzten Versuch zu unternehmen. Dann würden sie ja sehen, ob sie die Steinplatte irgendwie überwinden konnten!

»Wir können tagsüber hingehen«, bestimmte Georg. »Ich glaube nicht, dass uns Phil und Ivor noch verfolgen. Wenn sie uns in letzter Zeit jeden Tag gefolgt sind, dann haben sie inzwischen sicher die Nase voll davon. Bestimmt meinen sie, dass wir aufgegeben haben.«

Also machten sich die Fünf Freunde am nächsten Tag schon früh auf den Weg. Natürlich nahmen sie ein reichhaltiges Picknick mit. Es hatte aufgehört zu regnen und es war ein herrlicher Tag. Die Sonne strahlte vom Himmel, als sich die Kinder Klipp näherten. Sie fuhren nicht durchs Dorf, denn sie wollten unbedingt vermeiden, dass sie den beiden jugendlichen Wilddieben begegneten. Stattdessen machten sie einen großen Bogen um Klipp. Den Pfad, der ins Gebirge führte, kletterten sie schweigend bis zu der kleinen Höhle hinauf.

Julius, Richard und Georg krochen durch das Gebüsch, das den Höhleneingang verbarg, während Anne sich noch einmal umdrehte und zurückblickte. Das kleine Mädchen hatte ein sonderbares Gefühl – ihr war, als beobachteten unsichtbare Augen jede Bewegung der Kinder! Aber Tim schien nichts zu bemerken und das beruhigte sie.

Als die Fünf Freunde in der kleinen Höhle angelangt waren, verschlossen sie den Tunneleingang von innen mit Steinen – sicher war sicher! Sie hasteten durch den Gang, durch die Höhle mit den Wandmalereien und durch die Krypta. Schließlich erreichten sie den Tunnel mit der Gabelung und die Steinplatte, die ihnen den Weg versperrte.

»Und jetzt?«, fragte Richard und starrte die Platte finster an. »Sollen wir alle zusammen ›Sesam, öffne dich!‹ rufen wie bei Ali Baba und den vierzig Räubern? Oder hast du eine bessere Idee, Georg?«

»Ja – ich schlage vor, du hältst mal den Mund und hilfst mir, die Platte zu untersuchen«, erwiderte seine Kusine.

Der Gang war an der Stelle, wo die Steinplatte den Weg versperrte, etwas breiter. Alle Kinder hatten nebeneinander Platz und konnten den Stein genauer unter die Lupe nehmen. Die Fünf Freunde waren fest davon überzeugt, dass es sich bei der Steinplatte um eine Geheimtür handelte, und sie drückten und pressten an allen möglichen Stellen. Aber ohne Erfolg! Ob sie nun an der rechten Seite schoben oder links drückten oder sogar in der Mitte – obwohl das nicht gerade eine vielversprechende Idee war –, es passierte nichts. Die Steinplatte ließ sich keinen Millimeter bewegen!

Die Kinder schwitzten und langsam verließ sie der Mut, und sie wollten gerade aufgeben, als Tim, der wie immer hinter irgendeinem kleinen Tier herschnüffelte, plötzlich zufällig mit der Schnauze unten am Boden gegen die Steinplatte stieß.

Mit einem Mal machte es leise »Klick!« und die polierte Steinplatte schwebte wie ein Garagentor nach oben.

Rauschende Wasser

Die Kinder stießen wilde Freudenschreie aus, als sie eine weite Öffnung vor sich sahen.

Georg und Richard wollten gerade loslaufen, da rief Julius streng: »Halt! Wartet! Was ist, wenn sich das steinerne Tor plötzlich hinter uns schließt? Dann sind wir gefangen wie die Mäuse in der Falle. Wir müssen erst ganz genau untersuchen, wie es sich öffnen und schließen lässt, bevor wir weitergehen.«

Natürlich hatte er wieder einmal Recht, und Georg schämte sich, dass sie nicht selbst daran gedacht hatte. Es war ihr klar, dass das eine kluge Vorsichtsmaßnahme war.

Nach kurzer Zeit stellte sich heraus, dass sich das »Tor« sehr einfach öffnen und schließen ließ. Wenn sich Julius, das größte der vier Kinder, auf die Zehenspitzen stellte, musste er nichts weiter tun, als vorn gegen die Steinplatte zu drücken – schon schwang sie wieder zurück. Sie hatte die Form eines großen Rechtecks, passte perfekt in den Tunnel und ließ sich ganz einfach wieder öffnen: Sie mussten unten nur leicht dagegendrücken. Und dieses System funktionierte von innen genauso. Die Kinder vergewisserten sich, bevor sie alle durch die Öffnung gingen und das Tor vorsichtig hinter sich schlossen.

Neugierig marschierten sie weiter. Was wohl für neue Entdeckungen und Abenteuer vor ihnen lagen? Je weiter sie vorankamen, desto lauter wurde das Rauschen des Wassers. Bald machte der Tunnel eine Biegung – und die Forscher kamen im verschollenen Tal heraus, das sie so lange gesucht hatten. Endlich waren die Fünf Freunde am Ziel!

Dies war die Belohnung für all ihre Mühen. Die Kinder und Tim blieben wie angewurzelt stehen und starrten gebannt auf das, was nun vor ihnen lag.

Es war tatsächlich eine Art Tal – besser, eine sehr enge, tiefe Schlucht. Die Kinder schalteten ihre Taschenlampen aus. Sie brauchten sie hier nicht mehr, denn das seltsame Tal war in ein schwaches grünes Licht getaucht, das von oben durch einen breiten Riss fiel.

Die Fünf Freunde standen auf einem schmalen Felsvorsprung. Von hier aus konnten sie das gesamte Tal überblicken.

Zu ihrer Linken rauschte ein großartiger Wasserfall einen natürlichen Felsabhang herunter. Dort, wo das Wasser auf dem Boden auftraf, wurde es zu einer to-

senden Stromschnelle. Dieser Wasserfall und der rei-
ßende Fluss erzeugten das Rauschen, das die Kinder
gehört hatten. Langsam gewöhnten sie sich an das Getöse. Aber sie mussten sehr laut schreien, um sich ver-
ständlich zu machen.

»Toll!«, rief Julius. »Seht euch diesen Wasserfall an!«

»Und der Fluss erst!«, rief Anne. »Wie schnell der
fließt!«

»Dies ist also das sagenhafte Tal von Temulka«,
staunte Georg.

»Hurra!«, schrie Richard. »Wir haben das verschollene Tal entdeckt!«

»Wau! Wau! Wau!«, bellte Tim.

Endlich riss Georg den Blick von den tosenden Was-
sern los und blickte nach unten.

»Seht mal!«, rief sie. »Ich glaube, das sind Häuser!«

Von der Stelle aus, wo die Fünf Freunde standen,
rauschte der unterirdische Fluss von links nach rechts
und teilte das Tal in zwei Hälften. Auf der Seite, auf
der die Kinder standen, war nichts als nackter Fels.
Aber auf der anderen Seite des Flusses sahen sie einige seltsame Behausungen. Dass sie zum Wohnen gedient hatten, konnte man aus der Anzahl der Gebäude
schließen und der Art und Weise, wie sie angeordnet
waren. Sie hatten alle einfache Tür- und Fensteröff-

nungen, aber das Erstaunlichste war ihre Form: Es waren runde Türme.

»Wahnsinn! Das muss das Dorf des ›Dunklen Volkes‹ sein«, sagte Richard, sichtlich beeindruckt.

»Los«, rief Georg, »das sehen wir uns genauer an!«

Tim lief vorneweg, die Kinder rannten hinter ihm den Abhang hinunter. Sie legten den Weg zum Fluss in kürzester Zeit zurück. Aber als sie das Flussufer erreicht hatten, mussten sie sich mit einem neuen Problem befassen.

Wie sollten sie auf die andere Seite gelangen?

Links versperrten ihnen der Wasserfall und die Felswand den Weg – und hinten in der Ferne stürzten die Fluten mit Donnergetöse durch einen breiten Erdriss in die Tiefe auf eine nächste Gesteinsschicht. Dort war es völlig unmöglich, den Fluss zu überqueren – dort, wo die wild kochenden Wasser in die Tiefe rauschten, war der Fluss viel zu breit.

»Oh, Mist!«, rief Richard. »Das ist ja zum Verrücktwerden! Der Fluss ist richtig breit – was meint ihr? Glaubt ihr, dass dies ein Nebenarm des unterirdischen Flusses ist, den wir entdeckt hatten, als wir letztes Mal in Margarethenstein waren? Wisst ihr noch, wie wir im Alten Turm Frau Thomas aus den Händen der Gauner gerettet haben?«

»Kann sein«, meinte Julius, der nicht ganz bei der Sache zu sein schien.

»Jedenfalls können wir nicht hinüberschwimmen – die Strömung ist viel zu stark«, sagte Georg. Selbst sie musste zugeben, dass es zu gefährlich war.

»Ja, wir würden wie Strohhalme mitgerissen werden«, stimmte Richard ihr zu.

»So ist es«, sagte Julius nachdenklich. »Ich frage mich die ganze Zeit, wie wohl die Menschen damals auf die andere Seite des Flusses gelangt sind? Vermutlich gab es einmal eine Brücke.«

Die Fünf Freunde standen am Flussufer und sahen zu, wie das Wasser vorbeiströmte, und wünschten sich nur eines: zu den Häusern auf der anderen Seite zu gelangen. Georg war plötzlich ganz zappelig; sie dachte an all die wundervollen Dinge, die sie in den Häusern finden würden. Und sie waren so dicht davor! Aber Tatsache war: Die Kinder hätten genauso gut auf einem anderen Planeten sein können – es war ihnen einfach unmöglich, den Fluss zu überqueren.

Plötzlich schlug sich Georg mit der Hand gegen die Stirn.

»Ich hab's!«, rief sie.

»Wer's glaubt, wird selig!«, erwiderte Richard spöttisch. »Welch eine Überraschung, Georg!« Doch in seinem Sarkasmus schwang auch Bewunderung für seine Kusine mit. Er wusste, dass sie oft wirklich pfiffige Ideen hatte.

»Nun lass schon hören«, drängte Julius.

»Einen Moment bitte. Ich bin mir noch nicht ganz sicher. Und ich weiß auch nicht, ob wir's schaffen – kommt mal alle mit! Folgt mir!«

Kaum hatte sie dies gesagt, da rannte sie auch schon zum Wasserfall. Julius, Richard und Anne folgten ihr und Tim sprang munter neben Georg her.

Als Georg den Fuß der mächtigen Wasserkaskade erreicht hatte, blieb sie stehen. Sie drehte sich um und legte die Hände zu einem Trichter an den Mund, damit die anderen sie hören konnten.

Ihre Worte klangen ziemlich verwegen. Sie erklärte den anderen, dass sie in einem Reiseführer gelesen hatte, es gäbe Wasserfälle, bei denen man zwischen der Felswand und dem herabstürzenden Wasser hindurchgehen könnte, ohne dass einem etwas passierte – außer dass man vom Sprühregen ein bisschen nass wurde.

»Also, dann lasst uns mal ausprobieren, ob wir das schaffen!«, schloss sie und lief schon zum Wasserfall. Anne war entsetzt! Der Lärm war ohrenbetäubend. Als Richard seiner Kusine folgte und sich die Felswand genauer ansah, stieß er einen Freudenschrei aus. Es gab tatsächlich einen Weg, den die Fünf Freunde benutzen konnten: einen schmalen Vorsprung im Felsgestein hinter dem herabstürzenden Wasser. Georg und Tim wagten sich als Erste hinüber, gefolgt von Richard und Julius. Anne kam zum Schluss. Sie umklammerte Julius' Hand ganz, ganz fest.

Der steinerne Sims war nass und glitschig, daher mussten sie sehr aufpassen, wo sie hintraten. Aber zum Glück war es nur eine kurze Strecke. Als sie auf der anderen Seite angekommen waren, schüttelte sich Tim vor Freude. Obwohl die Kinder von der Gischt des Wasserfalls ganz nass geworden waren, waren sie glücklich und stolz: Sie hatten den Fluss schließlich doch noch überquert!

Julius, vernünftig wie immer, schlug vor, dass sie eine Rast machen und etwas essen sollten, bevor sie weitergingen. Plötzlich bemerkten auch die anderen, wie hungrig sie waren. Nach all den Anstrengungen und Aufregungen war das auch kein Wunder. Also machten sie ein Picknick. Frau Hansens leckere Schinkenbrötchen schmeckten in dieser eigenartigen Umgebung, in diesem verschollenen Tal unter dem Berg, besonders gut. Die Kinder hielten ihre Flaschen unter den Wasserfall, um den Orangensaft zu verdünnen.

»Wenn ihr schnell genug trinkt, sprudelt es noch«, stellte Anne fest. »Fast wie Orangenlimo.«

Julius trank Wasser pur. »Ich finde, so schmeckt es am besten«, sagte er. »Es schmeckt nach all den Gebirgsbächen, die zusammenfließen müssen, um zu diesem gigantischen unterirdischen Strom zu werden.«

Die Pause hatte ihnen gut getan. Und als Georg sagte: »Okay, jetzt untersuchen wir die Häuser«, waren alle sofort einverstanden.

Georg fand, dass dies mit Abstand das aufregendste Abenteuer war, das sie jemals erlebt hatten.

Es zeigte sich, dass die Talsohle sehr viel breiter war, als es ihnen auf den ersten Blick erschienen war. Die Fünf Freunde brauchten eine gute Viertelstunde, bis sie den ersten runden Turm erreicht hatten. Er bestand aus Steinblöcken, die ohne Mörtel zusammengefügt worden waren – und verblüffend genau aufeinander passten. Obwohl der Turm offensichtlich schon sehr alt war, bestand keine Einsturzgefahr.

Die Herzen der jungen Forscher klopften wild, als sie dieses seltsame Gebäude betraten. Drinnen fanden sie nichts, was an Möbel erinnerte – keine Überreste von Stühlen oder Tischen oder Betten. Aber sie entdeckten eine Feuerstelle mit einem Schmiedeherd.

»Ganz klar, hier haben früher Menschen gewohnt«, flüsterte Anne. Es war ein aufregender Moment.

»Ich möchte wissen, ob sie in dieser unterirdischen Welt etwas anbauen konnten?«, überlegte Richard. »Obst und Gemüse und so … Sieht nicht so aus, als ob sie viel Sonnenlicht abbekommen hätten.«

»Ich nehme an, sie sind durch ihre Geheimgänge nach draußen gegangen, um in den Bergen zu jagen und sich mit Nahrungsmitteln zu versorgen«, sagte Julius.

»Eines ist jetzt jedenfalls klar«, meinte Georg. »Die Legende ist wahr! Das ›Dunkle Volk‹ ist durch ein Unglück ausgelöscht worden.«

»Wieso durch ein Unglück?«, fragte Richard. »Woher weißt du das?«

Georg zeigte auf den Boden. »Sieh dir das an, Richard. Hier findest du deutliche Zeichen. Siehst du die Kruste aus getrockneter Erde, mit der der Boden bedeckt ist? Hast du bemerkt, dass wir auf einer Erdschicht gelaufen sind, seit wir aus dem höher gelegenen felsigen Gebiet herunter ins Tal gekommen sind? Hm, es sieht so aus, als ob hier alles mit einer Schicht Erde bedeckt ist. Das kommt bestimmt daher, dass der Fluss eines Tages über die Ufer getreten ist. Das Wasser muss sehr schnell gestiegen sein, die Menschen in diesem Tal ertranken und ihre Leichen wurden mitgerissen und durch den breiten Spalt auf der anderen Seite die Schlucht hinuntergeschwemmt.«

»Ich glaube, du hast Recht«, sagte Julius langsam. Er beugte sich vor, um den Boden zu untersuchen. »Ja, wir laufen hier über alluvialen Schlamm ...«, erklärte er, und als er sah, dass seine kleine Schwester gerade fragen wollte, was das sei, fuhr er fort: »Das heißt, dass der Schlamm hier vermutlich vor langer Zeit vom Flusswasser angeschwemmt worden ist, dann hat sich das Wasser zurückgezogen und die Sedimente, also die Ablagerungen, zurückgelassen. Aufgrund dieser Spuren erfahren wir etwas über die Geschichte des ›Dunklen Volkes‹, wie wir es präziser in keinem Geschichtsbuch finden würden.«

Anne sah sich schaudernd um. »Oh, wie schrecklich! Viele Menschen sind ertrunken und eine ganze Siedlung ist von den Fluten vernichtet worden.«

»Wahrscheinlich konnten sich einige Leute retten«, sagte Julius besänftigend. Er spürte, dass diese Geschichte seine sensible Schwester sehr berührt hatte. »Und ich nehme an, dass die Geretteten von da an bei den Menschen draußen in den Bergen lebten. Ja, bestimmt wohnen heute noch Nachkommen von ihnen in Klipp und in Margarethenstein.«

Diese Vorstellung tröstete Anne ein wenig, aber auch Julius, Richard und Georg hatte der Gedanke an das grausame Schicksal, das die Menschen in diesem Tal vor vielen hundert Jahren erleiden mussten, traurig gestimmt.

Sogar Tim ließ die Ohren hängen und lief mit eingezogenem Schwanz herum, so als wüsste er, was die Kinder dachten. Es war wirklich eine schlimme Vorstellung.

Wortlos untersuchten die Fünf Freunde einige andere Turmhäuser. Und überall fanden sie Indizien, so gering sie auch sein mochten, die zeigten, dass hier wirklich Menschen gelebt hatten – bis das Wasser des Flusses angestiegen war und die Fluten die Menschen mitgerissen hatten.

»Ich denke, wir haben für heute genug gesehen«, sagte Georg nach einer Weile. »Wir sollten nach Hause zurückkehren.«

Die Fünf Freunde verließen das Tal und gingen durch die Höhlen und durch die unterirdischen Gänge zurück. Vielleicht lag es daran, dass sie müde waren, aber sie spürten eine riesige Erleichterung, als sie wieder draußen im Freien in der Gebirgslandschaft angelangt waren. Die Entdeckung, die sie gemacht hatten, war zwar traurig, aber auch sehr aufregend. Ihre Stimmung hellte sich auf, als sie im letzten Sonnenschein dieses späten Nachmittags nach Hause radelten.

»Morgen werden wir weiterforschen!«, rief Georg überschwänglich.

»Ja, ganz bestimmt!«, pflichtete Richard ihr bei. »Und wir müssen unbedingt Spaten und Spitzhacken mitnehmen. Ich bin sicher, dass uns Hermann etwas von seinem Werkzeug leiht. Wenn wir Glück haben, machen wir in dem getrockneten Schlamm die tollsten Funde.«

»Der Schlamm ist nicht einfach nur getrocknet! Der hatte jahrhundertelang Zeit, um auszuhärten«, machte Julius ihm klar. »Die Ausgrabungen werden nicht so einfach sein.«

»Wir können es ja versuchen«, entgegnete Georg.

»Und wenn er zu hart ist, befeuchten wir den Boden mit Wasser aus dem Fluss«, schlug Anne vor.

»Gute Idee!«, rief Georg. »Ja, wir nehmen den faltbaren Leinwandeimer mit, den wir immer beim Campen dabeihaben. Sehr gut, Anne – wirklich toll mitgedacht!«

Anne wurde vor Freude ganz rot. Es kam nicht allzu oft vor, dass ihre Kusine sie lobte. Und als sie schließlich in Margarethenstein ankamen, fühlte sie sich schon wieder viel besser.

Am nächsten Tag machten sich die Fünf Freunde wieder auf den Weg zum verschollenen Tal. Diesmal hatten sie Werkzeug mitgenommen, das ihnen Hermann Hansen geliehen hatte.

Gold!

Sie trafen dieselben Vorsichtsmaßnahmen wie am Tag zuvor. Sobald sie die erste Höhle passiert hatten, kamen sie schnell voran. Inzwischen kannten sie den Weg recht gut. Daher brauchten sie nicht lange, um durch die Gänge zu laufen, bis sie die schwingende Steinplatte erreicht hatten und schließlich im verschollenen Tal herauskamen.

Tim schien sehr munter zu sein. Er wollte unbedingt mit hoch erhobenem Kopf vor den Kindern herlaufen – wie ein Held auf einem Eroberungszug!

Anne hatte vorgeschlagen, dass sie ihre leichten Plastikregenjacken mitnehmen sollten, damit sie beim Überqueren des Flusses unter dem Wasserfall einigermaßen trocken blieben. Die Kinder zogen diesmal also die Jacken an, bevor sie sich aufmachten. Georg band Tim ein Stück Plastikfolie auf den Rücken.

»So«, sagte sie. »Das wird dein Fell schön trocken halten, alter Junge!«

Als die Kinder und ihr Hund das andere Ufer des unterirdischen Flusses erreicht hatten, liefen sie zum am weitesten entfernt liegenden Haus. Georg vermutete, dass sie dort die besten Chancen hätten, etwas zu finden. Und das war ja nur logisch, denn die Schlammablagerungen würden dort, weil das Haus weiter vom Fluss entfernt stand, dünner sein.

»Ihr müsst sehr behutsam vorgehen«, ermahnte Julius die anderen, während er mit seiner Spitzhacke den Boden wegkratzte. Er wusste, dass man archäologische Funde zerstören konnte, wenn man zu grob und zu hastig vorging.

Anne holte Wasser und schüttete es auf die getrocknete Erde, die den gesamten Boden im Haus bedeckte. Langsam wurde die Schlammkruste etwas weich und die Kinder konnten sie vorsichtig mit den Spaten abheben.

Richard machte den ersten Fund: Mit einem Mal sah er auf seinem Spaten etwas golden schimmern!

»Toll! Seht mal!«, rief er und hob den Gegenstand auf. »Eine Armspange!«

»Sieht aus wie echtes Gold«, sagte Georg, die sich über den großen Reif beugte, den ihr Vetter in Händen hielt.

»Es ist echtes Gold«, sagte Julius fachmännisch und wog den Armreif in der Hand. »Massives Gold! Glaubt mir – ein Goldarmreif! Da gibt es keinen Zwei-

fel – Kupfer würde nach so langer Zeit in der Erde nicht so glänzen.«

Das hatte die Kinder ermutigt und sie kratzten und gruben mit Begeisterung weiter. Auch Tim hatte inzwischen verstanden, worum es ging; er scharrte sehr konzentriert mit den Pfoten, was ziemlich komisch aussah. Und er war tatsächlich das zweite Mitglied des Ausgrabungstrupps, das etwas zum Vorschein brachte.

»Wuff! Wuff!« So machte er die Kinder auf sich aufmerksam.

»Braver Hund!«, rief Georg. »Zeig es uns, Tim!«

Tim richtete seine großen, glänzenden Augen auf sein Frauchen und wedelte fröhlich mit dem Schwanz.

Direkt vor ihm lag, noch halb von Erde bedeckt, eine ungewöhnliche, aber sehr hübsche goldene Halskette mit kleinen Goldscheiben an den einzelnen Kettengliedern. Georg hob sie auf.

»Die muss ja ein Vermögen wert sein«, sagte sie voller Ehrfurcht. Vorsichtig wusch sie die Kette im Wassereimer. »Seht doch, wie fein sie gearbeitet ist«, sagte sie. »Und schwer ist sie auch.«

»Das ›Dunkle Volk‹ schien ja reichlich Gold gehabt zu haben«, bemerkte Julius. »Sieht nicht so aus, als hätten sie sparen müssen.«

»Denk doch mal an die Legende!«, rief Richard begeistert. »Weißt du nicht mehr? Es hieß, sie könnten Gold machen!«

»Hm – vom Goldmachen seh ich noch nichts«, antwortete Julius. »Aber mit Sicherheit haben sie es bearbeitet. Sie waren ausgezeichnete Goldschmiede. Und allem Anschein nach hatten sie reichlich Gold! Ja, natürlich – es gibt doch Gold in diesem Gebirge.«

»Genau!«, rief Anne aus. »Ein Teil der Goldbarren der Nationalbank besteht nämlich auch aus Gold, das aus dieser Gegend stammt.«

»Stimmt«, bestätigte ihr großer Bruder. »Also –
wahrscheinlich ist das ›Dunkle Volk‹ in diesem Berg
auf eine besonders reichhaltige Goldader gestoßen.
Das würde auch erklären, warum sie in diesem geheimen Tal gesiedelt haben.«

Die Kinder setzten ihre Ausgrabungen fort. Sie fanden noch verschiedene andere Dinge in diesem Haus:
Scherben von Keramikgefäßen und Haushaltsgegen-
stände aus geschnitztem Horn oder poliertem Stein.
Das meiste war völlig unversehrt.

»Da haben wir ja einen tollen Schatz gefunden«,
sagte Richard anerkennend, während er die Sammlung ihrer Fundstücke betrachtete. »Aber ich glaube,
in diesem Haus gibt es nichts mehr zu entdecken.
Lasst es uns woanders versuchen.«

Die Fünf Freunde waren so von ihrer archäologi-
schen Arbeit begeistert, dass sie kaum Zeit für eine
Mittagspause fanden. Sie gruben den ganzen Nachmittag hindurch in anderen Häusern weiter und fanden immer mehr Gegenstände. Julius entdeckte eine
Sammlung goldener Amulette, die an einer Goldkette
hingen, und Anne fand einen goldenen Ohrring.

»Was wollen wir eigentlich mit unseren Funden machen?«, fragte Richard die anderen, kurz bevor sie sich
nach Hause aufmachten.

»Wir sollten den Goldschmuck mitnehmen und so lange sicher aufbewahren, bis wir so viel wie möglich über das ›Dunkle Volk‹ erfahren haben«, meinte Georg. »Die Keramikscherben und Gegenstände aus Horn und Knochen lassen wir in einem der Türme. Aber ich möchte jetzt noch niemandem etwas von unserer Entdeckung erzählen. Wir sollten zuerst versuchen, so viel wie möglich selbst herauszufinden. Vielleicht graben wir ja sogar die goldene Statue der Zulma aus. Das wäre doch fantastisch, oder!? Und dann könnten wir die ganze Story enthüllen!«

Georgs Augen strahlten bei dieser Vorstellung. Und ob sie nun die goldene Statue hatten oder nicht – die Fünf Freunde waren auch schon jetzt sehr erfolgreich gewesen!

Am nächsten Tag fuhren sie erneut zum verschollenen Tal. Und diesmal machte Georg eine äußerst wichtige Entdeckung. Sie fand nämlich einen Bogen für ein Musikinstrument – aus massivem Gold! Natürlich waren die Saiten aus Darm oder Pferdehaaren schon seit langer Zeit verrottet, aber man konnte immer noch ganz genau sehen, wozu der Gegenstand einmal gedient hatte. Beim Anblick des Bogens stießen die Kinder bewundernde Rufe aus und Richard pfiff durch die Zähne.

»Wahnsinn – ein Bogen aus massivem Gold! Das ist bestimmt ungewöhnlich«, sagte Richard.

»Es deckt sich jedenfalls mit meiner Theorie, dass das ›Dunkle Volk‹ sozusagen in Gold baden konnte«, fügte Julius hinzu.

»Und sie sind musikalisch gewesen«, sagte Anne.

»Wisst ihr was?«, fing Georg nach einer kleinen Ruhepause an. »Ich hab darüber nachgedacht und bin zu dem Schluss gekommen, dass das ›Dunkle Volk‹ sicher ein Roma- oder Sintistamm gewesen ist, oder vielleicht Menschen waren, die mit Roma oder Sinti verwandt waren. Julius hat doch erzählt, dass die Zigeuner ursprünglich aus dem Osten oder Indien kamen. Nach der Legende hatte das ›Dunkle Volk‹ eine braune Hautfarbe und auf einem der Fresken in der Höhle mit den Wandmalereien sind tanzende Frauen in langen Gewändern und Musiker mit Ohrringen zu sehen. Und Roma und Sinti sind sehr musikalisch … Es passt doch alles zusammen!«

Georg hatte sich auf den Boden gesetzt, während sie weiterredete. Die anderen hörten gebannt zu, sogar Tim.

»Viele Menschen waren Zigeunern gegenüber doch immer mehr oder weniger misstrauisch, ja ablehnend, nicht wahr, Julius?«, fragte sie.

»Leider ja«, sagte Julius. »Und das in allen Jahrhunderten.«

»Seht ihr! Nehmen wir mal an, diese ›dunklen Menschen‹ zogen umher, weil sie vor Feinden flüchten mussten. Dabei sind sie bis hierhin in dieses Gebirge geflohen. Sie werden das geheime Tal mit Sicherheit für ein ideales Versteck gehalten und sich hier niedergelassen haben.«

»Gar nicht so dumm«, stimmte Julius ihr zu.

»Ja – ich bin sicher, Georg hat Recht«, sagte Richard.

Sie kratzten und gruben noch eine Zeit lang weiter. Schließlich sah Richard auf seine Armbanduhr und sagte, dass sie langsam aufbrechen und nach Margarethenstein zurückfahren sollten. Die Fünf Freunde waren sehr zufrieden mit dem, was sie geschafft hatten. Sie hatten schon so viele »Schätze« ausgegraben und die goldene Statue würden sie früher oder später bestimmt auch noch finden! Inzwischen waren sie jedenfalls fest davon überzeugt, dass es die Statue wirklich gab.

Aber sie sollten noch eine weitere Entdeckung machen. Doch keine, die ihnen Freude bereitete …!

Als sie zu der Steinplatte kamen, öffnete Julius sie. Sie schwang auf und die Fünf Freunde gingen durch die Öffnung hindurch. Julius verschloss das Tor wieder: Die Steinplatte bewegte sich in ihre ursprüngliche Position zurück.

So weit war alles wie immer. Aber plötzlich blieb Tim, der vor den Kindern durch den Gang hergelaufen war, stehen und knurrte leise, die Schnauze dicht am Boden.

»Was ist denn los, Tim?«, fragte Georg.

Der kluge Hund schnüffelte aufgeregt an einem Gegenstand auf dem Tunnelboden. Georg bückte sich – und hob ein Messer auf. Sie erkannte es sofort wieder.

»Das ist Ivors Messer«, sagte sie. »Er hat neulich damit rumgefuchtelt, als er dem armen Tim Angst machen wollte.«

Anne wurde blass. Langsam dämmerte ihr, was dieses Messer bedeutete.

Richard sprach aus, was alle dachten: »Unsere Freunde, die Wilddiebe, waren hier.«

Julius merkte, wie sein Bruder bei dem Gedanken, dass diese beiden Banditen in die Höhle gekommen waren und den Raum mit den Malereien, die Krypta und das Geheimtor gefunden haben mussten, vor Zorn bebte. Zum Glück hatten sie nicht herausgefunden, wie sich die Steinplatte öffnen ließ!

»Ein Glück, dass wir das Tor hinter uns geschlossen

haben«, sagte Georg, als könne sie Richards Gedanken lesen. »Wenn wir es offen gelassen hätten ...«

»Phil und Ivor wären uns bis ins Tal gefolgt!« Richard fröstelte bei der Vorstellung.

Anne kam ein erschreckender Gedanke: »Und wenn sie jetzt noch irgendwo hier in der Nähe sind? Vielleicht warten sie draußen und lauern uns auf?«

»Glaub ich nicht«, sagte Georg. »Woher sollen sie wissen, dass wir hier sind – und das Geheimtor hat ihnen den Weg ins Tal versperrt.«

»Aber selbst wenn sie inzwischen nach Hause gegangen sind: Morgen werden sie sicher wieder hier sein«, sagte Julius finster. »Wir dürfen nicht riskieren, dass wir ihnen plötzlich über den Weg laufen, Georg. Ich meine, wenn wir heute Abend zurückkommen, müssen wir Onkel Quentin in unser Abenteuer einweihen. Ich wette, Phil und Ivor sind uns gefolgt und haben uns nachspioniert. Und sie sind auch nicht mehr weit davon entfernt, den Weg ins verschollene Tal zu finden. Selbst wenn sie die unterirdischen Gänge und Höhlen zufällig gefunden haben, ändert das auch nichts.«

»Ich glaube, ihr Motiv ist pure Gier«, sagte Richard. »Sie wollen die goldene Statue – die in der Legende vorkommt – in die Finger bekommen. Und ich kann mir gut vorstellen, dass sie damit rechnen, dass wir die Arbeit für sie machen und sie zu dem Schatz führen.«

»Oh, Georg, ich glaube, Richard hat Recht«, sagte Anne, die ihrem älteren Bruder immer vertraute. »Wir müssen es Onkel Quentin jetzt erzählen! Es ist das Vernünftigste, was wir tun können.«

Aber Georg hatte überhaupt keine Lust, vernünftig zu sein. Sie hasste den Gedanken, Erwachsene in ihre Abenteuer einzuweihen! Jetzt, wo sie schon so viel herausgefunden hatten. Es wäre doch ein viel größerer Erfolg, wenn sie ihre Nachforschungen allein zu Ende führen könnten.

»Oh bitte«, flehte sie, »wir sollten meinem Vater jetzt noch nichts sagen! Er wird es sofort allen weitererzählen: Archäologen, Historikern, Journalisten – einfach allen, die er kennt! Dadurch wird es zäh und langweilig und offiziell. Und wir dürfen bei den Ausgrabungen sowieso nicht mehr dabei sein. Jedenfalls hätten wir dann keine Chance mehr, die Statue zu finden. Wir wären sofort absolut überflüssig! Ich weiß nicht, wie ihr das seht, aber ich finde das extrem unfair.«

Julius und Richard mussten zugeben, dass auch sie das nicht gerade »fair« fanden. Anne war der Aspekt der Fairness eigentlich egal, aber sie wusste, dass sie ihrer Kusine unterlegen war, wenn es ums Diskutieren und Argumentieren ging.

Julius hätte den Vorschlag, Onkel Quentin schon jetzt einzuweihen, gar nicht gemacht. Er hatte viel darüber gelesen, wie man eine archäologische Ausgrabung vornimmt, und er würde schon dafür sorgen, dass die anderen es ebenfalls richtig machten. Aber die Sache mit Ivor und Phil beunruhigte ihn sehr. Dabei hatte er selbst vor den beiden Wilderern gar nicht besonders viel Angst. Aber als Ältester war er für die jüngeren Kinder verantwortlich. Daher hatte Georg besondere Mühe, ihn zu überzeugen.

»Ehrlich, Julius«, sagte sie. »Ich glaube, die beiden Idioten sind gar nicht so gefährlich, wie du denkst. Ich meine, sie sind doch nicht clever genug, um herauszufinden, wie sich die Steinplatte bewegen lässt – und wenn wir aufpassen, dass sie uns nicht folgen, kann uns doch nichts daran hindern, unsere Forschungen zu Ende zu führen. Irgendetwas sagt mir, dass wir ganz kurz vor einer sensationellen Entdeckung stehen.«

Endlich gab Julius nach. Unter einer Bedingung: »Pass auf, Georg«, sagte er. »Ich bin immer noch nicht glücklich mit diesem Entschluss. Es würde unserer Sicherheit dienen, wenn wir es Onkel Quentin sagten.

Aber ich kann verstehen, dass du davon nichts wissen willst. Ich schlage daher vor, dass wir uns noch einmal maximal vierundzwanzig Stunden Zeit geben. Wenn wir die goldene Statue bis dahin nicht gefunden haben, gehen wir zu deinem Vater, okay?!«

Georg warf ihm einen finsteren Blick zu – aber sie hatte keine andere Wahl! Julius war der Einzige, den sie nicht herumkommandieren konnte.

»Na gut«, sagte sie. »Obwohl ich nicht glaube, dass wir die Statue in nur vierundzwanzig Stunden finden werden! Okay, wenigstens haben wir das verschollene Tal noch einmal einen ganzen Tag lang ganz für uns allein.«

Die Statue

Die Fünf Freunde verließen das unterirdische Netz aus Gängen und Höhlen, ohne auf Phil und Ivor zu stoßen, wie Anne befürchtet hatte.

Die beiden jungen Wilderer hatten den Eingang zur ersten Höhle sorgfältig getarnt. Vermutlich dachten sie, sie hätten als Einzige die Höhle entdeckt. Die Kinder hofften inständig, dass Phil und Ivor noch gar nicht mitbekommen hatten, dass die Fünf Freunde in der Höhle waren.

»Hab ich's nicht gesagt!«, rief Georg triumphierend. »Wir brauchen uns keine Sorgen zu machen, wenn wir Morgen wieder herkommen.«

Am nächsten Tag machten die Kinder einen besonders großen Bogen um das Dorf Klipp, und als sie sich endlich in die Nähe des Eingangs zur kleinen Höhle wagten, sahen sie sich immer wieder um. Sobald sie jedoch drinnen waren, fragten sie sich, ob Phil und Ivor nicht bereits in der Höhle sein könnten.

»Das ist durchaus möglich«, gab Georg zu. »Wir müssen also jeden Lärm vermeiden. Außerdem wird

Tim uns schon warnen, wenn sie zufällig hier drinnen sein sollten.«

Tim lief wieder vor den Kindern her, und wie es schien, hatte er keine verdächtige Witterung aufgenommen. Die Fünf Freunde gingen durch das Tor und schlossen es hinter sich. Und eine halbe Stunde später waren sie schon wieder mit den Ausgrabungen beschäftigt.

Mittags machten sie ein Picknick am Flussufer und zählten die Stücke, die sie bisher gefunden hatten: einen goldenen Messergriff, einen kleinen, goldenen Kasten, drei Scheiben aus purem Gold wie die an der Halskette, die Tim ausgebuddelt hatte, und mehr als ein Dutzend Gefäße und Teller aus Ton und Stein.

»Aber nicht die Spur von einer goldenen Statue«, seufzte Richard.

»Okay«, sagte Julius ungeduldig. »Sieht nicht so aus, als ob wir sie heute noch finden. Georg hatte es ja schon vermutet und ich stimme dem zu.«

Anne sagte kein Wort. Sie sah zu Georg hinüber. Georg war in Gedanken versunken und sagte auch nichts. Aber plötzlich sprang sie auf und drehte sich zu den anderen um.

»Hört mal her«, sagte Georg. »Falls es die Statue der Zulma wirklich gibt, dann sollten wir nicht in den

Häusern nach ihr suchen. Zulma war eine Königin, oder etwa nicht? Also wird sie in einem … ja, wenn schon nicht in einem Palast, dann doch wenigstens in einem besonders schönen Haus gelebt haben. Und genau dort werden sie die Statue nach ihrem Tod aufgestellt haben. Und genau dort sollten wir die Statue jetzt suchen.«

Diese Überlegung war gar nicht so schlecht! Doch sie konnten kein Turmhaus ausmachen, das größer und aufwändiger gebaut war als die anderen.

»Wenn das ›Dunkle Volk‹ die Statue wie eine Göttin anbetete, dann könnten sie sie auch an einem besonderen Platz, irgendwo in einer Nische, untergebracht haben«, schlug Anne vor. »Könnte es nicht sein …«

Aber sie wurde von Georg unterbrochen, die einen Freudenschrei ausstieß.

»Schon wieder eine klasse Idee, Anne!«, rief sie. »Der Wasserfall! Die Felswand dahinter ist voller Nischen und kleinen Höhlen, die das Wasser aus dem Stein gespült hat. Das ist mir aufgefallen, als wir den Fluss auf dem Felsvorsprung überquerten. In einer dieser Nischen könnte die Statue verborgen sein. Perfekte Tarnung!«

Schon rannte sie zum Wasserfall zurück und die anderen folgten ihr auf den Fersen.

Ja, Georg und Anne hatten Recht! Genau in der Mitte des Steilhangs hinter dem Wasserfall entdeckten sie hinter ein paar mit Moos bewachsenen Steinen eine Art Alkoven.

Als die Kinder mit vereinten Kräften die Steine weggeräumt hatten, standen sie mit einem Mal einer goldenen Statue gegenüber! Sie hatte ungefähr die Größe eines zehnjährigen Kindes.

»Oh, wie wunderschön sie ist!«, rief Anne begeistert aus.

Das stimmte. Die Statue hatte ein außerordentlich hübsches Frauengesicht. Der Wasserfall warf ein flackerndes grünliches Licht auf das süße Lächeln der Göttin.

»Ja, sie ist wirklich wunderschön«, sagte Georg voller Ehrfurcht. »Da hast du Recht, Anne. Aber sieh nur, wie groß sie ist! Es wird schwierig für uns sein, sie überhaupt zu bewegen. Eine Statue aus massivem Gold und in dieser Größe wiegt bestimmt enorm viel.«

»Aber wenn wir sie hier lassen, besteht die Gefahr, dass Ivor und Phil sie finden, bevor Onkel Quentin die Behörden benachrichtigt hat«, gab Richard zu bedenken.

Julius, der auf dem schmalen Felsvorsprung neben

der Statue stand, streckte die Hände aus, um die Gold-statue anzuheben.

»Pass auf, Julius!«, warnte sein Bruder ihn. »Sie ist zu schwer für dich, und wenn du das Gleichgewicht verlierst ...«

Er sollte diesen Satz nicht zu Ende bringen! Julius hatte die Königin Zulma gepackt – und nicht die Ba-lance verloren.

»Los, fasst mit an!«, rief er den anderen zu. »Sie ist ganz schön schwer! Aber es geht. Ich glaube, zu viert können wir sie tragen.«

Tatsächlich war die Statue leichter, als die Kinder vermutet hatten. Sie hoben die goldene Göttin aus dem Alkoven und trugen sie gemeinsam hinüber zum rechten Flussufer. Dort setzten sie den goldenen Schatz vorsichtig ab.

»Seltsam«, meinte Richard außer Atem. »Eine massi-ve Statue von dieser Größe müsste doch eigentlich viel schwerer sein ...«

»Ist doch ganz klar, warum!«, erwiderte Georg. »Die Legende stimmt nicht! Jedenfalls nicht in dem Punkt, dass die Statue massiv ist. Sie ist hohl.«

»Wieso hohl?«, fragte Anne verwirrt.

»Ganz klar – wir hätten sie sonst nicht einmal anhe-ben können. Und wenn sie wirklich hohl ist – ja, Himmel, dann muss etwas Wichtiges darin versteckt sein.«

»Noch ein Schatz!«, rief Anne begeistert.

»Ich weiß nicht …«, murmelte Julius. »Eine Statue als eine Art Kassette?«

»Mal sehen, ob wir irgendwie hineinsehen können«, sagte Georg.

Sie legten die Statue vorsichtig flach auf den Boden – und entdeckten ihr Geheimnis sofort! Sie hatte einen Sockel, der mit einer Art Riegel gesichert war, den die Kinder behutsam öffneten. Darin entdeckten sie einen Hohlraum.

»Ich hab also Recht gehabt!«, sagte Georg ein wenig triumphierend.

Die anderen hielten die Luft an, als Georg mit einer Hand in die hohle Statue griff und einen versiegelten Behälter in Form einer Röhre, der aus irgendeinem leichten Metall war, herausholte. Als Georg ihn schüttelte, hörten alle, dass darin etwas klapperte.

Es war schwierig, den Behälter zu öffnen, aber Julius gelang es schließlich. Er achtete sehr darauf, dass ja nichts beschädigt wurde. Einige Pergamentrollen, die über und über mit einer winzigen Schrift beschrieben waren, fielen heraus.

»Toll!«, hauchte Julius. »Handschriften!«

»Sie sind in einer fremden Sprache«, stellte Richard

enttäuscht fest. »Und in einer Schrift, die wir nicht lesen können.«

»Ich wette, es geht darin um die Geschichte des ›Dunklen Volkes‹!«, sagte Georg eifrig. »Ehrlich – diese Schriftstücke sind bestimmt geschichtlich noch wertvoller und wichtiger als das Gold.«

»Steck sie lieber wieder in den Behälter und leg alles zurück in die Statue«, schlug Richard vor.

»Ja, du hast Recht«, stimmte Julius seinem Bruder zu. »So können sie nicht beschädigt werden. Danach werden wir Königin Zulma in unsere Plastikjacken einwickeln, und wenn alle mit anfassen und wir sehr vorsichtig sind, werden wir sie, glaub ich, heil zum Margarethenhof bringen können. Dort übergeben wir sie Onkel Quentin und dann ist unser Abenteuer zu Ende.«

»Es war wirklich ein supertolles Erlebnis, all die wertvollen Schätze zu finden!«, sagte Richard fröhlich. Und er fasste Tim bei den Vorderpfoten und tanzte mit ihm im Kreis herum! Sogar Julius, der normalerweise recht zurückhaltend war, machte mit beim Siegestanz. Und Georg ergriff Annes Hände und tanzte mit ihr um die Statue. Alle lachten und schrien und sangen vor Freude und Tim trug durch sein Gebell kräftig zum allgemeinen Lärm bei.

Plötzlich verstummten die Fünf Freunde schlagartig. Das Singen und Schreien und Tanzen brach ab und die Kinder drängten sich erschreckt um Königin Zulma und wagten nicht, zu atmen.

Wie durch Hexerei waren die finsteren Gesellen Ivor und Phil vor ihnen aufgetaucht! Und sie waren nicht allein gekommen. Sie hatten zwei andere große und gefährlich aussehende Jugendliche mitgebracht.

»Hallo, ihr Gören«, sagte Phil und lachte dreckig. »Habt wohl nicht mit uns gerechnet, was? Nee, bestimmt nicht! Habt wohl gedacht, ihr könnt uns entwischen, wie? Falsch gedacht! Wir haben euch beobachtet – und Ernst und Rolf hier haben uns ein bisschen dabei geholfen. Und unsere Ferngläser! Dieses Geheimtor war eine harte Nuss. Aber das Problem haben wir ja gelöst, wie ihr seht!«

Da sie jetzt hier im Tal standen, war es nur zu offensichtlich, dass sie das Problem gelöst hatten!

Ivor fügte mit einem schiefen Grinsen hinzu: »Und Ernst und Rolf werden uns tragen helfen! Ihr habt die Statue ja dankenswerterweise schon für uns gefunden! Möchte wissen, ob es hier drinnen noch mehr Schätze gibt …« Sein gieriger Blick glitt über das verschollene Tal – hinüber zum Wasserfall, über den Fluss und die runden Turmhäuser.

Vier kräftige, junge Burschen standen vier mutigen Kindern gegenüber – es war ein seltsamer Anblick! Und die Statue der Königin Zulma verfolgte das Ganze mit ihrem rätselhaften Lächeln in dem grünlichen Licht, das von einem Spalt in der Decke in die riesige Höhle fiel ...

Georg war schlicht und einfach empört bei dem Gedanken an all die Mühen, die sie und die anderen Kinder auf sich genommen hatten – nur um am Ende reingelegt zu werden?! Sie brachte keinen Ton heraus. Und dabei hätte ein Wort von ihr genügt und Tim hätte sich auf die Wilddiebe gestürzt. Aber Georg wusste, dass es für ihren Hund unter Umständen zu gefährlich war.

Julius und Richard ging es genauso wie ihrer Kusine Georg – sie standen vor Überraschung und Wut wie festgenagelt da.

Nur die kleine Anne, die Jüngste von allen und normalerweise auch die Ängstlichste von ihnen, vergaß plötzlich alle Furcht vor den Lümmeln! Sie kochte vor Wut und das musste sie jetzt irgendwie rauslassen. Wenn es wirklich darauf ankam, war sie doch ganz schön mutig, und diesmal sollte sie keine Ausnahme machen. Mit ihrer glockenhellen Stimme beschimpfte sie die vier jungen Burschen, so laut sie konnte.

»Ihr solltet euch wirklich schämen!«, schrie sie. »Ihr seid wohl noch stolz darauf, dass ihr so feige seid und Kinder angreift! Und ihr habt überhaupt kein Recht auf die Statue! *Wir* haben sie gefunden – und wir wollen sie auch nicht für uns behalten! Und mein Onkel wird sie den Experten übergeben, die wissen, was man damit macht! Und wenn ihr sie uns mit Gewalt wegnehmt, dann seid ihr nichts weiter als ... als ... ganz gemeine Diebe!«

Phil brach in lautes Gelächter aus.

»Was du nicht sagst, du Mäuschen!«, spottete er. »Habt ihr alle dieses kleine Mädchen gehört? Ja? Was glaubt sie eigentlich, wer sie ist? Also los jetzt – lasst uns die Statue nehmen und von hier verschwinden! Und wenn diese Kids uns später irgendwas anhängen wollen, dann streiten wir alles ab. Ich möchte mal wissen, was sie dagegen tun wollen!«

Julius hatte sich instinktiv vor die Statue gestellt, als wollte er sie beschützen. Georg war fuchsteufelswild geworden – und so reagierte sie auch! Dies war auch nicht der Moment für coole Überlegungen. Sie warf sich auf Ivor, der ihr am nächsten stand, und der gute alte Tim kam ihr zu Hilfe, ohne dass sie etwas sagen musste.

Auch Richard griff an: Er sprang geduckt auf den

Kerl zu, der Ernst genannt wurde, und erwischte ihn an den Fußknöcheln. Annes Mut war verpufft. Sie schrie entsetzt auf, als Rolf mit erhobener Hand auf sie losging.

Es war eine regelrechte Schlacht, aber der Kampf war unfair. Was konnten vier Kinder gegen vier große, kräftige Jugendliche ausrichten, die darauf aus waren, einen Schatz unberechtigt an sich zu reißen – selbst wenn den Kindern ein Hund half? Es war bald offensichtlich, wie der Kampf enden würde. Richard warf Ernst zwar zu Boden, aber der war sofort wieder auf den Füßen, und da er doppelt so groß wie Richard war, hatte er den Jungen schnell überwältigt und dessen Hände mit einer Schnur gefesselt. Phil ging direkt auf Julius los, der die Statue umklammerte, und riss sie ihm aus den Armen. Rolf musste Anne nicht einmal schlagen, damit sie aufhörte zu schreien. Sie merkte sofort, dass es keinen Zweck hatte, Widerstand zu leisten, und ließ ihn ihre Hände fesseln.

Dann waren nur noch Georg, Tim und Ivor übrig. Georg schlug mit den Fäusten auf den Wilddieb ein und trat mit aller Kraft nach ihm. Sie hatte volle Unterstützung von Tim, der sich im Hosenboden des Feindes verbissen hatte.

Ivor mochte diese würdelose Vorstellung überhaupt

443

nicht. Er beschloss, nicht lange darauf zu warten, bis ihm seine Freunde zu Hilfe kamen – er schob stattdessen die Hand in die Tasche, holte eine Sprühdose mit Tränengas hervor und sprühte es Georg genau ins Gesicht. Sofort fingen ihre Augen schmerzhaft zu tränen an. Vom Gas fast blind gemacht, hob sie die Hände vors Gesicht, und dabei musste sie Ivor loslassen. Ivor drehte sich schnell zu Tim um und besprühte auch den Hund mit Tränengas. Armer Tim! Er stieß ein herzerweichendes Geheul aus und wirbelte auf der Stelle um die eigene Achse, immer und immer wieder. Er konnte nichts sehen und musste niesen. Er konnte auch nichts mehr riechen, dabei verließ er sich doch normalerweise auf seinen wunderbaren Geruchssinn, wenn er wissen wollte, wo die Feinde waren.

Nur wenige Meter davon entfernt fand ein weiterer Kampf statt: Anne und Richard waren zwar mit den gefesselten Händen hilflos und Georg und Tim waren im Moment auch ausgeschaltet, aber Julius hatte einen kühlen Kopf bewahrt. Er war groß und kräftig für sein Alter. Ungeachtet der Tatsache, dass seine Gegner in der Überzahl waren, warf er sich auf Phil, als ihn der Bursche angriff, und schlug kräftig mit beiden Fäusten auf ihn ein.

Der Wilderer hatte so heftigen Widerstand nicht erwartet. Er war völlig überrascht, rutschte aus und fiel hin. Als er sich wieder erhob, wollte er wild auf Julius losschlagen. Julius stand mit dem Rücken zum Fluss – und duckte sich plötzlich zur Seite. Und das ließ Phil gar nicht gut aussehen! Durch die Wucht des eigenen Schlages verlor er wieder das Gleichgewicht und stürzte mit dem Kopf voran in die reißenden Fluten des Flusses.

All das ging so schnell, dass die anderen nur mit offenen Mündern zusehen konnten und einige Sekunden lang fassungslos dastanden. Erst Phils verzweifelte Schreie brachten sie wieder in die Wirklichkeit zurück.

»Hilfe!«, schrie er. »Hilfe! Ich ertrinke!!«

Ein wunderbares Abenteuer
geht zu Ende

Der junge Wilddieb ging unter und kam kurz darauf wieder an die Wasseroberfläche. Er zappelte und schlug wild um sich, um das Ufer zu erreichen. Alle sahen, dass er es nicht schaffen würde. Er war in ernster Gefahr!

»Die Strömung ist zu stark – sie reißt ihn mit!«, rief Richard entsetzt.

Ivor hatte jetzt sein überlegenes Getue gänzlich verloren. Er zitterte am ganzen Körper.

»Phil – Phil!«, schrie er. »Er ist erledigt – er kann nicht gut schwimmen. O nein! Und wenn wir ihm helfen, werden wir auch vom Wasser mit fortgerissen!«

Julius sah sich verzweifelt um. Wenn er nur ein Brett oder eine Holzstange finden würde, lang genug, um bis zu Phil zu reichen! Aber es gab kaum Holz im Tal. Inzwischen hatte Phil es aufgegeben zu schreien. Er brauchte all seine Kräfte, denn er kämpfte verzweifelt gegen die Strömung an. Und der Fluss trug ihn davon …

Anne war weiß wie eine Wand geworden. Sie hob die gefesselten Hände vors Gesicht, damit sie die schreckliche Szene nicht länger mit ansehen musste. Rolf und Ernst waren starr vor Schreck und murmelten immerzu nur: »Er ertrinkt! Er ertrinkt!« Als ob ihm das helfen würde!

»Seht mal!«, schrie Richard mit einem Mal. »Er hat etwas, woran er sich festhalten kann!«

Die Strömung hatte Phil hinüber zum anderen Flussufer getrieben. Mit einer letzten großen Anstrengung war es ihm gelungen, sich an einen Felsen zu klammern, der ein Stück über die Wasseroberfläche aus dem Fluss ragte. Aber die Strömung riss und zerrte immer noch an seinem Körper. Jeden Moment konnte sie ihn ins Unendliche mitnehmen.

»Er wird sich da nicht mehr lange halten können«, sagte Richard schaudernd.

Julius hatte inzwischen sein Pfadfindermesser aus der Hosentasche geholt und schnitt die Fesseln seines Bruders durch. »Schnell! Wir gehen auf dem Weg hinterm Wasserfall rüber zu ihm! Wir müssen ihm helfen!«, keuchte er. Und an die entsetzten drei jungen Kerle gerichtet, fügte er hinzu: »Ihr kommt auch mit! Ihr müsst mir helfen, euren Freund aus dem Wasser zu ziehen.«

Wenn er ehrlich war, wusste Julius, dass ihre Aussichten auf Erfolg sehr gering waren. Es würde eine Weile dauern, bis sie alle im Gänsemarsch den Wasserfall passiert hatten und am Ufer entlang zu der Stelle gerannt waren, wo sich Phil noch immer an dem Felsen festklammerte.

Die Chancen standen tausend zu eins, dass er losließ, bevor sie ihn erreicht hatten. Er schien nicht mehr viele Kraftreserven zu haben. Aber Julius wusste auch: Sie mussten es versuchen.

Während Julius, Richard, Ivor, Ernst und Rolf zum Wasserfall rannten, blieb Anne weinend zurück. Ihr war klar, dass Ivors Leben an einem seidenen Faden hing.

Plötzlich bot sich dem kleinen Mädchen aber ein völlig unerwarteter Anblick.

Sie hatte geglaubt, dass Georg und Tim genauso hilflos waren wie sie. Doch die beiden hatten sich inzwischen erholt.

Als Georg Phils Hilferufe hörte, hatte sie verzweifelt versucht, die Augen zu öffnen. Ihr liefen die Tränen nur so die Wangen hinunter, so sehr brannte das Gas. Obwohl sie alles nur verschwommen sah, erkannte sie, in welcher Gefahr der Wilderer war. Sie registrierte die Situation sofort. Phil war der schlimmste Feind der

Kinder, doch das vergaß Georg augenblicklich. Sie überlegte, wie sie ihm das Leben retten konnte.

»Tim!«, rief sie. »Komm hierher, alter Junge!«

Und sie lief zum Fluss, in der sicheren Annahme, ihr treuer Hund würde ihr bestimmt folgen, obwohl er immer noch vor Schmerz winselte.

Georg war gerade dabei, etwas ausgesprochen Unüberlegtes zu tun. Aber das erkannte sie in dieser Sekunde nicht. Es kam ihr einfach überhaupt nicht in den Sinn, dass sie ihr eigenes Leben riskierte, wenn sie dem jungen Mann zu Hilfe kam.

Sie war eine sehr gute Schwimmerin und sie war auch ganz gut im Training – zu Hause in der Felsenbucht verbrachte sie so viel Zeit wie möglich im Meer. Aber dieses Wasser hier war anders: Eine ungeheuer starke Strömung spülte die Fluten auf eine breite Spalte zu, durch die der Fluss in eine, soweit sie wussten, endlos tiefe Schlucht stürzte und dann dort verschwand.

Was soll's!, dachte Georg. Das mutige Mädchen zögerte keinen Moment. Georg zog die Schuhe aus und hechtete ins Wasser. Tim sprang hinter ihr her.

Anne stieß einen Schreckensschrei aus. Julius, Richard und die anderen drehten sich um, als sie ihre Schwester schreien hörten.

»Georg!«, riefen die beiden Jungen gleichzeitig. »Nicht! Komm zurück, Georg!«

Aber Georg hörte sie nicht. Sie schwamm mit aller Kraft, kämpfte gegen die Strömung an. Als sie in der Mitte des Flusses war, befürchtete sie einen Moment lang, das Wasser würde sie forttreiben, an Phil vorbei. Konzentriert schwamm sie mit kräftigen Zügen weiter. Immer wieder geriet sie in wilde Strudel, wurde unter Wasser gezogen, nur um etwas weiter hinten wieder aufzutauchen; doch allmählich gelang es ihr, den Fluss zu überqueren. Tim folgte ihr und ließ sein Frauchen dabei keine Sekunde aus den Augen.

Schließlich war sie auf einer Höhe mit Phil. Er war am Ende seiner Kräfte und würde augenscheinlich jeden Moment loslassen müssen. Er sah sie mit schreckensweiten Augen an, unfähig zu begreifen, was sie vorhatte.

»Gut so – halt dich fest!«, rief Georg ihm zu.

Sie klammerte sich mit der einen Hand an den Felsen und stützte mit der freien den jungen Wilddieb. So konnte er es etwas länger aushalten. Doch jetzt befand sie sich selbst in großer Gefahr.

Tim war dicht hinter ihr. Noch konnte er sich zwar problemlos im Wasser halten, doch schien er nicht in der Lage zu sein, dem Mädchen in irgendeiner Weise zu helfen, und seine Kräfte würden auch bald schwinden.

Oh, hätte ich ihn doch nur nicht mit in die Sache hineingezogen!, dachte Georg. Armer alter Tim – wenn er bloß nicht ertrinkt!

Doch dann sollte sie eine angenehme Überraschung erleben. Nicht nur dass sich Tim tapfer gegen die Strömung behauptete, der gute und kluge Hund ergriff selbst die Initiative. Er erfasste Phils Hose in Gürtelhöhe mit den Zähnen und hielt ihn genau wie Georg fest. Dies war eine große Hilfe, denn zu dritt konnten sie gegen die Gewalt der Wasserströmung besser ankommen.

Georg war erleichtert. Was wir auch machen, wir dürfen nicht loslassen!, ging es ihr durch den Kopf, und laut rief sie: »Weiter so, gut, Phil! Halt dich fest!«

Schließlich, nach endlos langen und bangen Minuten, kamen Julius und die anderen angerannt. Völlig außer Atem warfen sie sich flach auf das Ufer, und zusammen gelang es ihnen, Georg und Phil aus dem Wasser zu ziehen.

Das Ganze hätte in einer Katastrophe enden können, aber zum Schluss bekam dieses gefährliche Abenteuer beinahe noch eine komische Note! Als Phil am Ufer auftauchte, hing immer noch der gute alte Tim an ihm,

die Zähne fest in den Gürtel des jungen Mannes geschlagen. Tim hatte wohl gedacht, dass dies der beste und sicherste Weg sei, ebenfalls mit herausgefischt zu werden – als ob irgendjemand ihn vergessen hätte.

Nach der Anspannung der letzten Minuten waren alle erleichtert und froh darüber, dass diese Rettungsaktion gut ausgegangen war. Julius und Richard mussten Georg und Tim immer wieder in die Arme nehmen. Ivor, Ernst und Rolf klopften Phil auf den Rücken. Der hustete und prustete, denn er hatte viel Wasser geschluckt. Und alle redeten gleichzeitig.

»Das war völlig verrückt, Georg!«

»Du bist großartig! Das war einsame Spitze!«

»Bist du okay, Phil? Du hast uns vielleicht einen Schrecken eingejagt!«

»Wuff! Wuff!«

Drüben auf der anderen Seite des Flusses war es Anne gelungen, ihre Hände aus den Fesseln zu winden, und sie klatschte nun glücklich Beifall und sprang vor Freude auf und ab. Phil kam langsam wieder auf die Beine; er riss sich zusammen und ging auf Georg zu.

»Danke«, sagte er mit rauer Stimme. »Echt – danke! Das war wirklich nett von dir. Ich wäre erledigt gewesen, wenn du und dein Hund mir nicht geholfen hättet.« Und er fügte noch aufgeregter als vorher hinzu:

»Ich … eh, ich … wollte mich entschuldigen. Tut mir Leid! Du bist echt ein super Typ!«

In all der Aufregung und bei dem ganzen Durcheinander hatte er völlig vergessen, dass Georg eigentlich ein Mädchen war.

Sie lächelte und sie gaben sich die Hand. »Schon okay!«, sagte sie. »Lass uns Freunde sein. Und als Beweis unserer Freundschaft helft ihr uns, die Statue in Sicherheit zu bringen.«

Ivor und die anderen waren von Georgs Großmut beeindruckt. Sie folgten alle dem Beispiel ihres Anführers Phil.

»Wir müssen uns beeilen«, sagte Julius, als er flink den Weg hinter dem Wasserfall zurückging. »Georg und Phil sind beide völlig durchnässt. Sie müssen so schnell wie möglich trockene Klamotten anziehen.«

Anne war froh, als alle wieder wohlbehalten bei ihr waren. Mit der Hilfe der vier Burschen gelang es den Kindern, die Statue durch die Höhlen und Gänge hinaus ins Freie zu bringen. Sie hatten den Schatz in ihre Regenjacken aus Plastik gewickelt – zugegeben, eine wenig würdevolle Transportart für eine Königin …

Rolf hatte sein kleines Auto in der Nähe geparkt, und er nahm Georg, Tim und Julius zusammen mit der Statue mit und versprach, sie in Rekordzeit hinunter nach Margarethenstein zu fahren. Danach würde er wieder zurückkommen und Richard, Anne und die Fahrräder abholen. Phil, Ivor und Ernst wollten zu Fuß nach Hause gehen.

Die Autofahrt nach Margarethenstein dauerte nicht lange. Rolf setzte den ersten Teil der Gruppe ab und fuhr sofort wieder zurück. Julius und Georg sahen ihm nach, als er mit Vollgas davonsauste. Dann brachen sie in lautes Gelächter aus.

»Scheint so, als hätte er keine Lust, Onkel Quentin zu begegnen«, sagte Julius.

»Mir geht es, wenn ich ehrlich bin, genauso«, murmelte Georg. »Ich bin total nass – und das Abenteuer wäre beinahe schlecht ausgegangen. Du weißt, wie streng mein Vater sein kann. Oh, na ja …!«

»Zieh dich schnell um«, riet Julius ihr. »Dann warten wir hier auf Richard und Anne und tragen die Statue alle gemeinsam ins Wohnzimmer und wickeln sie aus. Und wir erzählen es zuerst Tante Fanny. Wie wäre das? Dann kann sie Onkel Quentin die Neuigkeiten überbringen.«

Das war eine gute Idee! Jedenfalls war Onkel Quentin von der goldenen Statue und den Dokumenten, die sie enthielt, so fasziniert – von den anderen erstaunlichen Entdeckungen der Kinder ganz zu schweigen –, dass er diesmal völlig vergaß, sie wegen ihrer Unbesonnenheit auszuschimpfen.

»Diese Sache wird unter Fachleuten für ganz schön viel Aufregung sorgen«, sagte er nur. »Und was euch angeht, Kinder, ich könnte mir vorstellen, dass ihr wieder einmal in den Schlagzeilen landet.«

Onkel Quentin sollte Recht behalten. Georg, Julius, Richard und Anne standen während der nächsten Tage im Mittelpunkt des allgemeinen Interesses. Sehr schnell tauchten in dem ruhigen, kleinen Dorf ganze Horden von Geschichtsforschern, Professoren und Archäologen auf, um das verschollene Tal und die Siedlung Temulka zu inspizieren. Sie gruben weitere Schätze aus, die sie denen hinzufügten, die die Kinder bereits gefunden hatten. Gleichzeitig machte sich ein anderes Team gelehrter Männer und Frauen daran, die Dokumente aus dem Inneren der Statue zu entschlüsseln.

Und eines schönen Tages wurden die Fünf Freunde zu einer offiziellen Veranstaltung eingeladen, bei der die geheimnisvolle Geschichte des ›Dunklen Volkes‹ vom Klipphorn der Öffentlichkeit vorgestellt werden sollte anhand der wertvollen Dokumente, die es hinterlassen hatte und die von den Kindern wieder

entdeckt worden waren. Diese Einladung machte die
Fünf Freunde stolz und glücklich.

Es war ein großer Tag für Georg. Hunde sind normalerweise bei wichtigen wissenschaftlichen Veran-
staltungen und Historikertreffen nicht zugelassen.
Aber Tim hatte eine Sondererlaubnis erhalten und
durfte sie begleiten. Und endlich wurden alle Geheimnisse gelüftet.

Nach der Veranstaltung, die sehr lehrreich und
spannend war, fuhren die Fünf Freunde zum Margarethenhof zurück, wo es einen ganz speziellen Nachmit-
tagstee gab. Frau Hansen hatte ihr fantastisches selbst
gebackenes Brot auf den Tisch gebracht und leckeren
Kuchen gebacken. Es gab Himbeeren mit Schlagsahne
und Biskuitkekse mit Puderzucker.

Sie tranken den Tee draußen im Garten und sprachen immer noch von dem, was sie alles erfahren hatten.

»Also stimmte es: Es war das ›Dunkle Volk‹, das in
Temulka lebte, und es hatte wirklich einmal eine Königin, die Zulma hieß – oder vielleicht war sie auch nicht
wirklich eine Königin, aber sie war ihre Anführerin
und wurde von ihnen wie eine Königin verehrt«, sagte
Georg.

»Und natürlich haben sie kein Gold gemacht«, sagte

Julius. »Es war genau, wie ich gedacht habe: Sie fanden eine große Goldader im Klipphorn.«

»Und anscheinend waren die Hunde der Jäger so trainiert, dass sie nicht bellten, damit sie ihre Herren nicht verrieten«, fügte Georg hinzu. »Ich wette, dieser Teil hat dich am meisten interessiert, Tim.« Dabei streichelte sie ihren Hund liebevoll.

Anne hatten die romantischeren Details der Geschichte noch mehr begeistert. Sie zählte sie mit glänzenden Augen auf: »Das Volk von Temulka war weise und vorsichtig, und wenn sie doch einmal ihren unterirdischen Wohnort, also das Tal, verließen, dann machten sie das so unauffällig wie möglich – und nur, um im Gebirge auf die Jagd zu gehen oder Heilkräuter zu sammeln. Zulma trocknete die Kräuter und behandelte damit Krankheiten. Sie war eine sehr große Heilerin.«

»Ich bin nicht sicher, ob man dem Teil in den Dokumenten glauben kann, in dem es heißt, sie hätte ein Elixier gefunden, mit dem man länger leben konnte«, sagte Richard, der das Ganze etwas realistischer betrachtete als seine Schwester.

Julius wollte jetzt keinen Streit, deshalb wechselte er schnell das Thema. »Und das ›Dunkle Volk‹ war tatsächlich sehr musikalisch.«

»Sie waren überhaupt große Künstler, wie man an den Höhlenmalereien sieht«, sagte Georg. »Ein Jammer, dass ein so talentiertes Volk in den Fluten umgekommen ist.«

Und einen Moment lang dachten die Kinder voller Trauer an die Menschen aus längst vergangenen Zeiten. Sie hatten das Gefühl, dass sie dieses Volk inzwischen recht gut kannten.

Dann kehrten sie in die Gegenwart zurück.

»In Klipp wird ein Museum eröffnet«, erklärte Julius nicht ohne Stolz. »Das wird bestimmt viele Touristen anziehen.«

»Das kann diese Region sicher gut gebrauchen«, sagte Anne. »Frau Hansen wird immer genügend Pensionsgäste haben. Aber ich hoffe, es werden nicht zu viele sein, damit wir auch mal wieder herkommen können.«

»Ich finde den Gedanken toll, dass wir, die Fünf Freunde, etwas über die Vorgeschichte herausgefunden haben, was noch niemand vorher wusste«, sagte Richard freudig.

»Wuff!«, machte Tim, damit stimmte er zu, und es schien so, als ob ihn jede historische Einzelheit interessierte.

Aber Georg hatte das letzte Wort.

»Wenn ihr mich fragt«, sagte sie, »ist der tollste Teil des ganzen Abenteuers, dass wir am Ende Freunde von Phil und den Jungs geworden sind. Ich glaube, die werden nie wieder wildern oder stehlen. Und das ist mehr wert als alle Goldstatuen der Welt!«

Die zweite Sammeledition!
Hast du die erste,
brauchst du auch die zweite ...

**Sechs weitere Bände,
in denen jeweils drei Fünf-Freunde-Bücher enthalten sind:**

- Band 8 – ISBN 978-3-8094-2820-6
- Band 9 – ISBN 978-3-8094-2821-3
- Band 10 – ISBN 978-3-8094-2822-0
- Band 11 – ISBN 978-3-8094-2823-7
- Band 12 – ISBN 978-3-8094-2824-4 – lieferbar ab Juli 2012
- Band 13 – ISBN 978-3-8094-2825-1 – lieferbar ab September 2012

Überall erhältlich, wo es Bücher gibt.

www.bassermann-verlag.de